For the fond memories of the
formative years at Princeton
with Respects
APRIL 2014
PARIS

JOURNAL
D'UN PRINCE BANNI

Demain, le Maroc

MOULAY HICHAM EL ALAOUI

JOURNAL
D'UN PRINCE BANNI

Demain, le Maroc

BERNARD GRASSET
PARIS

Photo de couverture : © JF Paga / Grasset.

ISBN 978-2-246-85165-3

Aux Marocains,
sans distinction.

AVANT-PROPOS

Tout livre est un contrat de confiance, et le livre d'un prince marocain encore plus qu'un autre. En effet, jamais dans la longue histoire dynastique du royaume, un membre de la famille régnante n'a pris la plume pour partager ses idées avec l'« extérieur », au-delà des murs du Palais et, encore moins, par-delà les frontières du pays. À cela, il y a de bonnes raisons, qui ne relèvent pas seulement d'un royal dédain pour le monde en dehors du *méchouar*, le « Conseil », c'est-à-dire l'enceinte du pouvoir monarchique. Écrire un livre, c'est se livrer. La décision a mûri en moi pendant des années. Maintenant que je m'y suis résolu, je ne vais pas m'arrêter à mi-chemin. Dans les pages qui suivent, je ne mâche pas mes mots. Rien de ce que je pense n'est dissimulé derrière des arabesques.

Pour autant, on cherchera en vain de « petites phrases », du fiel distillé, des attaques *ad hominem* ou des secrets inavouables. J'ai trop subi de pareilles bassesses pour m'y livrer à mon tour. En revanche, un système opaque est décrit de l'intérieur avec le franc-parler qu'abhorre la société de cour au Maroc pour qui la souplesse invertébrée et le verbe tarabiscoté tiennent

9

lieu de raffinement et de subtilité. Pour ma part, je préfère être direct : je ne suis pas davantage le « prince rouge » que Mohammed VI n'est le « roi des pauvres » – en ce qui le concerne, quinze ans de règne devraient suffire pour en convaincre même le plus jobard parmi nous. Quant au « prince rouge », il n'existe que dans les miroirs déformants des médias. Je n'ai jamais été communiste ou socialiste. Je ne suis même pas antimonarchiste par principe, un « mauvais prince » en quelque sorte. Cependant, je serais prêt à tirer un trait sur la monarchie chérifienne si j'arrivais à la conclusion qu'elle n'est plus d'aucune utilité pour les Marocains, qu'elle interdit toute évolution vers la démocratie, la prospérité et l'État de droit. Trancher cette question, c'est précisément l'objet de ce livre. D'ores et déjà, je suis persuadé qu'il faut démanteler le *makhzen*, c'est-à-dire notre pouvoir pseudo-traditionnel qui cumule les tares du « despotisme oriental » et de la tyrannie bureaucratique héritée de l'administration coloniale.

Je ne suis ni un républicain à tout crin ni – je revendique le double sens – un monarchiste dans l'absolu. Je pourrais très bien vivre dans une république marocaine, si ce régime me paraissait la meilleure option pour mon pays. Et quand bien même la république ne serait pas la meilleure voie, l'adhésion à la monarchie devra de toute façon être refondée sur de nouvelles bases, plus saines. Mon point de départ est donc la question suivante : que peut encore apporter au Maroc la monarchie comme forme de gouvernance ? Que peut-elle sauvegarder, ou mieux faire éclore, qu'un autre régime ? Je conçois sans drame que, dans un contexte historique donné, la réponse puisse être défavorable à la monarchie. Mais je ne m'interdis pas non plus de penser qu'après le Printemps arabe, la monarchie puisse encore être utile au Maroc, c'est-à-dire « historiquement productive » pour faire advenir la démocratie au moindre coût humain, sans violences. C'est sur ce choix de fond que je veux m'expliquer dans ce livre.

De quelle façon ? En livrant ma vérité, toute ma vérité d'homme et de prince, une fois pour toutes. C'est à prendre ou à laisser, en partie ou en bloc. Cette décision appartient au lecteur, et à lui seul, dès lors que je remplis ma part de notre contrat de confiance. D'emblée, je vais donc être explicite. Je ne demande à personne de s'engager pour moi mais seulement pour que le Maroc – patrie ou pays ami – change. Je ne suis candidat à rien et ne souhaite prendre la place de personne. En même temps, je ne m'interdis aucune ambition au service de mon pays. Si le Maroc veut devenir un « royaume pour tous », je serai avec lui.

Ce n'est pas la première fois que je prends la parole sur la place publique. Du temps de Hassan II, qui était un grand roi mais qui, c'est une litote, ne prisait guère la contestation, je suis sorti du rang – et, comme on le verra, j'en ai payé le prix de multiples façons, même si je ne veux évidemment pas me comparer aux victimes dans leur chair des « années de plomb ». L'opposition à Hassan II a forgé mon caractère et, de cela, je lui sais gré. Tout comme je lui reconnais le mérite d'avoir su changer le cours de son règne à la fin, après tant d'années de pouvoir absolu au milieu de courtisans flatteurs. Longtemps

11

despote, Hassan II a fini par tourner bride pour ouvrir le Maroc à un monde qui avait changé après la guerre froide. À ce titre, il a fait preuve de grandeur monarchique.

Dès que Mohammed VI a pris les rênes du pouvoir, en 1999, je lui ai dit avec la même franchise ce que je pensais. À savoir qu'il fallait enfin permettre aux Marocains d'accomplir leur mue de « sujets » en citoyens ; qu'il fallait rendre le système moins régalien et, enfin, qu'il fallait vider le *makhzen*, c'est-à-dire intégrer le patrimoine royal dans la richesse nationale – pour faire remonter le fleuve à sa source. Aucune communication, aussi habile soit-elle, ne peut dissimuler qu'il s'agit là, hier comme aujourd'hui, des épreuves de vérité de Mohammed VI. Toute nouvelle « alliance entre le Roi et le Peuple », tout nouveau pacte monarchique et, à plus forte raison, tout nouveau pacte social passe par la fin du *makhzen*, qui n'est pas par hasard à l'origine du « magasin » français. Or, en guise de réponse, j'ai été banni du Palais, le siège du pouvoir. J'ai été effacé de la photo officielle. Au lieu de permettre un débat de fond, mieux valait-il faire accroire que j'aspirais à devenir « calife à la place du calife ». Rien ne saurait être plus faux.

L'allégation selon laquelle je ne serais qu'un « Iznogoud » s'est émoussée au fil du temps. Dès lors, des « barbouzeries » ont été montées contre moi. Ce livre révèle des faits précis, une série de machinations de bas étage. J'ai fini par m'installer avec ma famille aux États-Unis, en janvier 2002. Je ne m'en plains pas. Comme aimait à dire Mikhaïl Gorbatchev quand l'empire soviétique s'est effondré : « Le monde est aussi grand qu'on le voit. » L'éloignement m'a aidé à mettre les choses en perspective, à leur rendre leurs justes proportions et à aller de l'avant. Après avoir servi les Nations unies au Kosovo, j'ai poursuivi ma carrière académique dans deux des meilleures universités américaines, Princeton et Stanford ; j'ai créé un institut de recherches sur le monde arabe et, en 2010, ma propre fondation pour favoriser un travail de réflexion ; également en 2010, j'ai intégré le comité consultatif pour le Proche-Orient et l'Afrique du Nord de l'ONG Human Rights Watch ; enfin, j'ai connu la réussite professionnelle dans les affaires que j'ai montées sur la nouvelle « frontière verte » des énergies renouvelables. Bref, je ne nourris ni regrets ni rancœur. En effet, le monde est aussi grand qu'on le voit, et j'y ai trouvé ma place, toute ma place. Si mon oncle a forgé mon caractère, mon cousin m'a permis de le tremper. Merci à tous les deux !

La vérité est toujours bonne à dire. Depuis vingt-cinq ans, sous Hassan II puis sous Mohammed VI, je décris sans fard l'état de mon pays. Je le fais non pas en catimini, dans un huis-clos conspirateur, mais à découvert, dans des journaux, à la télévision ou à la tribune de conférences internationales. Dès l'été 2001, sur TV5, je me suis fait l'avocat d'une réforme de la Constitution marocaine dont l'esprit et la lettre s'effaceraient devant le « droit divin ». J'ai ajouté que l'on ne pouvait « laisser le temps au temps » mais, au contraire, qu'il fallait procéder sans tarder à des réformes structurelles pour sortir des mauvaises habitudes et engager l'avenir.

Quatre ans plus tard, dans le journal marocain *Al Jarida Al Oukhra*, j'ai réagi à la préférence pour une république marocaine exprimée par l'islamiste Nadia

Yacine, en posant comme principe que l'islam ne privilégiait aucun régime en particulier, que la religion pouvait sanctifier le contenu d'une gouvernance mais pas la forme que celle-ci revêtait. On a crié au scandale parce que j'enterrais la théocratie au XXIe siècle ! La clameur était d'autant plus forte que j'expliquais, par la même occasion, qu'il faudrait tôt ou tard intégrer dans notre système politique les islamistes, un futur contrat social devant sortir du moule d'un vaste mouvement populaire. Aujourd'hui, c'est chose faite (à moitié, comme souvent au Maroc) et nul n'y trouve à redire. Dès lors que le Palais a « ses » islamistes… Mais quand je l'ai dit, quand j'ai affirmé en 2005 qu'il fallait inclure les islamistes, c'est-à-dire aller au-delà des murs du *makhzen* pour forger une nouvelle alliance avec le peuple là où le peuple était réellement, quel sacrilège, quel scandale ! Le « prince rouge » devenait le « prince vert ». Des médias proches du pouvoir m'ont mis à l'index, m'accusant de faire le lit des islamistes. Un peu partout, il m'a été reproché de chercher des alliés politiques à tout prix pour ravir sa place à mon cousin sur le trône – toujours la même antienne. En réalité, je prenais seulement position sur une question clé engageant l'avenir de mon pays.

Heureusement, depuis, le Printemps arabe est passé par là. Au Maroc, à partir du 20 février 2011, un Mouvement prenant pour nom sa date de naissance a envahi les rues du royaume. Officiellement, cette vague de contestation a pris fin le 1er juillet, quand 98 % des votants ont entériné une réforme constitutionnelle octroyée par le roi sous la pression, apparemment irrésistible, de 2 % de mécontents…

Je tiens à saluer le courage de ces prophètes de la rue, qui ont scandé des vérités à ciel ouvert ; j'exprime ici ma reconnaissance à tous ceux – souvent des jeunes – qui ont secoué les colonnes du Palais pour tirer leurs concitoyens de leur passivité envers un *statu quo* jugé « sans doute imparfait » mais, mesuré à l'aune de la « vraie dictature » sous Hassan II, un pis-aller acceptable. À l'adresse de ces esprits timorés, mon argument a toujours été le même, quoique moins audible avant le Printemps arabe : au Maroc, où le simulacre d'ouverture cohabite avec l'hyper-concentration réelle du pouvoir, le *statu quo* est pernicieux parce que le temps qu'il fait perdre aux réformes salva-trices favorise l'irruption de violence. L'humoriste Bziz, boycotté sur nos chaînes nationales, ne dit rien d'autre en se moquant d'un pays malade transformé en « salle d'attente pour 30 millions de Marocains », sinon en salle d'embarquement, pour les plus chanceux, ou en rivage de désespoir pour les *pateras* de l'émigration clandestine.

C'est là ma convergence avec les démocrates au Maroc et mon désaccord avec les attentistes de tous bords, tant au Palais que dans les villas bourgeoises : l'inertie et le blocage ont un coût en termes d'opportunités pour le pays ! Nous subissons aujourd'hui nos manquements d'hier. Et ne pour-rons plus faire, demain, ce que nous n'accomplissons pas aujourd'hui. Comme les milliers de *refuzniks* dans la rue, je ne me résigne pas à m'accrocher à ma chaise pour écouter l'orchestre sur le pont du *Titanic*. Quitte à perturber, j'inter-romps la musique. Il est encore temps de changer de cours.

Ce livre critique la monarchie chérifienne pour que les Marocains puissent s'en défaire, s'ils en ont la volonté, ou pour qu'ils puissent l'adapter à leurs besoins, si tel est leur souhait. Mais on peut seulement garder ou remiser ce que l'on connaît vraiment, de l'intérieur. Je vais donc passer au crible la monarchie marocaine, conduire le lecteur dans les allées du pouvoir à l'abri des hautes murailles qui, chez nous, séparent le souverain absolutiste et Commandeur des croyants de ses « sujets ». Attention ! On ne verra pas ici le roi nu – ce n'est dans l'intérêt de personne. En revanche, je vais payer de *ma* personne pour décrire les travers du système. Je retrace ma vie à l'intérieur puis à l'extérieur du Palais pour démonter les rouages d'un univers au sein duquel je suis né. Je vais décoder l'ADN du *makhzen* et indiquer la mutation génétique qu'il faudrait provoquer pour qu'une monarchie parlementaire puisse, éventuellement, rester le réceptacle de notre passé tout en devenant le vaisseau de notre modernité.

Contrairement à tant de figures de notre histoire et de grands commis de l'État, qui nous ont quittés sans léguer à la mémoire collective leurs expériences et réflexions, je voudrais laisser une trace. Ma vérité, que j'offre ici en partage, est simple : né hors du commun, sans l'avoir cherché, puis éjecté du sanctuaire du pouvoir – de ma propre maison ! – pour avoir voulu faire cause commune avec tous les Marocains, je cherche à faire advenir dans mon pays la démocratie, un « royaume pour tous ».

I.

L'ENFANCE AU PALAIS

Je suis l'héritier de deux grands pays et de deux illustres familles. Ma mère, Lamia el-Solh, est la fille d'une figure du panarabisme, Riyad el-Solh, fondateur d'un État multiconfessionnel et l'un des architectes de l'indépendance du Liban. Son rôle fut tel que Patrick Seale a sous-titré son ouvrage *La Lutte pour l'indépendance arabe*, publié en 2010, *Riad el-Solh et la naissance du Moyen-Orient moderne*. Mon grand-père maternel était en effet à l'origine du « pacte national », qui a consacré le partage du pouvoir entre les différentes communautés du Liban, l'embryon d'un monde arabe affranchi de toute tutelle aux yeux de mon aïeul.

Né en 1894, juriste de formation, Riyad el-Solh s'investit très tôt dans le combat nationaliste. Il se bat contre la présence ottomane, puis contre l'occupation coloniale française. Il est emprisonné par les Turcs à dix-huit ans, puis condamné à mort par contumace par les Français, qui voient en lui un « turbulent agitateur », voire, selon les mots du général Gouraud, l'« auteur de la conspiration » visant à faire du Liban le noyau d'un empire arabe. À la faveur de la redistribution des cartes au sortir de la Seconde Guerre mondiale, le Liban devient indépendant et Riyad el-Solh est choisi comme Premier ministre. Il participe à ce titre à la construction politique du pays. Il collabore à l'élaboration et à la mise en œuvre de la première Constitution du Liban, qui institue un partage des pouvoirs entre les musulmans sunnites et chiites, d'un côté, et, de l'autre, les chrétiens maronites. Avec le président Bechara el-Khoury, il conçoit le « pacte national » qui détermine l'équilibre et les grandes orientations du Liban indépendant. Pour prix de cet idéal, il est assassiné à Amman en juillet 1951 à l'instigation du colonisateur britannique ou, c'est l'autre thèse, par un nationaliste arabe proche de la Syrie. Né quinze ans après la mort de mon grand-père maternel, je ne l'ai pas connu.

La famille el-Solh – *sulh*, en arabe, veut dire « faire la paix, réconcilier » – était une émanation de la grande bourgeoisie ottomane du Moyen-Orient, alors qu'il n'y avait pas encore de bourgeoisie dans la plupart des autres pays de la région. C'est une famille influente, forte de ses racines au Liban, pays auquel elle a donné cinq Premiers ministres, et de ses ramifications dans le Golfe. Il y a notamment de vieilles relations entre les el-Solh et les al-Saoud, fruit d'alliances entre familles régnantes ou puissantes. L'une de mes tantes a épousé un fils du roi Abdelaziz al-Saoud.

Riyad el-Solh a eu cinq filles. L'aînée, qui est décédée en 2007, s'appelait Alia. Journaliste engagée, elle était connue pour ses articles enflammés sur les questions arabes, souvent hostiles à la Syrie, et sur la condition de la femme arabe. Elle fut mariée un temps à Nasser

Nachachibi, un écrivain palestinien militant, un homme brillant. Ensuite vient Lamia, ma mère. Puis Mouna, dont le mari, le prince Talal ibn Abdelaziz d'Arabie Saoudite, a longtemps défrayé la chronique politique par ses prises de position libérales – ce qui n'était pas évident dans le contexte saoudien. Mouna est la mère d'un magnat de la haute finance internationale, Walid ibn Talal. Pour sa part, Bahija, la quatrième fille, a épousé un chiite libanais de Saïda. Leila, la benjamine, a également épousé un chiite libanais, de la famille Hamadé.

La mère des cinq filles de Riyad el-Solh était d'origine syrienne, d'une famille de renom originaire d'Alep, les Jabri. L'une des cousines maternelles de ma mère a épousé le général Mustapha Tlas, longtemps ministre syrien de la Défense et, à ce titre, un pilier du régime de Hafez el-Assad.

Ma mère et ses sœurs ont été éduquées dans l'ombre de leur père. Un frère aîné étant mort très jeune, l'absence d'hommes a beaucoup marqué cette famille. La seule présence masculine, qui faisait figure d'oncle, était un cousin germain très proche de Riyad, Takieddine el-Solh. Conseiller de Riyad jusqu'à son assassinat, député, ministre, il sera chef du gouvernement de 1973 à 1974. Il considérait mes tantes comme ses propres filles. Le signe de reconnaissance de la famille était le tarbouche turc avec le pompon incliné vers la droite. Les cinq filles ont été élevées de manière traditionnelle mais « à la libanaise », c'est-à-dire dans une grande ouverture d'esprit. Elles ont pu faire des études : Alia a étudié au St Antony's College d'Oxford, ma mère à la Sorbonne. Elles étaient très fières de leur identité libanaise,

19

se considérant comme des républicaines arabes. À la mort de son mari, ma grand-mère a tenté l'impossible pour protéger ses filles. Elle s'est même convertie au chiisme pour sanctuariser leur héritage, puisque, chez les sunnites, en l'absence de garçon, les filles sont tenues de partager la succession avec leurs oncles.

En 1957, mes parents se rencontrent lors d'une soirée à Paris, alors que mon père, Moulay Abdallah, le frère du futur roi Hassan II, passe son bac dans la capitale française, dans une école privée (il obtiendra ensuite une licence de droit, en Suisse). Ma mère est inscrite à la Sorbonne. Ils se fréquentent, mais les fiançailles tardent. Les choses se précisent quand Moulay Abdallah accompagne son père, Mohammed V, lors d'un voyage officiel au Liban. Le roi consent alors à cette union bien que Lamia, n'étant pas marocaine, échappe à son emprise. C'est une aventure risquée pour la dynastie mais Mohammed V ne sait rien refuser à son fils. Il accepte le pari.

Moulay Abdallah est né en mai 1935. Jeune, il passait pour l'enfant préféré de son père, qui l'appelait *Sid el Aziz* – « le maître chéri » – cependant que Moulay Hassan, le prince héritier, était appelé *Sid Sghir*, « le jeune maître ». Mon père était un garçon décrit comme charmant, attachant, intelligent mais fragile. À sept ans, atteint de tuberculose, il a dû partir se faire soigner pendant de longs mois à Fès. Moulay Hassan était plus fruste mais, aussi, plus robuste et plus dur. Dans la famille, on dit que Mohammed V, sachant que Moulay Abdallah ne serait pas roi, l'a beaucoup gâté, créant de ce fait une disparité affective entre ses deux fils. Par la suite, ce clivage a perduré entre les deux frères : Moulay Abdallah était le fils chéri du roi, tandis que Moulay Hassan était son successeur et son lieutenant. Mon père sortait, nageait, skiait, jouait au foot pendant que Hassan devait se préparer à régner. Malgré tout, il y avait une grande complicité entre les jeunes princes. Mon père nourrissait à l'égard de son aîné affection et admiration.

La version officielle, *ad usum populi*, de la rencontre de mes parents est celle d'une belle histoire d'amour, d'un conte de fées où la passion l'emporte sur tout. D'un côté, Moulay Abdallah, descendant d'une monarchie presque millénaire ; de l'autre, une fille issue d'une famille républicaine, éduquée à l'occidentale, portant bien avant tout le monde la robe et non plus le *hijab* traditionnel (bien que la princesse Lalla Aïcha, l'une des filles de Mohammed V, ait ôté, elle aussi, le voile en public à la même époque pour donner l'exemple). Cette version d'une rencontre merveilleuse entre le Mashrek et le Maghreb est toutefois un peu romancée. La réalité, c'est que mon père a déjà besoin d'un ballon d'oxygène : pour pouvoir respirer, il ressent la nécessité d'une bouffée d'air frais en dehors du système marocain. C'est une question de survie. Pressent-il déjà qu'après la mort de son père, la vie deviendra impossible pour lui dans le *makhzen* ? Le fait est qu'il cherche, inconsciemment peut-être, des réseaux extérieurs qui lui offrent un sanctuaire, un refuge. *In fine*, assez paradoxalement, cela va plutôt jouer en faveur de Hassan II puisque, au cours de son règne, il bénéficiera de ces réseaux. Quand mon père devient, au début des années 1970, « représentant personnel » de

21

Hassan II, il mettra en effet tous ses contacts, au Liban et dans le Golfe, à la disposition du roi.

Au moment de sa rencontre avec ma mère, mon père a toujours de bonnes relations avec son frère. Cependant, dans ses grands moments de détresse, il m'a raconté avoir été le témoin impuissant de la dégradation des relations entre Mohammed V et Moulay Hassan. Le prince héritier est agressif, revendiquant des pouvoirs élargis. De son côté, Mohammed V se plaint du fait que son successeur désigné prenne trop d'initiatives, brûle les étapes – même si, de fait, la dureté du prince héritier sert souvent la monarchie. Il y a entre le père et le fils de fréquents éclats de voix. Mon père pressent les crises à venir : la dureté avec laquelle Hassan II gérera le Mouvement national, qui a mené notre pays à l'indépendance, le rapprochement avec l'Occident – la France et l'Amérique – alors que le Maroc s'inscrivait dans le mouvement non aligné, tiers-mondiste...

Ces enjeux sont au cœur de « l'alliance du Peuple et du Trône », soit le pacte du pouvoir. En fait, deux pactes coexistent à cette époque : l'un a été conclu avec le Mouvement national ; l'autre, plus vaste, englobe le premier mais engage la société marocaine dans son ensemble. Ce dernier pacte fait du roi le ciment de la nation, le représentant sinon, en tant que Commandeur des croyants, le corps mystique du peuple. À charge pour le monarque de veiller à ce que l'on appellerait de nos jours la « bonne gouvernance » et qui, au Maroc, ne saurait se concevoir en désaccord avec l'islam.

Comment est-on passé d'un Mohammed V déporté, que les Marocains croyaient voir dans la lune tant ils désiraient son retour d'exil, à un Mohammed V en djellaba traditionnelle reniant à la fois cette aspiration populaire et le Mouvement national ? Sans doute, le roi s'est-il persuadé que c'était là le prix à payer pour conserver son trône. Cette conviction n'est pas née du jour au lendemain. Elle s'est forgée graduellement. Le roi a intégré certains membres du Mouvement national dans l'armée ; parallèlement, il a ordonné des vagues d'arrestations ; sur la scène internationale, il a adouci sa ligne tiers-mondiste par un rapprochement avec la France et l'Occident en général. Toutefois, ceux qui ont vécu cette époque aux premières loges affirment que l'architecte de cette politique a été, en réalité, le prince héritier. Après avoir maté la révolte du Rif avec le général Oufkir, Moulay Hassan avait en effet pris un certain ascendant sur son père. Nombreux sont ceux qui se disent convaincus que l'équation politique ne se ramenait pas inévitablement à un choix entre le roi et le Mouvement national. À la veille de son opération, laquelle lui sera fatale, Mohammed V aurait d'ailleurs décidé d'accepter le partage du pouvoir avec le Mouvement national, à la seule condition que la pérennité de la monarchie soit garantie en échange. Mais cela est à mettre au conditionnel, pure hypothèse nourrie rétrospectivement. Est-ce vrai ? Est-ce faux ? Peut-être la survie de la monarchie au-delà de Mohammed V n'a-t-elle été qu'un accident de l'histoire.

Une chose est certaine : après la mort inattendue de son père, Hassan II a dû reconquérir le trône. Il s'est davantage vu comme un pionnier qu'un héritier. Il a aussi été le premier roi véritablement à cheval entre la culture arabe et la culture occidentale. Auparavant, le souverain importait quelques éléments de la culture occidentale en les intégrant à la culture marocaine. Mohammed V s'est rasé la barbe, il a demandé à sa fille Lalla Aïcha d'ôter le voile à dix-sept ans, en avril 1947. Mais c'étaient des « gestes » dans un contexte qui restait, sans équivoque, marocain. Hassan II, au contraire, a opéré une fusion entre les deux cultures, ce qui n'a pas été sans poser quelques problèmes. Ainsi, sur le plan vestimentaire, Hassan II avait un goût assez particulier, plus Chicago que Savile Row... Il n'était pas non plus sûr dans le choix de ses voitures ou de ses meubles. Il avait un côté « nouveau riche » cherchant à briller. Avec lui, la monarchie en rajoute dans le faste, alors que cela n'avait pas du tout été le cas sous Mohammed V. Sa décision d'être le « Roi soleil », d'occuper tous ses palais, a entraîné la maison royale et, donc, l'État dans un engrenage infernal, des dépenses appelant d'autres dépenses, le faste appelant plus de faste encore. Ce choix du luxe participait de sa quête de reconnaissance et de légitimité.

À la mort de Mohammed V, il y a eu toutes sortes de rumeurs sur les circonstances de son décès, certaines allant jusqu'à impliquer Hassan II dans la disparition de son père. Mais il n'y a jamais eu aucune preuve d'une mort autre qu'accidentelle. Or, on ne bâtit pas l'histoire sur du conditionnel. Cela vaut également pour l'opposant Mehdi Ben Barka, dont certains croient qu'il aurait pu jouer un rôle pour maintenir la cohésion entre le trône, le Mouvement national et le peuple. Incontestablement, Ben Barka était une figure charismatique. Mais je crois que même lui n'en aurait pas été capable.

Toujours est-il qu'après la mort de Mohammed V, de nombreuses personnes ont tenté de disqualifier Hassan II comme digne successeur, voire l'ont diffamé comme un fils illégitime, quand elles n'ont pas essayé de le renverser. Elles l'ont ainsi repoussé dans ses retranchements alors qu'il était justement en quête de légitimité et, disons-le, d'affection. C'était une erreur. Cela l'a incité à devenir très dur, très vite. Et il y avait de quoi : on a quand même attenté à sa vie à deux reprises, une fois pour – il n'y a pas d'autre mot – le « flinguer » pendant sa garden-party d'anniversaire au palais de Skhirat et, la seconde fois, pour le mitrailler en plein vol alors qu'il revenait d'Europe à bord du Boeing royal. Des nationalistes étaient impliqués dans ces deux tentatives de coups d'État, tant en 1971 qu'en 1972. D'où, en réponse, les « années de plomb » – rappeler cet enchaînement ne revient pas à disculper Hassan II de sa responsabilité pour vingt ans d'une effroyable répression. Le roi ne concédera l'« alternance », c'est-à-dire la participation au gouvernement des héritiers du Mouvement national, qu'après avoir épuisé toutes les alternatives : l'état d'exception bien sûr, mais aussi les partis « cocotte-minute », qui servaient de soupapes de sécurité pour éviter que le couvercle ne saute ; les cabinets de technocrates, qui devaient faire croire à une gestion pure de toute compromission politique ; le charcutage électoral ou la carte ethnique dans le jeu royal de la division pour mieux régner… Quand, au soir de son règne, Hassan II est finalement revenu au Mouvement national, en 1998, ce dernier était exsangue. Le roi s'est retrouvé avec un zombie. Aussi faut-il se rendre à l'évidence : parler aujourd'hui du Mouvement national n'a plus guère de sens. Tout au plus est-ce une façon d'en appeler à la nation, au civisme, au sens du sacrifice pour la collectivité, avec le risque que la référence paraisse surannée aux jeunes générations.

Au début de l'année 1961, ma mère arrive au Maroc pour épouser mon père. Mohammed V a demandé au préalable l'accord de ma grand-mère maternelle, en l'absence de mon grand-père décédé. Le roi l'a fait d'abord directement puis, pour respecter les formes, en lui envoyant une délégation de grandes figures du *makhzen*, parmi lesquelles l'une de ses tantes et l'une de ses cousines, respectivement Lalla Amina et Lalla Fatima Zohra, entourées de dignitaires tels que Fatmi Benslimane, cheikh al Islam Moulay Laarbi el Alaoui, parmi d'autres. Sur ce, le 26 février 1961, Mohammed V succombe à l'intervention chirurgicale banale déjà évoquée. Bien qu'il n'existe pas de règles précises en la matière, il est alors décidé que le mariage de mes parents aurait lieu à l'issue des six mois de deuil, soit en novembre 1961. Mon père, en vérité, n'était pas fâché de pouvoir prolonger un peu son célibat. Le décès du roi ne remet pas en cause le principe d'une union avec une étrangère. Il faut dire qu'il n'était pas si exceptionnel qu'un Alaouite épouse une femme en dehors des cercles convenus et des contrées familières. En fait, nos aïeux étaient allés drainer un patrimoine génétique assez diversifié... On se mariait avec des Africaines, avec des Turques, qu'elles soient esclaves ou pas – je reviendrai plus loin sur le statut des esclaves à la cour royale. Parmi ces « apports », il y eut aussi beaucoup d'Anglaises et d'Irlandaises, qui avaient été volées par des pirates et offertes en cadeau au souverain. Elles ont été occultées dans l'histoire officielle parce qu'il fallait projeter une image d'authenticité culturelle sinon de « pureté raciale ». Je me souviens d'une interview de Hassan II dans le magazine français *Point de vue* dans laquelle il expliquait, sans citer le nom de mon père, que c'était une erreur de se marier en dehors de son cercle. En revanche, à la naissance de Lalla Soukaïna, la fille de Lalla Meryem et de Fouad Filali qui allait devenir la petite-fille préférée de Hassan II, le roi s'est émerveillé sans aucune gêne des yeux bleus de la nouveau-née. « Elle tient ça de son arrière-grand-mère turque », faisait-il remarquer en rappelant les yeux azur de la mère de Mohammed V. Cela ne manquait pas d'aplomb puisque la mère de Fouad Filali, Anne Filali, était une Italienne aux yeux bleus… Bref, quand il s'agissait d'usurper l'héritage, Hassan II n'avait pas honte du patrimoine génétique assez « mixte » de la famille.

Une fois mariés, mes parents s'installent à Rabat, dans l'une des maisons de Mohammed V, construite à l'origine pour loger ses filles. Mais, finalement, il avait préféré installer chacune d'elles dans une maison individuelle et avait conservé pour Moulay Abdallah cette grande demeure, située à cent mètres de chez lui, dans le quartier d'Agdal. Ce qui lui permettait de dîner tous les soirs avec mon père, contrairement à Moulay Hassan, dont la résidence était plus éloignée. Les premières années, cette nouvelle vie a été très dure pour ma mère, qui a dû se faire à l'idée que son mari ne lui appartenait pas : elle avait épousé un prince qui avait des habitudes, un train de vie et des obligations. Officiellement, il était le président du Conseil de régence et, à ce titre, aurait été appelé à gouverner le pays en cas de décès de Hassan II avant l'accession de son fils à la majorité. Mon père n'avait pas d'autres activités politiques, mais il recevait énormément, y compris des membres de l'opposition.

Notre domicile était un espace public. Il y avait fréquemment trente personnes à déjeuner et autant lors de dîners « restreints ». Ma mère ne parvenait guère à préserver des moments d'intimité avec son mari et ses enfants. Les « grandes » soirées rassemblaient facilement dans les trois cents personnes, des intellectuels, des opposants, des artistes, des hommes d'affaires, des militaires... Tous ces invités avaient des requêtes à formuler, qui pour obtenir un passe-droit ou autre privilège, qui pour solliciter un coup de pouce politique. C'était un carrousel de faveurs qui tournait sans relâche.

Notre maison était une réplique en miniature du Palais : les mêmes habitudes y régnaient, même si l'on y ressentait plus d'humanité. Il y avait aussi toutes sortes d'intrigues. À aucun moment Moulay Abdallah n'aurait imaginé couper le cordon ombilical avec le Palais. Hassan II pouvait tirer les ficelles depuis chez lui en sachant que la clochette sonnerait de l'autre côté de la rue, chez nous. Le fait que mon père fût constamment flanqué d'un contingent de gendarmes et de policiers chargés de sa sécurité ne contribuait pas à rendre l'atmosphère très intime.

De surcroît, plusieurs concubines turques offertes par l'empereur ottoman à mon arrière-grand-oncle Moulay Abdelaziz vivaient dans notre propriété. Venues à l'âge de la puberté, jamais sorties du harem, elles passaient le soir de leur vie chez nous et faisaient en quelque sorte partie de la famille. Leur « harem-retraite » était situé dans la maison principale de mon père. Bien sûr, ce n'était plus un harem au sens physique. Mais mon père tenait à veiller au bien-être de ces concubines turques et d'autres femmes liées à Mohammed V ou à ses prédécesseurs. Elles avaient côtoyé les sultans de manière intime – il fallait donc protéger leur honneur. Ce harem avait ses propres domestiques et sa cuisine à part. Les dames ne sortaient que pour aller au Palais, pour y rendre visite à d'autres vieilles dames avec lesquelles elles partageaient les mêmes vieilles histoires. Il était hors de question qu'elles aillent ailleurs. En même temps, elles ne pouvaient recevoir que leurs parents. Le fait de s'occuper de ces femmes participait de la volonté familiale de faire en sorte que « personne ne se perde ». Rester ensemble veut dire que l'on peut se prêter concours et se régénérer ensemble : c'est un rapport de force avec le dehors, le monde par-delà les murs du Palais. En conservant une masse critique, les « gens du Palais » pensaient pouvoir influencer l'extérieur ; de façon plus réaliste, ils se préservaient ainsi d'un mélange qui eût signifié qu'ils se perdaient dans la masse.

Dans mon souvenir, deux femmes du harem étaient vraiment exceptionnelles : Najiba et Haajar. À cette dernière, j'étais affectivement très lié, au point que j'ai donné son nom à l'une de mes filles. Tout petit, j'entrais souvent dans les quartiers des concubines. J'adorais regarder leurs photos, qui les montraient avec le roi ou avec le sultan ottoman. Ces femmes parlaient le turc et l'arabe marocain, le *darija*. Elles excellaient au piano. Mon père aimait à se mettre avec Haajar au répertoire. Elle jouait, et il chantait. Pour moi, Haajar incarnait le mystère, car elle avait un secret intime. Elle avait été la concubine préférée du roi Moulay Abdelaziz. Pourtant, elle n'avait eu qu'un seul rapport charnel avec lui. Un seul, de toute sa vie ! Le Palais entier savait qu'il s'était passé quelque chose cette nuit-là, car il y avait eu un branle-bas de combat, la garde avait même été appelée. Quant à savoir ce qui s'était exactement passé… Ma mère titillait souvent Haajar pour percer son secret. Mais mon père objectait : « Laisse mon oncle tranquille, il s'agit là de la vie intime des Alaouites. » Haajar n'en a jamais dit mot.

Beaucoup moins discret que Haajar était l'un de nos serviteurs, Ahmed, qui adorait écouter aux portes. Il espionnait mon père, que celui-ci soit avec un ami ou avec un chef d'État étranger… Un jour, mon père a brusquement ouvert la porte, et Ahmed est tombé à la renverse dans la pièce, comme dans un film comique. Très irritée, ma mère a demandé son renvoi. Mais mon père utilisait l'espion pour organiser des fuites. Quand il voulait que Hassan II soit informé de quelque chose, il suffisait de le dire à voix haute – il pouvait être sûr qu'Ahmed allait le rapporter au Palais, le jour même. À l'inverse, certains serviteurs de Hassan II venaient rapporter à mon père des informations « d'en face ». Chacun voulait savoir ce qui se passait de l'autre côté de la rue. C'était un jeu croisé d'espionnage, de contre-espionnage et d'intox.

Je garde également le souvenir des conteurs qui vivaient chez nous. Il y avait tout un rituel. Avant de dormir, par exemple, nous allions écouter une histoire. Certains conteurs avaient déjà travaillé pour les sultans Moulay Abdelaziz ou Moulay Hafid, puis pour le roi Mohammed V. C'étaient des érudits pleins d'humour, qui avaient leur franc-parler. Le conteur préféré de mon père était un homme qu'il avait trouvé sur la célèbre place Jemaa el-Fna, à Marrakech. Mon père s'y promenait un jour incognito, lorsqu'il entendit une histoire merveilleuse. Le soir, il envoya une fourgonnette de police pour faire chercher le conteur – une offre d'emploi irrésistible. Ba Jeloul est arrivé à la maison avec un turban et une petite valise, sans savoir ce qu'on lui voulait. Finalement, il était enchanté d'être là, il s'est installé à demeure et tout le monde l'adorait. Il est devenu une institution. Quand il entrait dans une pièce, tout le monde se levait. C'était un homme sans fard. Ainsi, un jour que mon père n'arrivait pas à s'endormir pour la sieste, Ba Jeloul s'énerve, allume la lumière, lui donne un coup de pied et lui dit : « Écoute, tu nous pourris la vie ! Tu n'arrives pas à dormir et tu nous fais tous souffrir. » Tout le monde était d'autant plus stupéfait que, sans doute, tous avaient *in petto* pensé à peu près la même chose. Mais comment oser donner un coup de pied au prince ? Tout a fini dans un éclat de rire général. Cet homme avait le droit de commettre ce type de transgression car il était entré chez nous avec une djellaba, et il en ressortirait avec une djellaba et rien de plus. Il ne cherchait aucun avantage pour lui, absolument rien. Il incarnait le « vrai Maroc », le pays idéal. Mon père l'a dit d'ailleurs devant tout le monde : « Tu ne m'as jamais rien demandé, Ba Jeloul. Jamais ! Alors, aujourd'hui, je te pose la question : que veux-tu ? Je te le donnerai. Une ferme ? Une voiture ? Ce que tu veux, je te le donne ! » Autour de Ba Jeloul, tout le monde s'est empressé de lui souffler les meilleures réponses : « Dis une ferme ! », « Attends, dis que tu vas réfléchir »... Mais lui s'est retourné, il a baissé son pantalon et s'est écrié : « Sidi, j'ai un problème d'hémorroïdes. Si tu trouvais une solution, ce serait parfait. »

En face, chez Hassan II, il y avait aussi des conteurs. Il avait ses maîtres de la parole truculente et gouailleuse, en plus des poètes et savants religieux. Hassan II, après les coups d'État de 1971 et 1972, n'arrivait plus à trouver le sommeil avant le point du jour, vers cinq heures du matin. La nuit, il travaillait, épluchait ses dossiers, fouillait dans ses archives. Il avait l'obsession du détail. En raison de ses insomnies, il se réveillait seulement vers onze heures du matin et faisait une sieste après le déjeuner. Les conteurs lui narraient des histoires en sortant de table, pour préparer son repos. Hassan II aimait la *vox populi* qu'il entendait dans leurs récits, moins pour la poésie qui s'en dégageait que pour capter l'humeur de son peuple. En retour, il se servait des conteurs pour diffuser des messages vers l'extérieur. Ce n'était donc pas comme chez nous, où mon père s'évadait dans des mondes imaginaires grâce aux conteurs. Chez Hassan II, les conteurs reliaient le souverain au pays réel. Cependant, parfois, les deux frères s'échangeaient leurs conteurs – comme, de nos jours, on se passe le DVD d'un bon film. Quand les conteurs du roi arrivaient chez nous, ils se mettaient à table avec mon père, s'amusaient, buvaient. Pour eux, c'était la détente. À l'inverse, pour Ba Jeloul, c'était l'épreuve du feu, l'ordalie. Une fois, alors qu'il voulait vraiment revenir chez nous, il a dit à Hassan II : « Sidna, je préfère m'en aller chez ton frère, car ici c'est comme à l'hôpital. »

Pourtant, il arrivait que la charité se moque de l'hôpital. Un jour, mal inspiré, mon père a commis la mauvaise blague de rester immobile au fond de notre piscine. Deux serviteurs, occupés à tailler les rosiers, ont arraché leurs tenues et se sont jetés à l'eau pour le « sauver ». Réflexe de courtisans, tout le monde alentour, pour finir une vingtaine de personnes, dont trois qui ne savaient pas nager, les ont suivis pour ne pas être en reste. En remontant à la surface, au milieu d'une foule de sauveteurs se débattant dans sa piscine, mon père ne savait plus s'il fallait en rire ou en pleurer.

Concubines, domestiques, militaires, conteurs, nous avions une sacrée faune à demeure, particulièrement versée dans les ruses et stratagèmes en tout genre ! Or, quand mon père a été « représentant personnel » du roi, entre 1970 et 1974, notre maison s'est carrément transformée en exposition universelle, pour ne pas dire en zoo humain. Dans le cadre de ses fonctions, mon père voyageait beaucoup et, à chaque mission, il rapportait quelque chose ou quelqu'un du pays visité. De chez Tito, il est revenu avec un médecin personnel. De Corée du Sud, il a ramené… un autre médecin, militaire celui-là, le docteur Lee. Travaillaient aussi à la maison deux instructeurs d'arts martiaux coréens, le colonel Kim et le lieutenant Bao Lee, qui m'ont initié à leur science dès mon jeune âge. Puis, après une visite au Pakistan, mon père est rentré avec trois officiers pakistanais en tenue traditionnelle qui allaient, nous annonça-t-il, faire office de majordomes ! C'était une tentative pour rationaliser un peu notre *makhzen*. Malheureusement, ce n'était jamais notre maison qui se rationalisait mais, plutôt, les nouveaux venus qui se « makhzénisaient ». Par exemple, le docteur Lee, qui était une sorte de « Monsieur Muscle », est devenu un *showman* qui se plantait une aiguille dans le biceps et la faisait ressortir de l'autre côté pour épater nos invités. Il se faisait aussi poser des planches sur le corps puis demandait qu'une voiture lui roule dessus. L'un des trois lieutenants pakistanais avait abandonné l'uniforme pour la djellaba marocaine et ne voulait plus retourner dans son pays. Amputé d'une jambe à la suite d'un accident de la route lors de ses vacances au Pakistan, il avait supplié mon père de le laisser revenir au Maroc pour continuer à travailler chez nous plutôt que de rester auprès de sa femme et de ses enfants. Il était complètement « makhzénisé » !

Cela arrivait souvent. Des années plus tard, alors que nous effectuions un voyage dans le Michigan sous la protection du FBI, deux *chaouchs* de mon père demandent à utiliser une ligne téléphonique spéciale installée par les agents américains, avec cet écriteau en guise d'avertissement : *FBI. For official use only.* Je les traite de fous, leur garantissant qu'on leur passerait les menottes dans les dix minutes s'ils utilisaient cette ligne. Or, le lendemain, je découvre un flic américain mangeant une pastilla à côté du téléphone, son arme sur la table, tout sourire, tandis que les *chaouchs* sont pendus au téléphone avec Marrakech. « *Take your time !* » dit le gars du FBI. Il avait été « makzhénisé », lui aussi, phagocyté par le système ! Il acceptait une sociabilité ancrée dans la transgression et créant des liens bien plus forts que le respect partagé de l'interdit. Bref, il avait compris la règle d'or du *makhzen*.

Dans ce contexte, ma mère n'avait aucune chance de changer mon père. Mais elle a été le ballon d'oxygène dont il avait besoin. Elle constituait pour lui un garde-fou, une espèce de muraille que Hassan II ne pouvait franchir qu'au prix de grands efforts, et non sans crainte de représailles. Il se lançait à l'assaut de la citadelle Moulay Abdallah, et il tombait sur Lamia el-Solh l'empêchant de passer. De ce point de vue, notre maison était une sorte de village gaulois. Mais, pour être honnête, le revers de la médaille était la mauvaise conscience que ma mère donnait à mon père. Elle aurait voulu qu'il se conforme à des critères et à des standards de comportement qu'il était incapable d'atteindre. Souvent, il tournait dans la maison comme un fauve en cage. Il voulait participer à la gestion du royaume, voulait être indispensable à Hassan II, cherchait à assouvir sa quête d'amour et de reconnaissance – mais il n'y arrivait pas. Sa seule façon de décompresser, c'était de fuir, d'une façon ou d'une autre, souvent en prenant sa voiture pour aller dîner dans sa propriété d'Aïn el-Aouda, à une demi-heure de Rabat.

Il y avait ainsi chez ma mère une facette protectrice et une autre facette – involontairement, bien sûr – dévastatrice. Elle lui disait : « Regarde les amis que tu fréquentes, ce ne sont pas des prix Nobel ! Ce sont des courtisans, des pauvres types qui viennent ramasser des miettes. » Très fier de sa femme qu'il arborait volontiers comme un trophée ou une mascotte, mon père souffrait de sa rigueur, de cette manière qu'elle avait de lui faire sentir qu'il était oisif, sans fil à plomb. Personne ne l'avait jamais critiqué de la sorte, surtout pas au Palais ! Habilement, Hassan II, parce que c'était un *conducator* qui entendait tout conquérir, qui voulait que chacun soit sous sa botte, a joué de cette dualité. Quand il sentait l'harmonie entre mes parents, il essayait de casser leur front uni ; et quand il sentait des tensions, il jouait la division. Il expliquait alors à ma mère que lui-même souffrait du manque d'initiative de mon père, qu'il aurait aimé le voir relever des défis.

En réalité, Hassan II ne supportait pas que quiconque lui fasse de l'ombre. Imbu de sa personne, il revendiquait une originalité absolue, voire une nature divine. Il ne pouvait accepter l'idée d'avoir un *alter ego*, à quelque titre que ce soit, même fraternel ou, plus tard, filial. Hassan II se désirait seul et unique avec une telle force narcissique qu'il ne supportait ni mon père comme « double » ni son fils comme successeur. Or, mon père était un adversaire potentiel. Beaucoup voyaient en lui une alternative possible à son frère, incarnation des éléments rétrogrades du *makhzen* : son goût du faste et son insistance sur des comportements de soumission semblaient appartenir à un autre siècle.

Je suis né à Rabat, le 4 mars 1964, à l'hôpital Avicenne, dans une salle spécialement aménagée pour les membres de la famille royale, autrement dit dans la plus pure tradition du *makhzen*. Celle-ci, tout en reconnaissant le lien biologique entre l'enfant et sa mère, exige que l'éducation appartienne à la famille royale dans son ensemble. Il y a un primat très affirmé du Palais sur la maison parentale. J'ai ainsi été élevé d'abord par des gouvernantes marocaines chargées de m'inculquer les valeurs traditionnelles, l'accent étant mis sur la religion ; puis j'ai été pris en main par une gouvernante espagnole, Selsa Hernandez, qui a été pour moi un récif auquel je me suis accroché comme une arapède. Ma mère lui faisait totalement confiance et lui a d'ailleurs également confié ma sœur. Nous lui devons beaucoup, notamment de nous avoir inculqué le sens de la rigueur et de la discipline.
Les gouvernantes occidentales sont une vraie institution chez les Alaouites. Comme beaucoup de musulmans, nous sommes obsédés par cet Occident qui nous dépasse, qui nous domine et dont il faut ravir la puissance secrète. L'enfant doit donc s'immerger dans la culture occidentale afin que la terre d'islam ne reste pas éternellement à la traîne.

Je n'ai pas encore deux ans quand, le 29 octobre 1965, l'opposant Mehdi Ben Barka est enlevé à Paris, devant la brasserie Lipp sur le boulevard Saint-Germain. À partir de ce moment, et quel que soit le jugement qu'on porte sur l'homme politique, Mehdi Ben Barka entre dans le patrimoine marocain – comme l'absent le plus présent, un corps et une âme arrachés à la nation. À ce jour, il est un fantôme gênant, autant d'ailleurs pour ses camarades de lutte que pour la monarchie. Il n'a pas fini de hanter nos esprits. Sa « disparition » alimente l'imaginaire, le crime d'État dont il fut victime ne permet pas de tirer un trait sur les comptes historiques à régler. Tout ce qui le touche fait débat. Ainsi, quand on lui a découvert, sur le tard, un passé d'« honorable correspondant » des services secrets tchécoslovaques. Pourtant, à supposer que ces révélations sur son rôle comme agent de l'Est soient vraies, elles ne jureraient pas dans le contexte de la guerre froide. Ben Barka avait choisi son camp et ne s'en cachait pas. Dans un monde bipolaire, collaborer avec les services secrets tchécoslovaques paraît ainsi assez banal pour un marxiste. Aussi banal que le fait, pour Hassan II, de combattre son pire ennemi par tous les moyens.

Lorsque j'étais enfant, nous ne parlions jamais de Ben Barka, ni avec mon père ni avec mon oncle. Mais j'écoutais beaucoup aux portes. J'entendais mon père dire que, pour lui, il ne faisait aucun doute que Ben Barka avait été tué par les services secrets marocains. Plus précisément, j'ai grandi avec une histoire murmurée, un secret chuchoté dans le premier cercle. « La tête de Ben Barka a été ramenée et présentée à Hassan II. » J'entendais cette confidence de manière récurrente dans la bouche de deux ou trois amis très proches de mon père. Elle provenait d'un récit que le docteur Cléret, successivement médecin personnel de Mohammed V puis de Hassan II, avait fait à mon père.

Aujourd'hui, tout le monde s'accorde à dire que l'enlèvement de Ben Barka a été une affaire essentiellement marocaine. Mais on n'arrive toujours pas à établir les circonstances du décès. Était-ce un accident ? Les truands français commis à la tâche, ou les agents marocains envoyés pour récupérer l'opposant, ont-ils été trop loin sans le vouloir ? Ou était-ce un assassinat planifié ? Ce doute atténue la responsabilité de Hassan II. Or, si cette histoire de tête coupée était véridique, la responsabilité du roi serait totale. Exiger de voir la tête de la victime impliquerait que le crime était prémédité. Connaissant les relations du docteur Cléret avec ma famille, je ne vois pas bien pourquoi il aurait raconté à mon père une histoire aussi morbide si elle n'était pas vraie.

Hassan II évitait le sujet à tout prix. Je me souviens d'un échange vif quand nous avons vu avec lui *Les Aventures de Rabbi Jacob* avec Louis de Funès. Jeune, sans arrière-pensées, je me suis exclamé : « Mais c'est un film sur le Maroc ! » Le roi m'a repris avec véhémence : « Non, cela n'a rien à voir avec le Maroc. C'est un film qui se passe en Algérie, le Maroc n'a pas de pétrole ! » L'un des personnages du film est en effet inspiré de Ben Barka, mais Hassan II ne voulait en aucun cas que je fasse ce rapprochement.

Quelle était la part de responsabilité du roi dans l'affaire Ben Barka ? La tête rapportée à Hassan II pèse lourd. Mais la réponse appartient aux historiens. En attendant, les derniers témoins survivants au Maroc ou les documents encore classés « secret défense » en France peuvent à tout moment relancer l'affaire. Je parie qu'un jour, les zones d'ombre encore persistantes seront dissipées – mais cela se fera peut-être dans une relative indifférence si, d'ici là, la succession des générations a laminé l'intérêt pour le martyr de la gauche marocaine.

En septembre 1970, à six ans, j'intègre le Collège royal, un établissement logé dans un bâtiment sobre dans l'enceinte du Palais, le *méchouar*. L'éducation des princes est traditionnellement prise en charge par cette institution, créée par Mohammed V en 1942 pour ses deux fils. Hassan II entrait alors en 6ᵉ et mon père au cours moyen. Les prédécesseurs de Mohammed V avaient envoyé leurs enfants chez les oulémas, pour une éducation essentiellement religieuse. L'intention de Mohammed V était double : il voulait créer un lieu d'excellence moderne en même temps qu'un creuset où les princes seraient en contact avec des enfants de toutes origines, le Collège royal étant en effet conçu pour représenter, en miniature, le Maroc avec ses clivages ethniques, sociaux, régionaux, etc. Dans l'absolu, c'était une bonne idée. Malheureusement, il a été difficile de la traduire dans les faits. Certes, les enfants qui ont été formés d'abord avec mon oncle et mon père, puis avec le prince héritier, Moulay Rachid et moi, apportaient réellement quelque chose aux princes en termes d'ouverture aux différents segments de la société marocaine. Cependant, enlevés jeunes à leur milieu, ils subissaient un déracinement qui conduisait inévitablement à une attitude zélée vis-à-vis de la monarchie, qui devenait leur seul ancrage. Coupés de leur famille et de leur terroir d'origine, rapidement trop profondément changés pour pouvoir réintégrer leur ancien monde, ils devenaient en fait des janissaires, à savoir la « nouvelle troupe » – *yani çeri* en turc – du *makhzen*. Non seulement l'objectif du Collège royal n'était pas atteint mais, bien pire, il renforçait les réflexes de soumission des uns et l'arrogance des autres. Soyons clair : c'est une institution obsolète et contre-productive qui devrait être supprimée.

Les premières années au Collège royal, les princes habitent encore chez leurs parents. La mère exerce son devoir de protection naturelle des jeunes, un droit appelé *al hadana*, une barrière infranchissable pour le bien de l'enfant. C'est seulement à la puberté que l'on devient interne. Pour ma part, je suis d'abord très content d'aller en classe avec mon cousin Sidi Mohammed, mon aîné d'un an, pour qui j'ai énormément d'affection. Je le trouve sensible, attentionné, vraiment gentil. Quand j'ai des soucis avec mon père, c'est lui qui m'apaise. En classe, l'ambiance est mi-occidentale mi-islamique. Nous sommes une bonne dizaine d'élèves venus de tout le royaume, tous en habits occidentaux mais assis sur des bancs comme dans une *medersa*. Il faut lever la main pour obtenir la parole, se mettre debout pour répondre au professeur qui, au-delà de son autorité pédagogique, est encouragé à nous « corriger » physiquement. L'enseignement est principalement axé sur la mémorisation. Le mardi et le dimanche, Sidi Mohammed et moi sommes astreints, en plus, à un entraînement militaire ; le mercredi et le samedi, nous montons à cheval.

Ma scolarité se révèle catastrophique. D'abord, je suis gaucher et, au Collège royal, on veut que je devienne droitier. Pour ne rien arranger, ma mère me fait suivre, parallèlement, une école de l'ombre : à la sortie du Collège, je prends des cours qui sont censés compléter ce que j'ai appris dans la matinée mais qui, en vérité, le défont. Je perfectionne ainsi mon anglais avec une enseignante du Centre culturel britannique, Jane Gillian, et ma maîtrise de l'arabe classique avec un autre précepteur, Bada Mansour. Finalement, je ne reste que deux ans au Collège. La situation y est invivable : quoi que nous fassions, il y a toujours un classement – lequel est immuable : le premier est invariablement Sidi Mohammed, le second sa sœur Lalla Meryem (avant l'ouverture d'une section pour filles, notre classe est mixte) et le troisième, c'est toujours moi ! Le numéro 4 peut faire ce qu'il veut, il ne saurait améliorer son rang. C'est ridicule. Tout est ridicule. Au foot, comme la princesse ne joue pas, je joue dans une équipe et Sidi Mohammed dans l'autre ; donc, mon équipe ne gagne jamais un match. Nous pratiquons des exercices de tir : je suis second, que je rate la cible ou que je la perfore en plein centre.

Un jour, sans se faire annoncer, Hassan II est venu sur le champ de tir. C'est le général Medbouh, le chef de la Garde royale et futur conjuré du coup d'État de 1971, qui lui avait mis la puce à l'oreille. Medbouh avait lui-même constaté à plusieurs reprises la « triche » érigée en système dans nos compétitions pour assurer la victoire du prince héritier : le traficotage des cibles, d'abord, puis des fusils. Le général avait menacé de sanctions, puis effectivement mis aux arrêts les responsables zélés de ces manigances. Rien n'y faisant, il s'en était ouvert au roi. Hassan II a constaté lui-même que le viseur de mon fusil avait été déréglé pour que je ne batte jamais son fils. Il est entré dans une colère noire. Cependant, même fou de rage, il n'y pouvait rien. La pente naturelle du système, l'obsession d'allégeance quoi qu'il en coûte l'emportait, même sur la volonté du roi.

À cette époque, Sidi Mohammed et moi nous entendons très bien. Le « grand jeu » tout autour nous dépasse totalement. Nous n'y prêtons pas attention ou, seulement, une attention moqueuse. Nous sommes soudés, nous grandissons ensemble. Hassan II nous élève de la même manière. On ne sent nulle différence de statut entre ses enfants et ses neveux. Notre famille est relativement restreinte, et Moulay Abdallah et Hassan II ne sont pas des troncs séparés mais les feuilles d'une même branche. Qui plus est, ils ont subi les mêmes épreuves au côté de leur père : l'exil, l'incertitude, le long détour par Madagascar, avant le retour au pays… Cela explique sans doute que notre maison soit une annexe, une succursale du Palais. Mon père, malgré la complexité de ses rapports avec son frère aîné, vit à l'heure du *makhzen*. Il fait partie du système produisant, aussi chez lui et autour de lui, des réflexes d'allégeance.

Au début des années 1970, mon père est moins accessible pour moi que mon oncle. J'aime beaucoup Hassan II. C'est un homme alerte, énergique, qui réagit au quart de tour. Il n'est pas indifférent à son environnement. Ses vrais amis sont rares, mais il est avec eux d'une grande loyauté. Bien sûr, il peut dévisager les gens d'une manière terrible, et il pique souvent des colères. Ceux qui le connaissent bien savent déceler les signes précurseurs de ces tempêtes : Hassan II plisse alors son front en fermant presque les yeux, comme s'il n'arrivait plus à reconnaître son vis-à-vis, le « coupable » ; en même temps, geste mécanique, il glisse un doigt sur la cicatrice qui lui barre le nez – le signe de l'alerte rouge, d'une extrême irritation. Cela dit, les colères du roi sont des combustions nucléaires contrôlées. Hassan II ne s'emporte pas en public. Il donne souvent le sentiment de ne pas avoir de cœur, de ne pas pouvoir s'offrir ce luxe. Parfois, cependant, son intelligence lui sert de cœur, et il a alors des gestes aussi grands qu'une vraie générosité. Mais ces gestes sont calculés, dictés par le cerveau, sans émotion.

Néanmoins, pour ses proches, Hassan II est très humain. Par exemple, c'est un gourmet. Il a des idées bien arrêtées en matière de cuisine, il aime – sans surprise – jouer au « chef ». Il compose lui-même ses menus, y introduit des innovations. Il modifie des recettes traditionnelles, dont certaines sont centenaires. Il aime aussi beaucoup la musique populaire, d'Oum Kalthoum à Hadja Halima. Il n'aurait jamais écouté du Bach. Il n'a pas le goût des romans, il ne lit que des essais. Il s'attache à des objets, comme un gant de golf déchiré qu'il possédait depuis vingt ans, ou un vieux chapelet... Pour la prière, qu'il ne manque absolument jamais, Hassan II a un très vieux tapis, toujours le même. Il est aussi très attaché à Lazrak (« le Gris »), un vieux cheval que mon père lui avait offert, et qu'il sort tous les ans à l'occasion de la fête du Trône. Ce cheval venait de la région d'Ifrane. On l'avait apporté à mon père, qui l'avait trouvé tellement beau qu'il avait décidé de ne pas le monter et de l'offrir à son frère. Typiquement, Hassan II n'en a pas fait un objet de son plaisir mais un vecteur de sa fonction : il montait Lazrak à l'occasion la plus solennelle de l'année, la fête du Trône, lorsqu'il quittait l'enceinte du Palais vêtu de sa djellaba blanche de Commandeur des croyants, abrité sous un parasol.

Tout en craignant Hassan II, Sidi Mohammed et moi n'hésitons pas à l'approcher. Le roi nous donne le sentiment de pouvoir nous protéger de tout. Adorant les jeunes enfants, il est très présent dans notre vie. Il veille personnellement sur nous, à commencer par notre santé. Moi, petit, j'ai les pieds plats. Tous les six mois, Hassan II mesure donc mes progrès dans ce domaine. Il a le souci du détail, examine ma voûte plantaire et décrète, comme s'il y connaissait quelque chose : « Garde les semelles encore six mois. » J'en suis rassuré, je me sens pris en charge et protégé. Hassan II regarde aussi de près mes notes à l'école. Il est très à cheval sur l'éducation. Ma chambre n'est pas remplie de jouets. Le roi nous élève à la spartiate et, quand il l'estime nécessaire, nous corrige lui-même, à coups de bâton.

Pour nous, deux heures de sport par jour sont de rigueur en vertu d'un vieux dicton de Mouawiya, le premier calife de la dynastie omeyyade, qui avait dit au précepteur de ses enfants : « Apprends-leur à nager car ils trouveront toujours qui pourra écrire pour eux. » Hassan II applique le proverbe à la lettre : quand il veut que je perde du poids, il me fait nager une heure, deux fois par semaine, et me surveille en lisant son journal à côté de la piscine ! Nous pratiquons aussi le football, la course, effectuons des randonnées de quinze à vingt kilomètres dès l'âge de huit ans. Je m'entraîne aussi aux arts martiaux et à l'escrime. Notre plus grand plaisir, c'est d'aller à la chasse. J'aime la chasse aux perdreaux, Sidi Mohammed le gros gibier. Tous les deux, on adore monter à cheval, d'abord avec un coopérant français, le commandant Bouguereau, du Cadre noir de l'école de Saumur ; puis, plus tard, avec le colonel Cherrat de la Garde royale. C'était un Rifain typique, droit comme un « i », élégant et discipliné. Avec lui, on alternait les exercices, tantôt dans l'enceinte de la Garde royale, en veste et cravate, dans la plus stricte discipline, tantôt à l'extérieur, notamment sur le champ de courses du Souissi, « en balade ». Dès qu'on s'éloignait alors du « comité d'accueil », comme on appelait entre nous les officiels chargés de nous accompagner, le colonel Cherrat descendait de sa monture et nous disait : « Allez, les garçons, amusez-vous. » Pendant qu'il grillait une cibiche, nous lâchions alors la bride à nos chevaux, moi à Rastignac, un hongre bai, Sidi Mohammed à Ramsès, un hongre alezan. On revenait en nage, épuisés mais heureux.

Plus tard, à partir de 1976, quand j'aurais douze ans, je suivrais chaque été un stage de perfectionnement avec l'équipe de France d'équitation. Je logerais à

Fontainebleau, le stage se déroulant tout près, à Bois-le-Roi. Marcel Rozier, double champion olympique, et plusieurs fois champion de France et entraîneur de l'équipe de France, dirige nos entraînements. Ce seront des parenthèses merveilleuses, des moments où je respire librement. Des stagiaires du monde entier se retrouvent là-bas. Tous les matins, nous pratiquons des sports d'équipe, nous courons, puis nous montons à cheval ; le soir, nous sortons pour dîner, ou pour aller au cinéma, tout cela aux abords de Paris.

Au Maroc, en revanche, nous grandissons dans un monde déformé par l'adulation, sans toutefois être des enfants « pourris-gâtés ». Hassan II nous répète sans cesse que le pouvoir, même s'il est hérité, doit être gagné de haute lutte. Pour lui, la monarchie n'est pas à l'abri d'un coup dur de l'histoire et, en dépit de périodes d'accalmie, rien n'est jamais acquis. Il faut donc impérativement apprendre à être maître de soi et de ses sentiments. Ne jamais pleurer, pas même à la mort d'un proche ; ne jamais se montrer vulnérable. Hassan II adhère pleinement à sa propre doctrine. Il n'est pas affectueux, seulement attentif. Mais, pour nous, c'est déjà énorme.

Mon père, lui, est absent. Il est très difficile d'entrer en relation avec lui, malgré ses indéniables qualités humaines. Tout ce que ma mère a réussi à lui arracher, c'est un moment d'intimité quotidien pour ma sœur et moi, avant son dîner, quand nous devons nous coucher. Nous sommes alors réunis tous les quatre, même si Hassan II, évidemment au courant de ce rituel familial, s'arrange souvent pour téléphoner précisément à ce moment. Il ne veut pas laisser à son frère la possibilité de se ressourcer dans son propre univers. Pour ma part, je dispose chaque jour de dix minutes de plus avec mon père, à mon retour de l'école. Et dix jours par an, nous voyageons en famille, pour des vacances à Madrid ou à Paris. Attention, ce ne sont pas des moments d'une grande intimité ! Moulay Abdallah se déplace avec une suite d'une quarantaine de personnes, et si nous ne faisons pas partie des bagages, on n'en est pas bien loin. Avec un peu de chance, nous partageons un repas par jour avec lui, voire une sortie à pied quelque part. Le reste du temps, nous nous promenons, sur les Champs-Élysées ou ailleurs, avec nos gouvernantes et nos gardes du corps français ou espagnols. Ce n'est pas toujours facile et, en tout cas, pas très drôle. Mais c'est ainsi : mon père a perpétuellement besoin de monde autour de lui pour lui changer les idées, pour lui faire oublier qu'il ne remplit pas auprès de son frère le rôle qu'il aimerait jouer. Il a besoin d'être entouré pour se sentir important. Il reçoit les doléances, puis intercède auprès de son frère, même pour des petits services qu'il cherche à rendre, pour des affaires sans prestige mais qui lui permettent d'exister auprès de Hassan II qui, justement, cherche à le cantonner dans ce pré carré subalterne. Mon père est timide et ne supporte pas d'être seul. N'ayant pas touché à l'alcool jusqu'à la mort de son père, quand il avait vingt-six ans, il s'est ensuite mis à boire, beaucoup trop. Il noie ses angoisses, son chagrin de ne pas être à sa place au sein du régime. Le problème est déjà assez grave pour qu'il consulte un spécialiste britannique des addictions, le professeur Williams, du King's College.

Pendant cette période, j'ai le souvenir du général Mohamed Oufkir, qui était alors le « sécurocrate » très en vue de Hassan II, venant à la maison pour dénigrer les « communistes », ces « salauds » dont certains avaient de bonnes relations avec mon père. En fait, Oufkir voulait être sûr que, si un rapprochement avec les « gauchistes » devait avoir lieu, cela se passerait sous notre toit, ce qui lui permettrait de garder le contrôle. Oufkir faisait la plupart du temps référence à Abderrahim Bouabid, un ami de mon père que je connaissais moi-même très bien (il me présentera, plus tard, à Abderrahman el Youssoufi, qui dirigera le gouvernement d'alternance à la fin du règne de Hassan II). Oufkir entretient un vrai climat d'état de siège. Il répète à longueur de journée que les « gauchistes » sont partout, qu'ils vont « tous nous tuer », et ainsi de suite. C'est chez lui une véritable obsession. Or, après avoir déjà été très proche de Mohammed V, Oufkir est très influent auprès de Hassan II et de mon père. L'ambiance de citadelle assiégée qu'il fait régner ne gêne pas outre mesure le roi. Pour lui, il s'agit d'une *siba*, une rébellion, une de plus dans la longue histoire des Alaouites qui en ont l'habitude. Simplement, ce n'est plus une tribu qui se révolte mais un groupe soudé par une idéologie, une communauté d'esprit. Aux yeux de Hassan II, une *siba* est totalement différente de la trahison à venir des militaires, une « félonie » qui vient de l'intérieur du système, de la maison du pouvoir – le *dar el mulk*. Cela, le roi ne le supportera pas. Après les coups d'État du début des années 1970, il se sentira terriblement diminué. Il aura le sentiment d'être ravalé au niveau du roi Hussein de

Jordanie, autrement dit d'un souverain précaire, d'un avatar des accords Sykes-Picot. Il souffrira d'avoir perdu l'auréole de son père. Cela l'aura rendu méchant.

Dans sa forme moderne, la monarchie marocaine est issue du Mouvement national. À l'époque de Mohammed V, elle a émergé de son passé de sultanat comme le pan central d'un front patriotique uni. Aussi, les relations de mon père avec les nationalistes de toute obédience, y compris les plus à gauche, sont-elles empreintes de respect mutuel voire, bien souvent, d'amitié. Abdelkhalek Torrès et, surtout, M'hamed Douiri, tous deux de l'Istiqlal – l'« Indépendance », le grand parti nationaliste –, sont les bienvenus chez nous. Quand Allal el-Fassi, leur leader, vient à la maison, mon père se rase de près, monte mettre un beau costume et exige de ma mère qu'elle descende pour discuter avec l'invité de l'Orient, du *Hâdith* – les paroles du Prophète – ou de sujets philosophiques. Tout le monde est tiré à quatre épingles, impeccable mais, en réalité, mon père ronge son frein en attendant que l'illustre personnage reparte. Car, une fois El-Fassi raccompagné à la porte, les « cocos » débarquent, les copains plus ou moins communisants de l'UNFP (Union nationale des Forces populaires), Abderrahim Bouabid et Mohamed el-Yazghi en tête. Comme au temps de la prohibition, l'alcool et les cigares surgissent alors de nulle part. Ma mère est priée de disparaître derrière le *purdah* – le « rideau » qu'est la ségrégation entre hommes et femmes – à l'heure des vieux souvenirs entre joyeux lurons, souvent des histoires de « nanas » qui ne sont pas destinées à ses oreilles.

J'ai sept ans quand je prends pour la première fois conscience d'appartenir au pouvoir, c'est-à-dire à un groupe – les Alaouites – qui a les moyens de sa volonté. Le moment reste gravé dans ma mémoire. C'est le jour de mon anniversaire. Je rentre de l'école et, pour me faire une surprise, mon père a demandé à la Garde royale de Buckingham, en tournée au Maroc, de se mettre en rang d'oignons sur le parvis de notre maison pour me jouer *Happy Birthday*. Là, en voyant les fameux *beefeaters* assemblés pour moi, je saisis sur l'instant que nous avons du pouvoir, à commencer par le pouvoir de nous faire plaisir.

Mon éveil à la politique – un éveil en sursaut – coïncide avec le premier coup d'État, le 10 juillet 1971. Je n'avais pas connu les émeutes populaires de 1965, qui furent une alerte pour le régime. J'ignore aussi que les deux piliers du Mouvement national, l'Istiqlal et l'UNFP, viennent de reformer un front uni contre le roi au sein de la *Kutla Wataniya*, le « Bloc national ». Ce défi enrage Hassan II. Une fois de plus, on lui fait sentir qu'il n'a pas la stature de son père. Dix ans après son accession au trône, sa légitimité est encore et toujours « mise en équation » – c'est son expression. Or, moi, je ne peux même pas imaginer une seconde que l'on puisse ne pas aimer la famille royale. Jusqu'au coup d'État, nous partageons la certitude d'être adulés par « le peuple » et la conviction que c'est l'état naturel des choses. Bref, nous sommes des Alaouites au pays des merveilles… Les deux coups d'État successifs seront d'autant plus difficiles à accepter. Ils signifient pour beaucoup d'entre nous la fin de l'innocence. Ce sont des chocs, des secousses telluriques. Nous ne sommes plus que des Alaouites au pays des merguez...

Le 10 juillet 1971, jour anniversaire de Hassan II, je me trouve avec ma mère dans notre maison de Temara, à une quinzaine de kilomètres du palais de Skhirat, lui-même situé au bord de la mer entre Rabat et Casablanca. Ma mère ne fait pas partie des invités du roi, puisque, ce jour-là, la réception est réservée aux hommes. Dans la propriété royale, un petit millier d'hôtes de marque conversent autour des buffets dressés dans le jardin, se baignent dans la piscine ou jouent au golf. C'est une réception typique de l'ère d'insouciance qui prend alors fin. Par la suite, se voulant au centre de tout, Hassan II ne tolérera plus que du mimétisme autour de lui : ses invités devront suivre son exemple, imiter ce qu'il fait – un point, c'est tout.

Alors que la fusillade de Skhirat est en cours, on prévient ma mère qu'il se passe des « choses graves » là-bas. Elle appelle alors le général Arroub, un membre du cabinet du général Oufkir. Lequel lui répond de manière très impolie, lui raccrochant quasiment au nez. Si bien qu'elle décide d'aller s'enquérir elle-même sur place. Elle sera la seule femme à vouloir rejoindre son mari, et Hassan II en conservera une secrète jalousie. Il aurait aimé qu'une femme s'inquiète autant pour lui. Ma mère m'installe dans sa voiture et fonce sur Skhirat. Nous sommes stoppés à une barrière aux abords du palais. Un mutin, un officier, la reconnaît et donne l'ordre de l'exécuter. Sous mes yeux, deux soldats la mettent en joue mais, au dernier moment, baissent leurs fusils. Ma mère est enceinte de sept mois. « Nous ne pouvons tuer

la vie dans ton ventre, ce serait contre notre religion »,
explique l'un d'eux. Ma mère me remet dans une voiture
de notre suite, qui m'évacue sur Rabat. De son côté,
elle monte la colline en direction du palais. Lorsqu'elle
arrive sur les lieux du carnage, le général Medbouh, qui
n'a jamais eu l'intention de tuer le roi et déplore la
tournure prise par les événements, vient d'être exécuté
par les hommes d'Ababou. Privé de tête pensante, le
putsch tourne court. Hassan II, avec l'aide du général
Oufkir, parvient à reprendre la situation en main.

Blessé pendant l'assaut, courageux face à la mort,
mon père grandit énormément à mes yeux. Le soir du
putsch, sur le conseil d'Oufkir, la famille royale ne
regagne pas le palais de Rabat mais, par précaution,
se regroupe en un lieu secret. Nous nous retrouvons
dans la maison de la sœur de mon père, la princesse
Lalla Fatima Zohra. L'effervescence y règne. Sur la
table, une carte de Rabat a été étendue. Hassan II
crie, donne des instructions tous azimuts. Oufkir,
aidé de deux autres officiers supérieurs, le général
Moulay Hafid et le général Driss ben Omar, est à
l'extérieur, à pied d'œuvre pour mettre ce qui reste
de putschistes en déroute. Mon père, qui saigne abon-
damment, souffre évidemment beaucoup. Un médecin
français, qui faisait partie des invités de Skhirat, le
soigne. Il dit à Hassan II : « Sire, je m'excuse de vous
interrompre mais votre frère a besoin d'antibiotiques,
sinon il risque la gangrène. » Le roi ne réagit pas.
Au milieu de l'agitation, mon père, stoïque, répond
qu'il peut encore attendre. Mais le médecin insiste.
Hassan II se retourne vers lui, excédé : « Écoutez,

docteur, moi, j'ai un trône à récupérer. C'est plus important que la gangrène ! Demandez à votre patient, et il vous le confirmera. Alors, foutez-moi la paix ! » Sur ce, il appelle un soldat de deuxième classe, à qui il demande une baïonnette que le soldat, terrorisé, lui apporte. Hassan II se saisit du couteau, le jette aux pieds du médecin et lui lance : « Et puisque vous parlez de gangrène, amputez-le ! » Sidi Mohammed et moi sommes sidérés. Mon père, lui, ne se démonte pas : « Tu sais, quand on était à Madagascar et que tu étais face au crocodile, j'aurais dû te laisser dans le pétrin. » Il lui rappelle ce jour d'exil où les deux garçons s'étaient retrouvés face à un crocodile. Hassan II avait chuchoté à son frère de faire le tour de la bête et de la distraire afin qu'il puisse s'enfuir. Mon père s'était bravement exécuté… Pour finir, il ne sera pas amputé mais le cynisme de Hassan II laissera des traces entre les deux hommes.

Également blessé par balle à Skhirat, une figure légendaire du nationalisme, le très respecté Mohamed ben Hassan el-Ouazzani, fondateur du tout premier parti politique – l'Action marocaine – puis, après l'indépendance, ministre d'État de Mohammed V, est moins chanceux que mon père. Il perd son bras droit. Après le coup d'État, mon père le fréquente à l'hôpital où lui-même se fait soigner. Ben Hassan el-Ouazzani lui dit et répète : « Ma vie est finie. » Mon père tente de le consoler : « Mais non, pense aux trois cents victimes qui sont tombées sous les balles. Toi, tu as survécu. Tu devrais t'estimer heureux, malgré tout. » Or, rien n'y fait. El-Ouazzani est toujours aussi désespéré. Si bien qu'un jour, quand ma mère vient lui rendre visite à l'hôpital, mon père s'ouvre à elle en lui racontant l'histoire. Ma mère lui réplique vivement : « Mais tu ne comprends donc pas ? Sa vie est finie parce que, lui, il écrit. Lui, il a besoin de sa main droite pour travailler. Sa vie, c'est le travail intellectuel et non pas la jouissance. Vous, les Alaouites, ne pouvez-vous donc pas comprendre cela ? » La foudre n'aurait pas pu frapper mon père plus brutalement que cette parole.

Le coup d'État de 1971 a été fomenté par le général Medbouh, un officier austère et intègre, las de la corruption ambiante. Je le connaissais bien, car il était notre voisin à la plage. Trois jours avant le putsch, je suis allé rendre visite à son fils Hassan. Je suis alors tombé sur le général qui avait une cigarette au coin des lèvres et les pieds dans un seau d'eau. Il m'a flanqué à la porte de chez lui en criant : « Sors d'ici ou je te mets une paire de claques ! » Interloqué, je suis rentré chez moi. J'ai raconté l'affront à mon père mais il ne m'a pas cru et, à son tour, a failli me mettre une torgnole. Ce jour-là, Medbouh avait déjà tourné dans sa tête la page de la monarchie. Pour le putsch, il s'est associé au lieutenant-colonel M'hamed Ababou, commandant des quelque 1 400 cadets du camp d'Ahermoumou, un nid d'aigle près de Fès, qui sont « descendus » sur Skhirat. Quand la fusillade commence, la confusion est totale. Le roi se cache dans l'arrière-salle d'une pièce de réception, avec une quinzaine de personnes. Mon père, qui déjeunait avec un groupe d'invités, est blessé de trois balles au bras droit et d'une quatrième au genou. Il est arrêté avec beaucoup d'autres. Comme il saigne, on lui apporte une chaise, tandis que d'autres blessés sont couchés par terre. Mon père demande au soldat qui le garde : « Donnez-moi de l'eau. » Le cadet lui répond qu'il n'en a pas. « Comment ça ? dit mon père. Vous venez faire un coup d'État sans eau ? Qu'est-ce que c'est que cette logistique de merde. Maintenant, va me chercher de l'eau ! » Le soldat s'exécute. Stupéfait, couché par terre, Moulay Hachim el Alaoui, un vieux compagnon de route de Mohammed V qui exerçait une fonction à la cour que l'on pourrait appeler « médiateur traditionnel » ou *ombudsman*, racontera six mois plus tard à Hassan II que, ne pouvant croire à tant de sang-froid, il avait pensé sur le moment que mon père devait être de mèche avec les putschistes. « N'oublie pas qu'il est le fils de son père », lui a simplement rétorqué Hassan II.

La suspicion de Moulay Hachim s'explique. L'aide de camp de mon père, le colonel Fenniri, figurait sur la liste des conjurés comme ministre de l'Intérieur dans leur futur gouvernement. Cette découverte avait été un choc pour mon père, qui était allé le voir dans sa cellule afin de comprendre sa trahison. J'étais avec lui quand le colonel Fenniri lui expliquait, assez confusément, qu'il avait été « entraîné sans vraiment savoir ce qui se tramait ». Se rendant compte de la portée des événements seulement le jour du coup d'État, il avait empêché l'exécution de ma tante, Lalla Nezha. Aux yeux de Moulay Hachim, le fait que mon père ait alors – vainement – imploré la grâce de Hassan II pour son ancien aide de camp épaississait le soupçon. D'autant plus qu'il avait eu avec mon père, plusieurs mois avant le putsch, une discussion très franche au cours de laquelle lui-même avait donné au régime trois ans de survie, tandis que mon père avait prédit trois mois ! Bien sûr, ce type de conversations revenait tôt ou tard aux oreilles de Hassan II, qui en était profondément blessé, comme il devait me le confier plus tard. Le roi supportait mal le jugement sévère de son frère, qui lui rappelait sans cesse qu'il n'était pas Mohammed V. « C'est vrai que je ne suis pas Mohammed V, me dira-t-il à l'heure des confidences. Mais je me suis quand même imposé, à ma manière, en prenant le temps qu'il fallait. Ce n'était pas un héritage facile. Ton père faisait la fête pendant que moi, je gardais la baraque. »

Au lendemain du coup d'État, nous cherchons tous à comprendre. Dans ce contexte, ma mère relate à Hassan II, avec une certaine insistance, son échange téléphonique avec le général Arroub, le jour du putsch. Le roi coupe court et lui dit : « Écoute, tu veux dire qu'il faisait partie des putschistes ? À ce moment-là, je n'ai qu'à faire exécuter tout le monde... » Le coup d'État a été un grand traumatisme pour Hassan II. Je me souviens de l'avoir vu, littéralement, se taper la tête contre les murs en se lamentant : « À cause de moi, quatre siècles d'histoire alaouite ont failli disparaître. Ce trône a été transmis comme un écrin, d'une main à l'autre, et c'est moi qui vais le faire tomber. » Mon père a alors demandé à ma mère de nous faire sortir, Sidi Mohammed et moi. « Emmène les garçons pour qu'ils n'en soient pas les témoins, lui a-t-il dit. Il ne te pardonnerait jamais. »

Au lendemain du putsch, le roi Hussein, vétéran des monarques arabes, prend l'avion pour le Maroc afin de retrouver Hassan II. C'est un acte de solidarité entre cousins chérifiens, tous deux descendants directs du Prophète et héritiers de l'empire abbasside – ce qui distingue ces dynasties des monarchies « tribales » du Golfe. Cependant, Hassan II voit plutôt en Hussein un parachuté du colonialisme. Dans le passé, il avait de la condescendance pour lui. À présent, il l'écoute. Le roi de Jordanie lui dit : « Il s'agit d'un cancer qu'il faut éradiquer de manière chirurgicale. Faites juger tous ceux qui ont été de près ou de loin mêlés à cette affaire et faites-les exécuter. » Se fiant à ce conseil, et aussi à ce que lui préconise Oufkir, le roi va cureter la plaie en profondeur. Plus tard, il dira que le général aurait voulu éliminer les conjurés avant que ceux-ci ne révèlent qu'il faisait lui-même partie du complot. Quoi qu'il en soit, malgré une répression féroce, un homme droit et un militaire aussi professionnel que le général Arroub, qui avait peut-être estimé, mû par un sentiment patriotique, que l'avenir du pays passait par la fin de la monarchie, en sera quitte pour une traversée du désert de vingt ans. À la fin de sa vie, Hassan II lui confiera de nouveau d'importantes responsabilités.

Ce premier coup d'État va, du jour au lendemain, complètement transformer notre vie. Dorénavant, nous avons des gardes du corps, nous prêtons attention à ce que nous mangeons, aux habits que nous portons. Notre grand-mère nous met en garde afin que nous ne partagions plus les tajines des « autres ». Elle nous explique que nos habits peuvent être empoisonnés… Bref, nous nous méfions de tous et de tout. Il ne faut plus qu'un copain nous tape dans le dos, ou qu'une copine nous fasse la bise. Des dispositifs sécuritaires concentriques se resserrent autour de nous – et nous isolent. *Homo homini lupus est* : jusqu'à preuve du contraire, les gens sont soupçonnés d'être mauvais. Les déplacements de mon père se font avec trois ou quatre voitures d'escorte, désormais toujours en cortège.

J'ai sept ans et demi à la naissance de ma petite sœur Lalla Zeineb, à l'automne 1971. Planté devant son berceau à l'hôpital, je suis choqué de découvrir un bébé blond aux yeux verts. Sur le coup, pour la première fois, je prends vraiment conscience de mes origines libanaises. J'aime beaucoup ma petite sœur, d'abord comme bébé puis comme une fillette très protectrice à mon égard, bien qu'elle soit ma cadette. En effet, contrairement à moi, elle bâtira une relation de proximité et de confiance avec notre père. Elle a toujours cherché à me faire bénéficier de cette relation privilégiée.

Pendant des années, Lalla Zeineb et moi dînons tous les soirs ensemble, quoi qu'il arrive. C'est un rite. Il en existe un autre : elle refuse de s'endormir sans s'assurer que je suis moi-même couché : c'est elle qui me « met au lit » ! Elle prend ce simulacre très au sérieux. Je suis obligé d'enlever mes chaussures mais je peux me coucher tout habillé, du moment que je fais semblant de dormir. Elle m'embrasse alors sur le front et va se coucher – et moi, je peux me relever. Ce rite s'est répété tous les soirs jusqu'à ce que je parte à l'université, à dix-sept ans. Chaque fois que j'y repense, je crois sentir ses lèvres sur mon front. C'est un des plus beaux souvenirs de ma vie. De son côté, aujourd'hui encore, je crois qu'elle ignore que je me relevais dès qu'elle avait refermé la porte de ma chambre.

Malheureusement, après la mort de notre père, ma sœur Zeineb est devenue dure, sèche et renfermée. Elle avait alors onze ans. Par la suite, je ne l'ai plus reconnue. Hassan II l'a pourtant adoptée comme si elle était sa propre fille en lui donnant autant d'affection, sinon plus, que mon père. Ses cousines étaient aussi très affectueuses avec elle. Mais rien n'y a fait. Après mon départ pour l'Amérique, elle s'est sentie abandonnée, et je n'ai réussi à renouer une vraie relation avec elle que bien des années plus tard. Il y avait, pendant longtemps, trop de non-dits entre nous. Lalla Zeineb a épousé le fils d'une famille du *makhzen*, grand commis de l'État. Elle garde bien l'honneur de son mari, pour employer une formule traditionnelle marocaine. Le sentiment profond qui nous unissait quand nous étions petits s'est transmis à nos enfants, qui sont très proches les uns des autres. C'est une source de grand réconfort pour moi.

Lors du second coup d'État, le 16 août 1972, je suis témoin direct des événements. J'ai huit ans, et je suis à l'aéroport pour accueillir mon oncle et mon père. Moulay Rachid, le fils cadet de Hassan II, et moi sommes en bas de la passerelle d'accès à bord. Je découvre ainsi le visage décomposé de mon oncle, sortant de l'appareil tout troué qui vient d'être mitraillé en plein ciel. Puis, les mines de mon père, de Moulay Hafid et du colonel Ahmed Dlimi. Hassan II les presse d'agir : « Faites le

nécessaire ! Faites donc le nécessaire ! » Il me glisse :
« On a failli mourir aujourd'hui. » Moulay Rachid n'a
que deux ou trois ans. Mais il est là, et Hassan II se
penche vers lui pour lui répéter : « Papa a failli mourir
aujourd'hui. » Le roi vient d'apprendre que le général
Oufkir lui-même est derrière ce nouveau putsch. Le
général ne supporte plus le clientélisme, la corruption,
l'atmosphère délétère. Il a minutieusement préparé cet
attentat contre l'avion royal que l'incroyable *baraka* de
Hassan II a fait échouer.

Nous arrivons au salon d'honneur, où le roi salue
tout le monde en dépit de la situation, tandis qu'autour
de lui les gens l'implorent de partir en lui répétant que
le putsch n'est pas terminé. Mon père et mon oncle
finissent par quitter l'aéroport en trombe, et moi... je
reste derrière, tout seul. À ce moment-là, les avions
repassent sur nos têtes, une première fois sans tirer,
puis une seconde fois en se mettant à mitrailler les
lieux. On m'avait mis dans une voiture avec Moulay
Rachid pour m'évacuer, mais je voulais absolument rester avec mon père, et je me suis donc échappé – avant
de perdre tout le monde. Hassan II est emmené vers
Skhirat dans un « faux » cortège, le cortège officiel partant ailleurs pour servir de leurre. Quant à mon père, il
rejoint Rabat par des voies détournées. Pour ma part,
je suis présent pendant le bain de sang qui s'ensuit
à l'aéroport. Je vois une roquette tomber, la fontaine
de l'aéroport rouge du sang des membres de la Garde
royale venus rendre les honneurs. C'est un carnage sans
nom. Un gradé de la police, le chef de la sécurité du
Premier ministre Ahmed Osman – l'époux de la sœur

de Hassan II –, me ramasse finalement sur la route, et m'amène chez lui où une escorte viendra me chercher. Méfiant, il refuse de me laisser partir en attendant de s'assurer de l'identité des militaires. Ceux-ci le menacent de leurs armes, à bout portant. Les soldats ont l'ordre de récupérer tous les mâles de la famille royale dont les vies sont les plus menacées. Mais Ahmed Osman me met dans son dos pour me protéger, au péril de sa vie. C'est seulement quand je reconnais un officier de l'escorte, un homme qui travaille pour mon père, qu'il me laisse partir avec eux. Je suis trimballé toute la journée. Pour finir, j'atterris chez Miss Gillian, mon professeur d'anglais du Centre culturel britannique, qui donnait aussi des cours à ma mère. Quand son fiancé passe sa tête par la porte, les deux gardes laissés auprès de moi estiment qu'il a dû me reconnaître et que, sachant où je me trouve, il présente un risque pour ma sécurité. Ne faisant les choses à moitié, ils ligotent le couple ! Ce n'est que dans la soirée, à la faveur de la nuit, qu'ils m'emmènent chez ma tante maternelle, l'ambassadrice du Liban. Celle-ci panique, convaincue que l'immunité diplomatique d'un pays arabe ne sera jamais respectée. Aussi préfère-t-elle me conduire chez l'ambassadrice du Brésil, de l'autre côté de la rue. Même son mari va ignorer ma cachette : elle me fait quitter sa maison en catimini. J'en fais le tour pour entrer discrètement dans l'ambassade du Brésil. Là, je reste dans la cave pendant une bonne partie de la nuit, seul, isolé de mes gardes qui, eux-mêmes, ne savent plus où je suis. Très perturbé, je passe un moment difficile. À dessein, j'ai été séparé de Moulay Rachid et de Sidi Mohammed, ce dernier se trouvant loin, à Ifrane. J'ignore quand je reverrai mes parents, mon oncle, Sidi Mohammed... Finalement, quand le coup d'État est maîtrisé, je suis ramené chez moi sain et sauf.

Le putsch d'Oufkir, le « connétable » du roi, est vécu comme la trahison ultime, celle du bras droit armé qui devait le protéger ! Par la faute du « félon », nous venons de rejoindre la farandole des monarchies orientales plus ou moins créées de toutes pièces par le colonisateur, sans assise populaire. Hassan II est blessé au plus profond, c'est-à-dire dans son amour-propre. Quant à mon père, il se demande sans cesse : « Qu'est-ce qui a mal tourné ? » Dans le contexte de l'époque, il interprète ce deuxième coup d'État comme une contamination du Maroc par les idées nassériennes, antimonarchistes et panarabes. Il y a eu des révolutions en Irak, en Libye, en Égypte... À présent, c'est notre tour. Mon père est convaincu qu'il y a des leçons à tirer, que le royaume doit changer. Or, ce n'est pas du tout l'analyse de Hassan II. À ses yeux, la trahison d'Oufkir relève du sacrilège. Le roi devient méchant, solitaire et méfiant. Au Palais, on nous tient le discours suivant : le général a participé aux deux coups d'État, ce qui prouve qu'il est un traître, un « Iznogoud » dévoré d'ambition qui a voulu conquérir le pouvoir à des fins personnelles. Il n'y a rien d'autre. Donc, tout continue comme avant, simplement sans lui, la source du mal.

Mon père aimait beaucoup Raouf Oufkir, le fils aîné du général. C'était l'un de ses meilleurs copains. Il venait souvent chez nous. Mon père l'emmenait à la chasse. Ou alors, ils partaient faire de la moto ensemble, de la plongée sous-marine, du foot. Après le coup d'État, je demande évidemment où il est passé. On me réplique invariablement que je dois me taire. Jusqu'au jour où l'on me dit qu'il est mort dans un accident de moto en Espagne, et qu'il ne faut plus prononcer son nom.

Mon père savait que les Oufkir étaient détenus au secret, dans différents lieux successifs. Il savait aussi que Hassan II se vengeait personnellement sur la famille de son ancien « connétable », puisque ce fut par l'intermédiaire de l'un des aides de camp du roi et du père de l'épouse d'Oufkir, le colonel Chenna, que mon père envoya pendant des années des vivres, des vêtements et des livres aux « disparus ». Plus d'une fois, Hassan II lui a vertement reproché ce défi à son autorité. Enfin, mon père savait également que les conjurés de 1971 avaient été embastillés dans un cachot où le nom de chacun figurait au fronton d'une cellule d'isolement. Mais que ce sinistre bagne se trouvait à Tazmamart, je pense qu'il l'ignora très longtemps. Des années durant, il n'y a eu qu'un « trou noir » – sans nom – qui avait englouti les conjurés des deux coups d'État, un vortex d'horreur qui nous terrorisait tous. C'était le but recherché par Hassan II. Pour ma part, je n'ai appris le nom de Tazmamart qu'en 1979 par l'épouse américaine de l'un des aviateurs détenus dans ce bagne, Nancy Touil, qui était l'ancienne bibliothécaire à l'école américaine de Rabat et dont le fils Tarek allait en classe avec moi. Un jour, elle m'a demandé la faveur de pouvoir rencontrer mon père. J'ai organisé un rendez-vous, mais je n'ai pas été autorisé à assister à l'entretien. J'ai appris cependant que mon père lui a dit : « Madame, je ne sais pas ce qui est arrivé à votre mari, quand bien même il aurait fini de purger sa peine. » Il a ainsi admis qu'on était dans l'arbitraire de la vengeance personnelle, dans le « jardin secret » du roi. Deux mois plus tard, après avoir mené son enquête, mon père est revenu vers madame Touil pour la mettre en garde : « Écoutez, madame, c'est bien plus compliqué que vous ne le croyiez. Je vous suggère de prendre votre fils et de partir en Amérique. » Elle n'a suivi son conseil qu'à moitié. Si elle est bien repartie aux États-Unis, elle n'a pas abandonné pour autant la lutte pour la libération de son mari. Au contraire, elle s'est démenée jusqu'à ce que l'ambassade américaine à Rabat ait localisé le pilote M'barek Touil et ait obtenu pour lui le minimum vital en termes de conditions de détention. C'était une femme vraiment courageuse.

Dans les années 1970, à de rares exceptions près, le despotisme du *makhzen* ne parvient pas jusqu'à moi. Parfois, je capte quelques bribes de conversations chuchotées à la maison. Des gens viennent implorer l'aide de mon père en évoquant des « disparitions »… Mais je n'en saurai jamais plus, rien de concret, aucun détail. En revanche, je comprends que le général Oufkir remplissait une fonction auprès du roi – celle du grand vizir – qui a perduré après son élimination, officiellement maquillée en « suicide ». La monarchie a besoin d'un homme fort, qui lui sert en même temps de « fusible », pour garantir sa pérennité par la répression. Historiquement, cette fonction remonte au plus proche collaborateur des califes abbassides, le *wazir*, un terme qui renvoie à la « décharge » de responsabilités. Au Maroc, le vizirat est apparu au XIIIᵉ siècle, sous les

Marinides, pour pratiquement ne plus disparaître de notre paysage politique.

Depuis l'indépendance du Maroc en 1956, il y a eu trois grands vizirs très en vue. Chacun d'entre eux correspond à une période précise dont il incarne les caractéristiques. Il est frappant de constater qu'ils correspondent assez bien aux trois « idéaux-types » historiquement répertoriés, à savoir le militaire, réputé ambitieux, le bureaucrate, apprécié pour sa compétence, et le favori, censément le plus loyal. Après le général Oufkir, qui se livrait à la répression en militaire ayant subi l'épreuve du feu et ayant connu le corps à corps, il y aura Ahmed Dlimi puis Driss Basri. Bien qu'ils remplissent tous la même fonction auprès du trône, ces personnages sont aussi différents que le type de contrôle social qu'exige le système au fil du temps. On passe ainsi de la répression militaire aux méthodes plus subtiles du colonel Dlimi, qui, bien que militaire comme son prédécesseur, est féru du fichage et des « dossiers ». Enfin, le « flic » issu du terroir qui lui colle aux semelles, Driss Basri, est la caricature même du « vizir favori » dont l'ascension dépend entièrement du bon vouloir du monarque chérifien.

D'Oufkir à Basri en passant par Dlimi, on s'éloigne aussi de la France. Le général était un Franco-Marocain d'origine berbère, qui s'exprimait en français – ce qui a fait de cette langue, encore longtemps après sa mort, l'idiome des salles de tortures au Maroc. Dlimi est un Marocain qui se veut moderne. Taiseux, homme de dossiers, il se dépasse en sachant s'entourer. Contrairement à Oufkir, il préserve sa vie privée, qui reste équilibrée en dépit des efforts déployés par Hassan II pour le débaucher. Dlimi est l'architecte du « mur » au Sahara occidental, qui a permis à l'armée marocaine de prendre le dessus face au Polisario, le mouvement indépendantiste sahraoui. Le roi apprécie Dlimi pour sa discrétion et sa compétence – jusqu'à son élimination en janvier 1983, maquillée en accident de la circulation. Enfin, Basri est le « bledard » devenu flic. Hassan II se sert de lui comme *chaouch* de la répression. À un chef d'État ami, qui lui demande avec insistance pourquoi il le maintient à son poste, le roi répond : « Dans chaque salle de bains, il y a une serviette. »

Le général Oufkir avait énormément d'ascendant sur Hassan II qu'il avait vu grandir. Il pouvait se permettre ce que personne d'autre n'eût osé. Il avait même une certaine intimité avec le roi. Oufkir buvait beaucoup, au point qu'il lui arrivait de quitter notre maison en titubant, ou de se coucher sur un canapé pour cuver son alcool. Il faisait peur. Je me souviens qu'il lui est arrivé de passer chez nous pour prendre un ou deux costumes italiens dans le dressing de mon père. Ils avaient la même taille si bien qu'à l'occasion, mon père lui donnait l'un de ses costumes. Mais Oufkir pouvait aussi passer et se servir tout seul dans un placard en expliquant : « Vous direz au prince que j'ai pris un costume italien. » Personne n'osait rien dire. Je me souviens aussi d'un employé de mon père, qui voulait à tout prix une nouvelle voiture et qui avait tanné le général pendant des semaines, en vain. Un soir, après une réception chez nous, Oufkir croise l'employé, qui lui soumet de nouveau sa requête. Oufkir prend alors une carte de visite et, sur le dos de celle-ci, écrit à la main : « Remettez une voiture à ce monsieur. » Le lendemain, l'employé se rend à la SOMACA, la société d'État d'assemblage de véhicules importés. Bien que la carte de visite ne soit même pas signée, on lui donne sur-le-champ une voiture flambant neuve. Même Hassan II n'aurait pas pu faire cela ! Il lui aurait fallu faire signer un bon de commande, faute de quoi la SOMACA aurait procédé à des vérifications. Mais, à l'époque, tout le monde était terrorisé par Oufkir.

Dlimi était un pur produit « hassanien », façonné à la manière du roi. Organisé et méthodique, il incarnait l'autoritarisme administratif. Basri, nommé ministre de l'Intérieur en mars 1979, est un exécutant à la manière traditionnelle, un *wazir al tanfidh*. Son origine populaire importe grandement à Hassan II, ne serait-ce que pour narguer les Fassis, la haute bourgeoisie traditionnelle du royaume. Hassan II apprécie d'autant plus le caractère fruste de Basri qu'il aime lui-même se donner un petit côté « canaille ». Un jour que nous marchions dans Paris, il m'a dit : « Si je n'étais pas roi, j'aurais été chef de bande, un loubard de quartier ! » Il n'était pas le seul à le penser.

À ses débuts, Driss Basri était incorruptible. Il avait bien du mérite puisqu'il était chargé de surveiller les militaires et, donc, n'ignorait rien des richesses qu'ils accumulaient impunément. Or, Hassan II voulait le corrompre, lui aussi, car un grand vizir ne peut pas avoir un ascendant moral sur le souverain. Basri devait être le réceptacle de la haine populaire, un bouc émissaire et non un parangon de vertu. Le roi a attendu que le fils de Basri obtienne son diplôme de fin d'études, puis il l'a convoqué avec son père et Fouad Filali, le responsable de l'Omnium nord-africain (ONA), le holding tentaculaire du *makhzen* qui contrôle une grande partie de l'économie marocaine. Hassan II leur a mis sous le nez un contrat associant Basri junior et l'ONA dans un juteux projet, la promotion immobilière de Bouznika Bay. Il n'y avait plus qu'à signer au bas de la page. Impossible de dire non ! L'affaire a tourmenté Driss Basri jusqu'à sa mort. Hassan II lui avait mis de force un cadavre dans le placard ! Une fois compromis, Basri n'était plus une menace pour le trône. S'il avait résisté, il aurait été écarté, comme tous les incorruptibles. Le roi excellait dans la compromission de ses proches : il savait attendre tel un chasseur pistant sa proie. Il vidait les hommes et les choses de leur substance, à force de vice et de patience.

Après les deux coups d'État, Hassan II devient quasiment tyrannique dans l'exercice du pouvoir. Non seulement cela ne le gêne pas de savoir que Basri est détesté par la population mais, bien au contraire, il s'en félicite. Il prend un malin plaisir à disposer d'un épouvantail, pour qui il éprouve même de l'affection – celle qu'on peut éprouver pour un outil commode. Basri survit longtemps car, comme il aimait à le dire lui-même, il avait « posé l'échelle par terre » – ne cherchant pas à grimper mais se contentant de s'étendre. Du reste, il n'avait pas toutes les cartes en main. Car, si le roi l'utilisait pour tenir en échec les militaires, Basri ne contrôlait pas l'armée. Celle-ci restait sous la coupe du

Palais. Le passé des officiers y était étudié à la loupe, quitte à briser leur carrière avant qu'ils ne deviennent des héros, et tout mouvement de troupes était contrôlé de près. Rien n'était laissé au hasard.

D'ailleurs, à l'intérieur du Palais, il y a toujours eu une ultime ligne de défense, la garde rapprochée du roi. Derrière le visage visible de la répression, celui d'Oufkir, de Dlimi puis de Basri, des hommes tels que le général Moulay Hafid, un cousin éloigné de Hassan II, ou Mohamed Mediouri, le responsable en titre de la sécurité du Palais jusqu'à son départ en 1998, ont protégé le sanctuaire du pouvoir en montant leurs propres opérations et services de renseignements parallèles. Enfin, également sous les ordres directs de Hassan II, un borgne aux jambes arquées, qui traînait la patte, connu de nous tous sous le seul nom de « Fadoul », a longtemps hanté les nuits au Palais. Il dirigeait les brigades de gendarmerie volante – le fameux « PF3 » – qui kidnappaient les ennemis, supposés ou réels, du régime. Dans le langage codé entre Sidi Mohammed et moi, si le roi – que nous surnommions, entre autres, Fantômas – nous convoquait vers minuit, nous ajoutions : « À l'heure où Fantômas se déchaîne, Fadoul rôdera. »

Un mot, pour finir, sur le dernier épigone en date des grands vizirs. Après le limogeage de Driss Basri par Mohammed VI en novembre 1999, Fouad Ali el Himma, un « copain » et ancien condisciple du roi au Collège royal, est devenu le premier « sécurocrate » du royaume. A-t-il été une erreur de casting ? À la différence de ses prédécesseurs, il n'a connu qu'une seule épreuve du feu, à savoir le 16 mai 2003, les attentats terroristes de Casablanca qu'il n'a pas vus venir – mais d'autant plus durement réprimés après coup. En 2007, tout en gardant sa proximité avec le roi, el Himma a été transformé en émissaire du Palais pour la recomposition du champ politique. Privé d'homme fort visible, le système n'a pour autant rien perdu de ses réflexes répressifs, d'abord à l'égard des islamistes puis envers les jeunes contestataires du Mouvement du 20 février 2011. L'autoritarisme est devenu sa seconde nature. Prétendument chassé à l'avènement du jeune « roi des pauvres », il est revenu au galop.

II.

UN CURSUS AMÉRICAIN

Le deuxième coup d'État contre Hassan II a eu lieu le 16 août 1972. Quinze jours plus tard, à la rentrée, je quitte le Collège royal pour l'École américaine de Rabat. Ma grand-mère paternelle, Lalla Abla, la reine mère, y est pour beaucoup. Intuitivement, elle saisit la tension naissante entre son petit-fils et moi, et œuvre en faveur d'un arrangement. Hassan II cède donc à sa propre mère en même temps qu'à la mienne en jugeant finalement préférable que je quitte le Collège royal et ses classements truqués avant que mes relations avec le prince héritier, et donc avec lui, ne soient minées par le zèle des subalternes. Toutefois, il ne donne son feu vert qu'à la condition expresse que je ne parte pas pour une école française mais pour une « nouvelle expérience ». Il veut éviter que l'on puisse dire : « Moulay Hicham quitte le Palais. »

Sidi Mohammed est triste que je l'abandonne. Je suis tout aussi triste de me séparer de lui. À titre personnel, il est comme un grand frère pour moi. Pendant des années, je continuerai de passer au Collège royal pour dîner avec lui. Dépouillés de nos fonctions respectives au sein de la monarchie, qui n'existent alors pour nous que dans le regard des autres, nous nous entendons à merveille.

D'un point de vue politique, mon changement d'établissement scolaire ne survient pas au meilleur moment. Dans l'esprit des proches du roi, il y a eu, à tout le moins, un tacite acquiescement américain lors du putsch, sinon un encouragement. Sans un tel appui, comment les avions ayant mitraillé le Boeing royal auraient-ils pu décoller de la base américaine de Kénitra, au nord de Rabat ? Le Palais entreprend une démarche officielle à Washington pour exprimer sa « vive irritation ». Richard Nixon envoie alors son vice-président Spiro Agnew au Maroc pour apaiser la colère de Hassan II. En apparence, les choses rentrent dans l'ordre.

L'École américaine est, en réalité, plutôt une école internationale fréquentée par les enfants d'expatriés non francophones, dont beaucoup de diplomates. Je m'y fais pour la première fois de vrais copains. Hassan II observe tout cela avec attention, ne manquant jamais une occasion de me rappeler que je suis « passé à l'Amérique ». C'est la première fois que je l'entends, mais ce ne sera pas la dernière.

Cependant, à cette époque, le roi et moi avons de bonnes relations. Nous montons fréquemment à cheval ensemble. Hassan II aime l'équitation, qui le détend. Il ne cessera de monter que vers le milieu des années 1980. Je lui sers d'écuyer. J'ai déjà ma propre écurie et participe à de nombreuses compétitions équestres. Quand le roi veut faire un tour, notamment le week-

end, il m'appelle pour que je « prépare les chevaux ».
Je préviens alors à mon tour la Garde royale, où l'on
apprête sa monture. La plupart du temps, le prince héri-
tier monte avec nous, de même que le colonel Cherrat.
Nous accompagne également un Français, Jean-Pierre
Laforêt, le responsable du haras royal.

Après le retour de Hassan II d'un voyage officiel aux
États-Unis, nous faisons ainsi une balade. Lors d'une
halte, Hassan II sort de sa poche un dollar troué, me
le lance en disant : « Voilà, toi qui as le goût du western, garde-le pour toi. » C'est un dollar ancien du
Colorado ou de l'Arkansas, troué par une vraie balle.
Faut-il comprendre que le dollar a un trou et a perdu
toute valeur, ou bien est-ce un talisman parce qu'il a
été perforé par une balle ? Je n'ai jamais su. Quoi qu'il
en soit, le même jour, le roi offre à Sidi Mohammed
une belle pièce commémorative de Mohammed V, notre
grand-père. Sur le plan symbolique, c'est assez limite !
Hassan II s'en rend compte et, un peu plus tard, me
donne une pièce identique à celle offerte à Sidi Mohammed. En cette circonstance comme en d'autres, il savait
doser ses provocations, tirer sur la ficelle mais, aussi,
la lâcher au bon moment pour ne pas briser la corde.

L'École américaine est pour moi un sanctuaire de
normalité. Néanmoins, pendant toute ma scolarité, je
suis obligé de voir mon oncle au moins deux fois par
semaine, dont une fois le week-end. Par ailleurs, il ne
faut jamais manquer une fête ! Une année, je rate l'Aïd
parce que j'ai un important match de base-ball. C'est
le drame. Hassan II me convoque.

« Ne pouvais-tu pas manquer ce match ? L'Aïd n'a lieu qu'une fois par an !

— Ce championnat aussi…

— La différence est celle qui sépare Dieu des hommes ! »

Nos frictions, encore rares à cette période, ne revêtent guère un caractère politique. Sauf exception comme, par exemple, quand Hassan II pique une crise parce que le film *The Wind and the Lion*, qui retrace la rébellion d'un seigneur du Rif, incarné par Sean Connery aux côtés de Candice Bergen, Brian Keith et John Houston, est projeté à l'École américaine. Le roi interdit le film, qu'il trouve désinvolte à l'égard de son grand-oncle, le sultan Moulay Abdelaziz. Il convoque l'ambassadeur des États-Unis. À moi, il m'explique que « l'on ne tue pas un roi. On l'enterre et on fait son deuil ». C'est une formule qu'il me répétera à plusieurs reprises. Puis, à un autre moment, il débarque dans ma chambre où il aperçoit un livre d'histoire avec une représentation de Mohammed V à la prière en guise d'illustration d'un chapitre sur l'islam. Il convoque derechef l'ambassadeur, ainsi que le directeur de l'École américaine, exigeant d'eux que le manuel soit changé parce que l'image serait indûment « sortie de son contexte marocain ». Le directeur explique qu'il a les mains liées, son programme devant se conformer à celui de toutes les autres écoles américaines. Mais Hassan II insiste. Aussi la photo est-elle découpée aux ciseaux dans tous les livres de classe utilisés au Maroc !

Bien que je ne sois plus au Collège royal, le monde

dans lequel je grandis reste très particulier. Pour commencer, mes journées sont pleines à craquer. Il n'y a pas seulement l'école, puis les devoirs. Il y a, en plus, le cours d'arabe obligatoire, soit deux heures par jour, y compris le samedi ; il y a, par ailleurs, les exercices d'équitation, le mercredi et le samedi, parce qu'un prince alaouite se doit de savoir parfaitement chevaucher. Dans le même ordre d'idées, il y a, après le footing à cinq heures et demie, une séance d'arts martiaux auxquels les descendants mâles de la dynastie se doivent d'être initiés ; s'y ajoutent l'escrime et, une fois par semaine, un sport d'équipe, soit volley-ball soit basket-ball ; enfin et surtout, tout est fait pour mon instruction religieuse. Al-Azhar, la prestigieuse université égyptienne, a détaché l'un de ses meilleurs savants, le cheikh Ibrahim Attiah el-Shawathifi. Aux côtés de maîtres marocains, il veille sur mon éducation musulmane et ma parfaite connaissance de notre histoire religieuse.

Le dédoublement, sinon la schizophrénie, règne partout. Il y a tout ce programme pendant la journée, puis je rentre chez moi pour retrouver, non pas une intimité familiale, mais mon père au milieu d'un aréopage de courtisans, au minimum une dizaine de personnes. Là encore, souvent jusque tard le soir, il faut faire bonne mine à mauvais jeu, feindre de trouver normal cet univers. J'apprends à jouer la comédie. Le week-end, au Palais, le même théâtre mi-didactique mi-absurde se poursuit en s'intensifiant. À l'époque, Sidi Mohammed souffre autant que moi, sinon plus, de tout ce « théâtre » que nous impose le *makhzen*, avec ses coutumes, ses traditions, ses jeux de cour. À ses basques, il y a un

ministre qui s'occupe exclusivement de son éducation !
Il lui fait lire des discours ridicules. Par exemple, chaque
année pour la cérémonie de remise des diplômes, il
faut faire un laïus. Même après mon départ du Collège
royal, je participe toujours à cet événement. Unis dans
l'épreuve, Sidi Mohammed et moi nous promettons de
ne jamais nous quitter. Nous nous serrons les coudes
pour sauver les apparences. Ce que l'on nous fait dire
est absolument abracadabrantesque. Ce sont des discours sans fin, des louanges du roi que nous portons au
pinacle, dans l'empyrée et au-delà si possible... Nous
en souffrons mais nous n'y pouvons rien. Hassan II,
lui, se complaît à être en perpétuelle représentation. Il
a l'air tout à son aise, toujours.

Il faut y avoir vécu pour comprendre réellement ce
qu'est un univers peuplé de courtisans. Un exemple
parmi tant d'autres : Hassan II, qui aime les westerns et
les séances de cinéma en famille, nous réunit et demande
au projectionniste ce que nous allons voir. « *La dernière
balle est pour moi* », lui répond le préposé à la bobine. Le
noir se fait, le film commence. En lettres géantes s'étale
à l'écran le vrai titre du western, *La dernière balle est
pour toi*. Or, cela, le projectionniste n'aurait jamais osé
le dire au roi. Il sait bien que Hassan II va s'en rendre
compte mais mieux vaut passer pour un sot que pour
un effronté. Le cow-boy, lui, n'a qu'à être suicidaire...

Je me souviens d'un épisode au palais de Skhirat, un
jour où le roi s'était réveillé très tard de sa sieste. Frais
et dispos, il croise alors l'un de ses compagnons préférés, le *fqih* Regregui, son ancien professeur au Collège
royal. Il lui propose de monter en voiture avec lui,

pour regagner Rabat ensemble. Regregui lui répond évasivement que ce n'est pas possible, qu'il doit ramener son propre véhicule en ville, qu'il a des médicaments à prendre en chemin... Le roi insiste en suggérant que quelqu'un ramène sa voiture et fasse ses courses. Mais rien à faire. Un peu contrarié, Hassan II part donc seul. J'en profite pour demander à Regregui pourquoi diable il a refusé l'invitation royale. Il me répond : « C'est un si grand honneur et je m'en mords les doigts, mais je ne suis pas préparé, je n'ai pas d'histoires suffisamment intéressantes à lui raconter pendant vingt-cinq minutes de trajet. J'ai une histoire mais elle ne durera que dix minutes. Il va s'ennuyer. Ce serait alors la dernière fois qu'il m'invite à monter avec lui. Retiens cette leçon pour toi-même, à l'avenir. Il faut distiller sa valeur comme de l'ambre, au compte-gouttes. Sinon, tu deviens jetable. »

Une autre fois, Hassan II vient de réceptionner une nouvelle Mercedes, l'un des premiers modèles de la berline 500 classe S. Parmi les options novatrices de cette voiture figurent des sièges chauffants individuels. Nous sommes en déplacement à Ifrane. Que fait le roi ? Il s'amuse à chauffer le siège des passagers à fond, au point de les rendre très inconfortables. Allant de son palais d'Ifrane vers divers endroits de la ville, il fait monter des courtisans à tour de rôle pour tester leur réaction. Certains ne bougent pas, stoïques, d'autres s'accrochent aux poignées pour se rehausser un peu, d'autres encore replient et entassent leur vêtement sous leur postérieur pour mieux supporter la chaleur. Le roi conserve un visage impénétrable. À la fin de chaque trajet, complices, mon cousin et moi demandons au passager comment il a trouvé la nouvelle voiture. Tous nient leur inconfort et se répandent en dithyrambes sur le véhicule. Ils préfèrent souffrir plutôt que de contrarier Hassan II. Il n'y a qu'un « fou » du roi, Abdelkrim Lahlou, qui réagit différemment. À peine installé dans la voiture, il se tourne vers Hassan II et s'écrie : « Mais *Sidna*, tu me brûles le cul ! » Le roi pile alors au milieu de la route pour sortir de la voiture, secoué par des cascades de rires. Il a les larmes aux yeux. Quelle joie d'avoir trouvé un brin de sincérité autour de lui...

Hassan II compte plusieurs « fous » à sa cour. Il ne peut pas vivre entouré seulement d'adulation et de peur. Même à lui, il faut un peu d'humanité et de sincérité pour garder son équilibre. Abdelkrim Lahlou est son favori. Mais nous sommes tous, tour à tour, les fous et les courtisans du roi. C'est un jeu de rôle. Pour flatter, il suffit d'avoir l'imagination servile mais il y a beaucoup de concurrence. Pour « faire le fou », il faut du courage mais, aussi, beaucoup de discernement – pour saisir le moment propice – et de présence d'esprit. À ce double titre, Lahlou a un talent rare. Il s'y ajoute une qualité exceptionnelle : il sert ses intérêts sans jamais nuire à personne ; au contraire, il soutient les autres. À la cour, cela fait quasiment de lui un extraterrestre.

La fine fleur rhétorique du fou s'enracine dans la boue grossière des courtisans. Un jour à Ifrane, un tajine aux aubergines est servi. Le roi dit alors, peu ou prou : « Ce tajine est merveilleux, l'aubergine a de très grandes qualités. » Tout le monde abonde dans son sens : l'aubergine est bonne pour la santé ; il faudrait en manger tous les jours ; d'ailleurs, on se demande bien pourquoi les médecins ne la prescrivent pas d'office... Deux mois plus tard, on nous sert le même tajine. Le roi grimace : « Ôtez ça de mes yeux, cela m'a enflé le ventre. » Les mêmes courtisans renchérissent : « Sire, vous avez parfaitement raison. L'aubergine est délétère pour le ventre. Elle provoque des coliques terribles. » Agacé, le roi se retourne sur son monde : « Ne m'avez-vous pas dit, il y a deux mois, que l'aubergine était merveilleuse ? Et maintenant, vous dites le contraire ! » Consternation, silence gêné. Les courtisans sont pris la main dans le sac. Seul ce « fou » qu'est Abdelkrim Lahlou réplique du tac au tac : « Mais, majesté, sommes-nous au service du sultan ou au service de l'aubergine ? » Tous rient, la plupart nerveusement, le roi de bon cœur. La vérité a été énoncée, sans blesser personne.

L'humour est un art de circonstance, de contexte. Le fou joue avec le feu. Il a un don, qui n'est pas donné à tout le monde. Le coup de maître d'Abdelkrim Lahlou, du moins en ma présence, a pour cadre une partie de chasse. Hassan II tire des perdreaux et n'en manque aucun. Sa cour s'extasie : « Bravo, *Sidna* l'a tué d'un seul coup ! Bravo ! » À un moment donné, le roi rate sa cible. Tous ont le souffle coupé. Sauf Lahlou, qui s'écrie : « Bravo, *Sidna* a épargné une vie ! Quelle sagesse ! »

Hassan II est joueur mais, comme il fixe aussi les règles du jeu, les parties royales sont dangereuses. Au début des années 1980, un Casablancais dégourdi, un certain Amimi, manque de rendre le roi chèvre. Amimi a une idée fixe : obtenir un agrément pour l'exploitation d'une ligne de « grand taxi ». Chaque fois que Hassan II est à Casablanca, ledit Amimi se glisse dans la foule et lui remet personnellement une nouvelle lettre pour obtenir sa licence. Le roi finit par reconnaître la tête du pétitionnaire et s'énerve. Il se sent défié alors qu'il ne supporte pas qu'on veuille lui dicter sa conduite. Mais Amimi ne cède pas. Il estime qu'en tant que « sujet », il est fondé à demander un agrément à « son » roi. C'est une subtile épreuve de force, dans le droit fil de la logique « makhzénienne ».

Amimi tient bon. Il continue à remettre des lettres en toute occasion. Hassan II les prend sans les regarder et les remet à son personnel. Jusqu'au jour où, dans un stade de football, Amimi réussit, vêtu du survêtement de l'une des deux équipes, à sortir de la foule, à se frayer un chemin jusqu'à la tribune officielle et à remettre une nouvelle missive au roi. Hassan II convoque alors sa sécurité et leur explique que, si ce type parvient encore une fois jusqu'à lui, il mettra à pied tout le monde. Peu après, nous allons à la plage pour nager, Hassan II, Sidi Mohammed et moi. Nous sommes dans l'eau, en maillot de bain, quand surgit des vagues Amimi sortant de son short une enveloppe scellée dans un sachet en plastique ! Non sans panache, il baise la main du roi, lui remet le billet et s'en va ! Le prince héritier et moi sommes pliés de rire. Le roi est hors de lui. Il convoque les responsables de sa sécurité et leur passe un savon : « La prochaine fois, je dégrade les militaires, je mets les policiers à la retraite et, s'il le faut, je mute le gouverneur ! » Il ajoute quand même, connaissant son petit monde, que rien ne doit arriver à Amimi…

L'intéressé sera convoqué par la sécurité, qui lui

enjoint : « Désormais, dès que tu apprends que le roi vient à Casablanca, tu te présentes à la prison centrale, et voilà ta cellule ! Sinon nous viendrons te chercher à la maison et, alors, gare à toi ! » Donc, par la suite, chaque fois que Hassan II se déplace à Casablanca, Amimi se constitue prisonnier. Le rapport entre le roi et son « sujet » étant ainsi rétabli en faveur du souverain, Amimi obtient son agrément pour l'exploitation d'une ligne de taxi. Le *makhzen* le lui octroie en vertu de sa tacite et complexe règle d'or, qui veut qu'on n'obtient de lui « rien sous la pression, rien sans la pression ».

Hassan II accepte une dose d'humour voire de critique sous des formes codifiées, sans doute pour se mithridatiser. Cependant, en face, les risques du métier sont grands. Le roi ne renonce pas à tirer les ficelles des marionnettes qui l'entourent. Parfois, quand il sent que le fil risque de se casser, il s'arrange pour modifier le rôle de la marionnette plutôt que d'aller à la rupture. Dans des cas extrêmes, il éjecte la marionnette de la scène – comme il le fit avec le général Oufkir et toute sa famille. D'ordinaire, les sanctions sont plus subtiles. Par exemple, quand mon père le contrarie trop, Hassan II l'assigne à résidence. Vers 1973, il le punit à deux reprises en le cantonnant à Ifrane. Un périmètre assez large autour de sa maison est sécurisé par des barrages militaires postés sur la route. Mon père a l'interdiction de dépasser ces limites. J'ai le souvenir de lui avoir rendu visite, avec ma sœur, mais de ne pas avoir pu faire une balade en voiture avec lui parce que nous avons été stoppés à un barrage. Un officier est venu lui dire : « Je suis désolé, votre altesse, mais j'ai ordre de ne pas vous laisser dépasser ce point. »

Cette première assignation à résidence faisait suite à l'écoute par les services de renseignements du Palais d'une conversation téléphonique entre ma mère et sa grande sœur, au cours de laquelle elles avaient évoqué la demande en mariage faite par le colonel Kadhafi à leur plus jeune sœur. Mon père n'y était évidemment pour rien, mais l'idée que par le jeu des alliances matrimoniales il pût se retrouver apparenté au chef d'État libyen a rendu Hassan II fou de rage. Le roi voyait le « Guide » comme un électron libre un peu dérangé qu'il fallait gérer au mieux – sans plus. De son côté, le colonel révolutionnaire en voulait à Hassan II d'être un monarque. Le roi lui rendait la politesse en le considérant comme un va-nu-pieds arrivé malencontreusement dans la cour des grands. Pour finir, les Saoudiens sont intervenus pour expliquer à Hassan II que Kadhafi était un multirécidiviste des demandes en mariage, qu'il avait déjà fait le tour de toutes leurs princesses et qu'il n'y avait pas là de quoi fouetter un chat. D'ailleurs, le projet de mariage avec ma tante n'a pas eu de suite.

La seconde assignation à résidence sanctionna un crime de lèse-majesté. Hassan II estimait que mon père lui avait « manqué de respect », je ne sais plus à quelle occasion. Ifrane sert à nouveau de purgatoire. Hassan II approuve une liste de personnes pouvant rendre visite à son frère, la famille très proche et quelques amis intimes que tous deux connaissent depuis le Collège royal. C'est une façon de notifier à tous les autres : « Attention, en ce moment, Moulay Abdallah est radioactif. Tenez-vous à l'écart. »

Des années plus tard, le 31 mai 1981, alors que mon père est de nouveau fortement « radioactif », nous attendons trois cent cinquante invités pour son anniversaire. Le grand manège dans notre ferme d'Aïn el-Aouda a été transformé en salle de réception pour la soirée, des planches recouvrant le sol de terre. Seuls trente convives, fidèles entre les fidèles, sonnent finalement à la porte. Mon père a pris ça à la rigolade. Ses hôtes ont tombé leurs smokings, et ils ont improvisé un match de foot endiablé. Tout le monde savait pourtant que le roi serait fou de rage. Mais mon père prenait ses mises en quarantaine pour ce qu'elles étaient, à savoir du théâtre... Sidi Mohammed lui-même est assigné à résidence en 1981-1982 et, une autre fois, en 1983-1984. Lors de cette dernière relégation, n'étant pas à une contradiction près, Hassan II me convoque très tard un soir pour me reprocher vertement de ne pas avoir rendu visite à mon cousin en « prison » – là où lui, le père-roi, l'a enfermé.

En 1974, les relations entre le roi et mon père s'enveniment. Mon père démissionne de son poste de « représentant personnel » du souverain. Hassan II lui a confié cette fonction pour bénéficier de ses réseaux dans le monde arabe, mais aussi pour l'attacher au trône. Or, Moulay Abdallah estime qu'il lui est devenu impossible de pleinement jouer son rôle. Chez nous, nous sentions cette crise venir depuis longtemps. Un conseiller du roi, Ahmed Bensouda, fait tout pour qu'elle advienne.

En tandem avec un autre conseiller, Reda Guedira, il adopte un comportement très négatif à l'égard de mon père. Bensouda est un excellent spécialiste du droit islamique dont le rôle consiste à rappeler à Hassan II les traditions séculaires alaouites, les instruments de la gouvernance du *makhzen*. Le roi est entouré de beaucoup d'exégètes de nos traditions, dont plusieurs sont issus de l'université de Fès et dont chacun couvre une facette particulière de ce savoir ancestral. Bensouda tire avantage de sa proximité avec le roi pour lui seriner que mon père n'a pas à se prévaloir en public du fait qu'il soit le fils de Mohammed V. Il lui répète qu'il est nécessaire d'abaisser mon père pour qu'il ne se transforme pas en menace. À la longue, Hassan II devient méfiant et suspicieux. Lors d'une visite en Espagne avec mon père, le roi Juan Carlos les accueille à Las Palmas et prend mon père par le bras pour un aparté. Hassan II ressort cette histoire à mon père un an plus tard, lors d'une dispute. « Tu m'as humilié en partant avec Juan Carlos, et tu ne m'as rien dit de votre conversation. Qu'est-ce que c'est que ces cachotteries ? » Moulay Abdallah lui répond : « C'est par respect que je ne t'en ai pas parlé. Juan Carlos m'a dit en riant : "À ce qui paraît, les Français vont arrêter Madame Claude. Qu'allons-nous devenir tous les deux ?" » À l'époque, Madame Claude, de son vrai nom Fernande Grudet, est à la tête d'un réseau de call-girls de luxe très prisé du gotha politique et de la jet-set internationale.

D'autres membres de l'entourage du roi, comme Ahmed Bahnini et Ahmed Senoussi, se joignent à la curée. Sous leur influence, Hassan II se met à humilier

Moulay Abdallah en public, à saper ses missions en le court-circuitant. Un jour que mon père rencontre le roi saoudien Khaled, ce dernier lui apprend ainsi avoir tout juste reçu un émissaire de Hassan II, venu lui demander de ne pas tenir compte de ce que Moulay Abdallah lui dirait. Mon père a réagi avec intelligence : il a renvoyé l'avion et la délégation officielle qui l'avait accompagné, et il est parti chasser quinze jours dans le désert avec le prince Khaled. De retour au Maroc, il a refusé de rendre compte de sa mission à Hassan II.

Cette mascarade a duré jusqu'à ce que, n'y tenant plus, il rédige sa lettre de démission. Il la fait porter au Palais. Sans réponse pendant plusieurs jours, il se met secrètement à espérer que le roi ne va pas l'accepter. Il se dit que, tout compte fait, Hassan II a besoin de lui. Il en est là quand la lettre est lue à la télévision. C'est l'une des rares fois où j'ai vu mon père pleurer. Beaucoup de gens se détournent alors de lui. C'est très, très dur. Lors des cérémonies protocolaires, Hassan II manifeste son dédain, comme pour dire : « Tu ne vaux plus rien. » En vérité, lorsqu'il a ouvert la lettre, le roi a été choqué, ne voulant pas admettre que son frère s'arrogeât le droit de lui dire « non ». Devant toute notre famille réunie au Palais, il a accusé ma mère d'avoir dicté cette lettre de démission, soi-disant rédigée « dans un style oriental ». Après l'avoir sermonnée, lui a ordonné de sortir. Elle a répondu avec panache : « Non, ce n'est pas toi qui me mets à la porte, c'est moi qui m'en vais. » Et elle a quitté la pièce. Pour se venger de cet affront, Hassan II encouragera mon père à la débauche dans les années qui suivent sa démission. Il existait une porte mitoyenne entre notre maison et le Palais. Mon père l'utilisait pour s'éclipser, et Hassan II lui jetait les clés de sa voiture depuis le balcon en criant : « Vas-y, je dirai à tout le monde que tu déjeunes avec moi ! »

Un conseiller du roi, Bahnini, est allé jusqu'à suggérer que l'on embastille le « dissident » dans un palais, à la manière traditionnelle, c'est-à-dire un fer à la cheville... Nous sommes en 1974, j'ai dix ans. Hassan II me convoque, me fait rentrer dans la pièce pour que j'écoute ce que suggère Bahnini. « Voilà ce que l'on me dit de faire ! » Naturellement, il souhaite que je répercute ces propos à la maison. Mais je n'ai jamais rapporté cette conversation à personne. Cela aurait été blessant pour mon père et, par ailleurs, parfaitement inutile.

En cette fin d'année 1974, les menaces qui pèsent sur la monarchie – elle tangue sous les assauts des « gauchistes » et se méfie de l'armée – relèguent nos querelles familiales au second plan. De plus, l'affaire du Sahara occidental va bientôt totalement accaparer le roi. L'enjeu est considérable. La genèse du conflit remonte au rêve d'Allal al-Fassi d'un « Grand Maroc », qui engloberait la Mauritanie et une partie de l'Algérie saharienne. Or, la réalité a suivi le chemin inverse : le Maroc a été démembré par les puissances coloniales. La nation se sent amputée d'une partie de sa dimension africaine et d'une partie de sa dimension arabe. Au moment de l'indépendance, le Maroc est à l'étroit dans ses frontières issues de la colonisation. La souveraineté de la Mauritanie est reconnue par l'ONU en dépit d'une forte résistance marocaine. Du grand rêve d'Allal al-Fassi, il ne reste que les arpents de sable du Sahara occidental, une ancienne colonie espagnole. L'ONU est saisie du litige territorial en 1965. Le dossier reste en suspens pendant des années. Il ne revient sur le devant de la scène qu'en octobre 1975, quand la Cour internationale de La Haye rend enfin son arbitrage. Elle dit en substance : il y a des liens d'allégeance entre le Sahara occidental et le Maroc, mais pas de liens de souveraineté territoriale. C'est suffisamment ambigu pour que le Maroc décide de ne tenir compte que de la première partie du jugement. En effet, pour une monarchie chérifienne, l'allégeance est la marque de la souveraineté !

L'affaire du Sahara occidental arrive à point nommé pour Hassan II. Il est contesté, il n'a pas l'aura de son père Mohammed V. Souffrant d'un déficit de légitimité, il est à la recherche d'un titre de gloire nationaliste. Le Sahara occidental est pour lui un cadeau du ciel. Hassan II va poursuivre le grand rêve d'Al-Fassi pour la nation et, aussi, à son propre profit politique.

Le roi instrumentalise le contentieux du Sahara occidental grâce à son idée géniale d'une « Marche verte ». Le 6 novembre 1975, le drapeau marocain dans une main, le Coran dans l'autre, quelque 350 000 personnes s'enfoncent dans le désert pour récupérer, pacifiquement, la « province occupée » du royaume. Cette marche est vécue par tout un peuple comme un moment inoubliable dans l'histoire marocaine. Sur le plan international, le contexte est également porteur. Nous sommes en pleine guerre froide. L'Algérie se fait menaçante. La capacité de la monarchie à soulever une telle ferveur et à déployer la logistique nécessaire bluffe le monde entier, y compris les Soviétiques. Suharto va d'ailleurs imiter Hassan II quelque temps après en occupant le Timor-Oriental. La Marche verte donne le sentiment qu'une monarchie peut être populaire en même temps qu'elle conforte la légitimité nationaliste et religieuse du roi. Hassan II n'est pas peu fier de son idée qui lui est venue, nous confie-t-il, à la vue d'une fresque murale représentant une marche populaire. Un vrai coup de génie !

En redonnant au Maroc son intégrité territoriale, Hassan II poursuit, avec d'autres moyens, l'œuvre de libération du pays entreprise par son père. Hélas, ce coup de génie est immédiatement suivi d'une grossière erreur de politique étrangère. À la fin de la Marche verte, Hassan II affirme : « Le dossier est clos. » Or, il ne l'est pas, et il s'en faut de beaucoup. La victoire militaire ne sera acquise que bien plus tard, en 1981, avec la construction du « mur », à un coût très élevé. La taille de l'armée marocaine va tripler en dix ans, obérant les finances et l'équilibre de l'État. À cause du Sahara occidental, le Maroc maintient des troupes pléthoriques, des lignes budgétaires ouvertes et des passe-droits dans tout le pays. Un immense non-dit pèse sur son avenir : que faire de tous ces soldats et profiteurs de guerre une fois que le conflit sera résolu ? Qui plus est, l'absorption de fait du Sahara occidental s'accompagne d'une cuisante défaite diplomatique. En 1984, le Front Polisario est admis à l'Organisation de l'unité africaine (OUA). Humilié, le Maroc s'en retire, abandonnant à son ennemi la scène diplomatique continentale.

La Marche verte transforme radicalement Hassan II. Après le 6 novembre 1975, il devient extrêmement autoritaire. Il a réussi à piéger l'opposition sur son propre terrain, se faisant plus nationaliste qu'elle. Cette victoire sur le Mouvement national lui confère un pouvoir sans bornes. Il sombre dans le culte de la personnalité. Il devient hautain, nous envoie balader pour un oui ou pour un non. Même sa relation avec la religion change. Il n'est plus l'homme sincèrement croyant, il ne se compare plus à son père mais cherche sa dimension dans le Prophète lui-même... Il se pense invincible parce qu'il croit avoir « domestiqué » son opposition. Il se voit en maître du jeu. Quand il se plaint de mon père, cette arrogance affleure. Il me dit : « Un jour, je lui ai demandé : "Moulay Abdallah, tu me donnes combien de temps sur le trône ?" Et ton père m'a dit : "Six mois, ce serait déjà pas mal !" Il n'a jamais cru que j'allais m'en tirer. Comme Ben Barka et les autres qui, eux, m'avaient aussi donné six mois. Et pendant que moi je trimais, ton père faisait le play-boy, prenait la Caravelle pour un cocktail avec Catherine Deneuve ou Alain Delon, allait courir les filles de par le monde. C'est moi qui ai marné, c'est moi qui ai ancré la dynastie alaouite dans l'ère des révolutions et du tiers-mondisme ! »

En 1975, le roi croit aussi avoir démontré que le modèle algérien, d'un grand magnétisme dans le tiers-monde, fait pâle figure par rapport à son exemple d'ouverture politique qui fonctionne ou, plutôt, qui fait illusion. Jusqu'au milieu des années 1990, ivre de narcissisme, Hassan II sera omnipotent, terrible. Plus personne ne pourra plus lui dire quoi que ce soit.

C'est une période difficile pour ma famille. Les relations entre Hassan II et mon père sont exécrables. Je me souviens de l'anniversaire de mes quatorze ans. Le roi me fait sortir d'un cinéma pour me dire qu'en guise de cadeau, il a décidé d'être le parrain de mes compétitions équestres. Il fait lire la nouvelle à la télévision, en grande pompe, et organise un cocktail formel avec la Garde royale. Or, je suis très gêné car il n'invite pas mon père à la réception sur la place des Armes. Alors que tous les officiers de la Garde royale y sont alignés, mon père débarque à bord d'une Honda Civic, en jean et chaussures de golf, mal rasé. Il apostrophe le commandant de la Garde : « Alors, vous faites une réception pour mon fils et je ne suis pas invité ? » Silence embarrassé. Tout le monde sait ce qui se passe : au père encerclé, on tente de voler le fils.

Un an plus tard, fin 1979, mon père développe les premiers symptômes d'une cirrhose du foie : averti qu'il va mourir s'il continue ses excès, il redevient abstème. Les années passant, son problème avec l'alcool n'avait cessé de s'aggraver, de même que sa propension à l'infidélité conjugale. Ma mère, qui le vivait très mal, en rendait le roi responsable. Deux fois, elle avait menacé mon père de divorcer, d'abord au tout début du règne de Hassan II, puis en 1978. Dans les deux cas, le roi était intervenu personnellement pour l'en empêcher. Cela aurait fait scandale. Hassan II veillait à ce que l'on se détruise tranquillement, en famille et en silence.

En 1963, avant ma naissance, ma mère avait décidé de rentrer au Liban. Elle avait pris l'avion pour Paris. Mais Hassan II avait fait poser l'appareil à Tanger, sous prétexte d'une escale technique. Là, un général en uniforme, Driss ben Omar, s'était présenté à ma mère pour lui dire : « Madame, venez au salon d'honneur pendant l'escale. » Elle avait accepté. Or, le général l'avait ensuite physiquement empêchée de repartir. Le temps pour le pilote de mettre les gaz, il l'avait retenue comme un paquet, comme un tapis roulé qu'on porte sur l'épaule...

La seconde fois, ma mère est déterminée mais, aussi, prévenue. Elle cherche donc à s'expliquer au préalable avec Hassan II. Le roi lui dit : « Écoute, tu ne vas pas me refaire le coup d'il y a quinze ans ! Cela aurait des incidences sur la monarchie, et tes enfants font partie de la monarchie. Tu dois comprendre que le harem sert à cela, à réguler les désirs des hommes. Vous avez voulu faire exception, voilà le résultat ! » Ma mère accepte de rester, à une condition. Elle donne au roi les noms de deux hommes, dont elle sait qu'ils exercent « une mauvaise influence » sur son mari, deux entremetteurs, pour dire les choses clairement. Elle demande à Hassan II de se débrouiller pour qu'elle ne voie plus jamais ces deux personnages dans ses parages. Elle ajoute que, s'il ne le faisait pas, elle irait dénoncer sur Radio Alger la débauche de la cour marocaine. Ce n'est pas un mince chantage !

Hassan II s'arrange. Le premier maquereau est invité à un bal costumé où il fait une entrée remarquée dans une vraie tenue de prisonnier qu'on lui a fourguée – et qui lui assure aussi une sortie spectaculaire, tout schuss au commissariat où lui est intimé l'ordre d'aller traîner ses guêtres ailleurs s'il ne veut pas porter l'habit pour de bon. Le message a dû être sans équivoque : il quitte le royaume le soir même avec son épouse allemande. Pour le second maquereau, Hassan II organise une soirée de poker et lui fait gagner une fortune, des fonds en devises. Se croyant intouchable, l'heureux gagnant veut partir à Paris pour y « flamber » l'argent si facilement gagné. Or, au moment de monter dans l'avion, le commissaire de Casablanca le somme d'ouvrir sa valise. Il y trouve les devises, dont le trafic constitue un délit grave – et hop, l'homme se retrouve en prison ! Il y demeure le temps qu'il faut pour comprendre le message : il est éliminé du circuit des protégés du roi... Relâché, il reste au pays mais se garde bien de revenir à la cour ou auprès de mon père. Dès lors, ma mère renonce au divorce. Le roi lui prête une maison en attendant que les tensions s'apaisent au sein du couple.

Moi, je culpabilisais d'avoir un père qui buvait trop. Je le voyais comme un homme faible face à un homme fort. En réalité, il se révoltait à sa manière contre Hassan II, en le boudant, en n'allant plus le voir. Avec le recul, je crois qu'il souffrait de son incapacité à s'opposer frontalement à son frère. Il ne manquait pas de courage physique, mais son éducation, le poids de la tradition rendaient impossible pour lui d'affronter verbalement le roi. En revanche, sa maison était un cénacle pour les opposants marocains, les visiteurs du Golfe ou du Moyen-Orient. Chacun pouvait venir y exposer ses vues sans être catalogué *a priori* comme dissident. Or, ce jeu ne faisait que renforcer l'agressivité de Hassan II à son égard.

En 1980, Moulay Abdallah est officiellement démis de la présidence du Conseil de régence, à un an et demi de la majorité de Sidi Mohammed. C'est une humiliation de plus, cruelle et inutile. Le roi Khaled d'Arabie Saoudite séjourne alors au Maroc. Il est choqué que Hassan II exclue mon père du Conseil de régence, et ne se prive pas de le faire remarquer au roi. Hassan II lui explique que la raison d'État l'exige, qu'il se doit d'ouvrir la monarchie à d'autres pans de la société, que la monarchie ne saurait rester une affaire de famille. Khaled n'est guère convaincu par ces explications : « C'est comme ça que vous récompensez votre frère pour avoir cessé de boire. Vous voulez qu'il rechute ? Au minimum, vous auriez pu lui confier d'autres responsabilités. » Sur ce, mon père s'ouvre au roi saoudien de son souhait d'aller se reposer en France pour « se déconnecter ». Il mentionne un appartement qu'il a trouvé à Paris et pour lequel il a déjà versé la moitié du prix. Le soir même, mon père est informé qu'un représentant du roi Khaled a réglé l'autre moitié, avant qu'il ne puisse le faire. Il s'agit tout de même de 15 millions de francs de l'époque, soit plus de deux millions d'euros. C'est dire à quel point le roi saoudien était sensible à l'humiliation infligée à Moulay Abdallah.

À toute chose malheur est bon. Son éloignement du pouvoir et sa sobriété retrouvée agissent finalement comme un révélateur pour mon père. Il se transforme sous nos yeux. Comme pour célébrer cette renaissance, un immense bonheur vient adoucir sa vie. Moulay Ismaïl, mon petit frère, naît en mai 1981. Le nouveau-né est un don du ciel, une lumière qui inonde notre maison. Il devient le centre de notre univers. Le Tout-Rabat dit : « Moulay Abdallah a décroché, il s'occupe de son fils. »

Paradoxalement, après vingt ans de bagarre avec Hassan II, le plus fort perd ainsi la partie pour avoir cassé son jouet. Le vrai vainqueur de cette longue bataille, c'est ma mère. Entre elle et le roi, finalement, mon père l'a choisie, elle. Nous ne parlons plus de Hassan II à la maison. Le roi ? Affaire classée ! C'est la pire chose qui puisse arriver à Hassan II. Il se démène alors pour rentrer dans le jeu, pour exister dans la vie de mon père. Il lui propose des missions – mais Moulay Abdallah refuse. Il le convie au Conseil des ministres. En vain. Il lui envoie des cadeaux, des voitures neuves. Rien n'y fait. En revanche, mon père reçoit souvent les enfants du roi qu'il adore. Dès lors, Hassan II va jusqu'à organiser la première réunion entre sa fille et Fouad Filali, le fils d'un ancien Premier ministre et grand serviteur de la monarchie, dans notre maison de Mohammedia. La *khotba*, c'est-à-dire la demande en mariage pour laquelle les fiancés se retrouvent, a lieu chez nous. Hassan II cherche à impliquer mon père, veut qu'il prête son toit à Lalla Meryem – elle et Moulay Rachid sont les neveux préférés de mon père. Le roi en profite pour clamer partout que son frère organise le mariage. Ce qui est faux.

À la même époque, le ministre saoudien de la Défense, le prince sultan, s'invite chez nous pour le thé. Auparavant, cela aurait fait un « souk » avec Hassan II. Cette fois, à notre grande surprise, avant l'arrivée du prince, la Garde royale se déploie, la télévision nationale arrive, et il est dit sur toutes les antennes que mon père reçoit le ministre de la Défense saoudien – et futur prince héritier – sur instruction du Palais. C'est à la limite du pathétique. Le roi se comporte comme un amoureux éconduit.

Mon père, qui s'était échiné à attirer l'attention de son frère, qui s'était montré prêt à tout pour obtenir les faveurs du roi, est dans ses dernières années un être métamorphosé qui se moque de la cour, des honneurs, du « théâtre ». Il sait que Hassan II lui a pris vingt ans de sa vie, ses plus belles années, et que rien ne pourra lui être donné en compensation. Il reste poli, mais rien de plus. Il s'occupe de son doctorat, consacré au droit de la mer, et délaisse les mondanités, qui lui rappellent son passé de faiblesse. Il se réveille à neuf heures du matin, joue neuf trous tous les jours. Il fait les prières à l'heure dite, cinq fois par jour. Sa vie est réglée comme une horloge.

Le 20 juin 1981, nous dînons en famille chez Ahmed Dlimi, le « sécurocrate » du moment, quand le téléphone sonne. Le maître de céans part sur-le-champ : des émeutes populaires secouent Casablanca. Nous n'avons rien vu venir. À son retour, Dlimi demande à rester seul avec mon père, toujours brouillé avec le roi, pour lui expliquer la situation. Le lendemain, à l'insu de Hassan II, Moulay Abdallah convoque Driss Basri à la maison pour que le chef de la police lui fasse un point complet. La tension est toujours vive dans la plus grande ville du royaume. Dans ce contexte, je découvre la pauvreté. Jusqu'à la fin des années 1970, je ne l'avais pas vue. Autour de moi, on se disait : il y a des pauvres, il y a le roi et tout cela est naturel, cela fait partie d'un tableau immuable. À présent, la misère éclate au grand jour. Il n'est plus possible de la nier. Encore faut-il comprendre ce que l'on ne connaît pas d'expérience. Je mettrai des années à saisir que la grande majorité de mes concitoyens vit dans le royaume de la nécessité.

En 1981, juste après les émeutes, mon père part avec mon oncle à Nairobi, au Kenya, pour un sommet de l'OUA. Ils semblent réconciliés. Une semaine plus tard, alors que je fais la courte échelle à Hassan II pour qu'il puisse monter sur son cheval, je suis le témoin – invisible pour mon père, qui se trouve de l'autre côté de la monture – d'une vive interpellation. Mon père lance au roi : « Quand vas-tu enfin comprendre ce qui se passe dans ce pays ? Combien d'explosions comme à Casablanca te faudra-t-il pour que tu comprennes que l'on va dans le mur ? » Pour une fois, Hassan II ne dit mot. Il écoute. Il est pris en tenaille entre mon père et le directeur de publication du quotidien officieux *Le Matin du Sahara*, Moulay Ahmed Alaoui, un bon connaisseur du pays et de son histoire qui a aussi son franc-parler et lui tient le même langage. J'entends ces propos, mais je n'en tire aucune conclusion. Tout cela me passe encore largement au-dessus de la tête.

À cet âge, en guise de pauvres, je ne connais que ceux que les « gens de l'extérieur » – extérieurs au Palais – considèrent comme nos esclaves. Pour nous, à l'instar de la hiérarchie sociale à l'échelle du pays, leur condition relève de l'ordre naturel des choses. À nos yeux, il ne s'agit pas d'esclaves mais de gens qui, « à leur manière », font partie de notre maison, voire de notre famille.

Au Palais, ce sont au total des centaines de personnes préposées aux mêmes tâches de père en fils, de mère en fille. Nous les connaissons bien, souvent par leur nom. Mais, en réalité, nous ignorons tout de leur existence au jour le jour. C'est un autre monde, un monde à part.

Hassan II, qui n'accepte d'autre volonté que la sienne, rend la vie de ces serviteurs particulièrement difficile. Quand une famille veut quitter le système, cela se négocie pied à pied puisque ce n'est pas prévu. On peut, certes, se marier dans l'enceinte du Palais, mais on ne peut pas, par exemple, poursuivre des études à l'extérieur, à moins qu'un compromis ne soit trouvé pour que l'intéressé reste tout de même, sinon « à sa place », du moins « avec nous ». Ce mode de fonctionnement très particulier ne disparaîtra qu'avec la mort de Hassan II, en 1999. Mohammed VI en finira avec ce système plus sultanesque que royal et, en tout cas, totalement incompatible avec la notion de citoyens dans une démocratie moderne.

En plein mois d'émeutes, je passe mon bac américain à Rabat, à dix-sept ans. J'obtiens de très bons résultats et peux donc présenter ma candidature aux meilleures universités. Je souhaite poursuivre mes études aux États-Unis. Mon père y est favorable. Il juge qu'il est utile d'acquérir les outils occidentaux de la connaissance, à condition que ma « philosophie » – il entend par là : ma *Weltanschauung* – demeure inchangée. Des études aux États-Unis sont la suite logique de mon parcours scolaire. Toutefois, Hassan II s'y oppose. Me laisser aller dans une école américaine au Maroc, c'est une chose ; accepter de me voir partir en Amérique en est une autre. Le roi pressent que je vais lui échapper. Nous en parlons et reparlons à maintes reprises, sans trouver d'accord. La décision appartient à mes parents mais, en tant que chef de la famille royale, Hassan II dispose d'un droit de veto. Il en use et abuse. « Tu sais, l'Amérique est un grand bazar. Finalement, les écoles là-bas, c'est comme les supermarchés, il y a du bon et du mauvais », soutient-il, sans excès de bonne foi. Je lui fais remarquer que les Américains ont tout de même engrangé un certain nombre de prix Nobel et qu'ils sont allés sur la Lune. Quelques jours plus tard, il revient à la charge en me proposant un marché : « C'est Harvard, Yale, Princeton ou rien ! On est d'accord ? Sinon, je préfère que tu t'inscrives à la Sorbonne. » Il s'est renseigné et estime très faibles mes chances d'être accepté dans l'une de ces universités considérées comme les meilleures à l'intérieur même de l'*Ivy League* américaine. D'autant plus faibles, d'ailleurs, qu'il fait parallèlement intervenir ses services pour saboter mes plans.

Une enseignante américaine de mon école à Rabat assure le lien administratif entre l'établissement et les universités aux États-Unis. C'est cette femme que le *makhzen* va harceler pour qu'elle ne transmette pas mon dossier d'inscription. Hamidou Laânigri, à cette époque encore officier de gendarmerie, se rend à son domicile pour l'intimider. Cette démarche étant restée vaine, la gendarmerie l'interpelle. Le général Hosni Benslimane, le commandant en chef de ce corps, lui intime l'ordre de ne plus s'occuper de ma candidature. Or, me connaissant bien, l'enseignante américaine vient tout expliquer à mes parents en ma présence. L'ayant écoutée, ma mère prononce cette phrase terrible à l'intention de mon père : « Mais tu ne vois pas ? ! Après t'avoir détruit, le roi cherche à détruire ton fils. Tout ça est programmé. » Mon père, contrarié au plus haut point, quitte alors la pièce. À trois, nous en profitons pour échafauder une grande manœuvre de diversion : officiellement, je rate tous les examens préparatoires et ne postule que pour des universités sans intérêt ; ces candidatures-là sont envoyées par la poste et, bien entendu, suivies de près par nos « services » ; mais, parallèlement, grâce à des courriers clandestins transitant par une base américaine en Espagne, à Rota, je poursuis mes démarches auprès de mes vraies cibles, les temples du savoir.

En mai 1981, je suis accepté à Princeton et Yale. Sur l'insistance de ma mère, je choisis Princeton où avait enseigné le grand orientaliste Philip Khuri Hitti. J'attends une confirmation écrite de mon admission puis, le télex à la main, file chez le roi. Il interrompt son petit déjeuner pour me recevoir, lit le télex et… part sur-le-champ vérifier s'il ne s'agit pas d'un faux ! De retour, il ne dit plus rien à ce sujet. Les semaines passent et la question de mon départ n'est jamais abordée. Persuadé que Hassan II cherche une issue honorable, je n'en parle pas non plus. Sur ce, j'apprends que mon alliée, l'enseignante de l'École américaine de Rabat, ne vient plus au travail. Je vais la voir à son domicile. Elle porte les traces – entre autres, le décollement d'une rétine – des coups sévères que lui a portés son mari marocain, un officier dans les blindés qui est affolé par les retombées potentielles pour sa carrière de la conduite de sa femme. Le couple se séparera. L'enseignante rentrera aux États-Unis où je suis à ce jour resté en contact avec elle. Je la tiens en très grande estime pour sa droiture et son courage.

Victime de notre stratagème, Hassan II s'avoue finalement vaincu. Saisissant l'occasion d'une visite officielle aux États-Unis, il m'intègre dans sa délégation. Ce geste lui permet de sauver la face : ce n'est pas moi qui pars, mais lui qui m'emmène puis me laisse à New York... La ficelle est un peu grosse mais, en apparence, je reste sa marionnette.

Princeton est pour moi la découverte d'un autre monde, un peu comme dans le roman de David Lodge de 1975, *Changement de décor*, où la vieille Angleterre est sombrement mise en relief par rapport à la jeune Amérique, *Euphoria*. Sortant du *makhzen*, j'ai le sentiment de renaître dans un monde sans frontières, sans interdits. Je peux parler à qui je veux, entreprendre ce qui me passe par la tête, sans souci de mettre en péril l'ordre établi et ma place dans cet ordre. Le premier jour, j'arrive en cravate et, en route pour ma chambre sur le campus, croise trois filles, qui se mettent à glousser : « Mais c'est quoi cet accoutrement ? » Sans avoir le temps de comprendre ce qui m'arrive, me voici déjà entraîné dans une fête joyeuse. À deux heures du matin, l'aide de camp de mon oncle, qui a vainement tenté de me joindre par téléphone, débarque dans ma chambre. Il a juste enfilé un pull sur sa tenue militaire. Il me dit : « J'ai ordre de te ramener à New York ! » Je m'y refuse,

proteste et finis par appeler Hassan II en pleine nuit :
« Sire, je suis vraiment désolé mais, demain, c'est ma
première heure de classe et j'étais tellement angoissé que
je me suis promené pour me calmer.

— Tu te fous de ma gueule ? Il te faut cinq heures
pour te calmer ? Qu'est-ce que c'est que ces conneries !
Tu rentres maintenant, avec l'aide de camp. » Je parle,
parlemente, négocie. Finalement, je peux rester, mais
avec mon chaperon : le lendemain, l'aide de camp vient
en cours avec moi...

Mes débuts sont assez acrobatiques. Quand le professeur entre en classe, je suis le seul à me lever. Je mange
assis, aux heures fixes des repas, tandis que mes condisciples n'ont aucun horaire et sont au régime hamburger
et *coleslaw*, le chou râpé assaisonné auquel je me mettrai
également, peu à peu. Un soir, à une heure plus proche
du petit matin, je prépare un examen de chimie pour le
lendemain. Comme il me faut une bouffée d'air frais, je
sors faire un tour avec un ami indien. Une voiture de
police surgit et nous suit. Les policiers nous interpellent,
nous demandent de lever les mains. J'obtempère mais
mon ami refuse obstinément. Il dit : « J'ai des droits, je
ne lève pas les mains. » Mort de trouille, je lui demande
ce que cela peut bien lui faire de lever les mains. C'est
mon premier débat sur les libertés civiques, dans la rue
et en pleine nuit. « Je suis venu d'Inde parce que mon
père est un réfugié politique. Je ne peux pas accepter de
faire ici ce que nous avons été obligés de faire là-bas. »
Je réponds : « Écoute, nous, on fait ça là-bas, alors on
fait ça ici aussi. Ne me fatigue pas ! » Pour moi, une
autorité est une autorité, qu'elle porte un képi ou un

103

tarbouche. Après les vérifications d'usage, les policiers nous relâchent en expliquant que deux individus qui nous ressemblent ont commis une agression à main armée. « Si nous avions été blancs, vous ne nous auriez pas arrêtés ! » insiste mon ami. Deuxième première, il me confronte à la logique raciale et à la discrimination qui en découle.

Peu à peu, je me « décoince ». J'abandonne le velours côtelé pour des jeans et des espadrilles. Paradoxalement, je commence à vraiment apprécier la langue arabe, alors qu'auparavant cette langue avait été une corvée pour moi, un instrument de torture mnémotechnique. Or, maintenant que je suis loin de chez moi, l'arabe devient une langue vivante, cette « demeure de l'être » dont parle Heidegger, et non plus exclusivement l'écrin saint du Coran et de la parole divine de la révélation.

En Amérique, je peux vivre mes passions. Je découvre le rock anglais et vois *live* les Rolling Stones, les Who, U2. Pour assister à un concert, je ne rechigne pas à voyager cinq heures en train. Je me déplace aussi beaucoup pour la compétition équestre que je pratique au niveau des juniors internationaux. Le week-end, je pars pour des concours aux quatre coins des États-Unis. Je joue également au *racquetball* et au squash. Pour le reste, le campus est un monde qui se suffit à lui-même : cantine, cinéma, débats... Nous planons dans une stratosphère intellectuelle, Princeton étant une université galactique – en quelque sorte, le Real Madrid académique. L'université où enseigna Albert Einstein est un lieu de grande influence intellectuelle. Des gens passionnants viennent nous parler :

Daniel Ortega du Nicaragua, Gerry Adams du Sinn Féin irlandais, le Sud-Africain Desmond Tutu, l'activiste américain Ralph Nader, Carl Icahn, célèbre raider – « le Loup » – de Wall Street... Sur le campus, on peut discuter avec ces personnalités face à face. On découvre ainsi la politique sous un autre angle, moins hiératique et plus humain, plus frais et plus vrai.

Sidi Mohammed vient me rendre visite à plusieurs reprises. Lui aussi est séduit. Je l'emmène en cours. Nous sommes assis côte à côte : le cours porte sur les révolutions en Amérique latine. Nous écoutons en retenant notre souffle... À la fin de ma première année de fac, je rentre au Maroc pour les vacances d'été. À cette occasion, mon père me trouve de nouveaux traits de caractère « déplaisants ». Une nouvelle assurance, une indépendance d'esprit à la limite de l'insolence, le fait de porter des jeans... Un air de révolte, en somme. Je ne suis pas le seul dans ce cas, puisque la haute société marocaine envoie nombre de ses enfants étudier en Amérique. Quand je retrouve mes camarades qui rentrent, eux aussi, des États-Unis ou du Canada, ils subissent le même décalage que moi par rapport au système marocain. Nous nous situons en porte à faux non seulement par rapport à nos parents mais, au-delà, par rapport à l'élite francophone qui s'estime seule habilitée à diriger le Maroc, « sa » chose.

Cet été-là, irrité par mon « américanisation », mon père parachève mon éducation martiale punitive par un séjour à l'académie militaire de Meknès. Quand j'étais jeune, il m'avait déjà régulièrement expédié dans la caserne située juste derrière notre maison, mon « camp de rééducation ». Le colonel Belmajdoub devait m'y « reprendre en main », à grand renfort de pompes et de footing, de « garde à vous » et de « rompez ». En vrai gentleman, l'officier s'était acquitté de la tâche en me faisant suer et souffrir mais sans me casser. Il aurait pu interpréter sa délégation de pouvoir autrement...

En 1982, à la rentrée, je quitte le campus de Princeton pour une maison en ville, la même que j'occupe aujourd'hui. Mon père vient régulièrement faire contrôler son foie par une équipe de médecins de Chicago. Je le vois ainsi fréquemment et, pour la première fois, nous trouvons le temps de nous parler. Depuis qu'il ne boit plus, c'est un autre homme, et nous savourons le plaisir de nous découvrir mutuellement. Puisque je l'habite encore avec ma famille, la maison à Princeton reste pour moi le témoin muet de ma lente « américanisation ». Je me souviens qu'au moment d'emménager, je n'aurais absolument pas su dire si, à l'échelle locale, c'était une maison de riches ou de pauvres. Je flottais dans un univers sans repères pour moi, un peu perdu mais aussi affranchi des lois de la gravitation. En 1982, la taille – moyenne – de la maison était dictée par la nécessité d'abriter aussi mes gardes du corps, ainsi qu'un agent de liaison entre ma famille et moi. Contrairement aux Saoudiens et aux Jordaniens, qui laissent leurs princes partir à l'étranger sans aucun souci, convaincus que ceux-ci vont s'approprier les outils de la connaissance occidentale sans changer de caractère, mon père et mon oncle étaient très attentifs à ce qu'ils percevaient comme ma « sécurité idéologique ». S'il fallait conquérir les armes de l'adversaire, il ne fallait pas perdre son âme marocaine... Évidemment, malgré tous leurs efforts, j'ai fini par être américanisé ou, du moins, par apparaître ainsi aux yeux des autres membres de ma famille, dont les yeux restaient braqués sur Paris. Moi, je savais que mon âme marocaine était intacte.

Mon père a quarante-sept ans quand les médecins lui découvrent, en février 1983, un cancer du poumon avec des métastases au cerveau. Plutôt que de la démentir, Hassan II préfère laisser s'enfler la rumeur d'une rechute dans la boisson. En accréditant la thèse de la cirrhose, on dirait qu'il cherche à s'absoudre de son comportement inadmissible. Ce petit jeu de pouvoir malsain, morbide, je ne le lui pardonnerai que lorsqu'il tombera lui-même malade, des années plus tard.

Au Maroc, seuls les plus proches de Moulay Abdallah savaient le peu de temps qu'il lui restait à vivre. L'opposant Abderrahim Bouabid en faisait partie. Il a vu mon père pour la dernière fois quelques semaines avant sa mort, à l'automne 1983. Il lui a affectueusement embrassé la main, transformant le geste protocolaire de la cour en une manière éminemment personnelle de dire au revoir, de prendre congé pour toujours. Bouabid, un socialiste de conviction, a joué un rôle très important dans la vie politique marocaine. Il a tenu tête à Hassan II, quitte à se retrouver en prison. Des gens de sa trempe étaient rares. Le roi avait du respect pour ceux qui lui résistaient. Il s'en servait aussi pour humilier ceux qui lui étaient acquis, sur le mode : « Voilà ce que vous ne serez jamais. » Stupéfait que Bouabid puisse embrasser la main de mon père alors qu'il n'aurait pour rien au monde baisé la sienne, Hassan II convoque les domestiques qui ont assisté à la scène, pour leur demander si cela est réellement arrivé. Un vieux monsieur confirme, et s'enhardit à préciser que cela n'a rien d'étonnant, les deux hommes étant amis depuis trente ans. Désarmé, le roi ne sait que répondre : il ne sait pas ce qu'est une amitié d'égal à égal.

Le 20 décembre 1983, mon père meurt à l'âge de quarante-huit ans. En vacances de fin d'année, entre les deux semestres de ma troisième année de fac, je me trouve ce jour-là à l'école d'ingénieurs de Mohammedia où je travaille avec un groupe d'étudiants. On me prévient que mon père va très mal. Je rentre immédiatement chez nous où il est alité, mourant. Même les médecins pleurent. Ma petite sœur comprend que quelque chose de grave se passe, sans entièrement mesurer la portée de l'événement. Sidi Mohammed tient la main de mon père. Ma grand-mère, elle, est immobile et silencieuse. Hassan II est désemparé. Il est sur le point de perdre son frère, un compagnon de route, un complice, une boîte noire du système, un canal d'information et un paratonnerre. Ma mère dit au roi : « Mais, parle-lui ! Au fond, il n'écoutait que toi. Nous sommes les deux amours de sa vie, donc parle-lui... » Seize ans plus tard, je revivrai la même scène à la mort de Hassan II. Il y a eu, dans ces deux moments, une rupture brutale de l'ordre, des usages de cour si bien rodés en toute autre circonstance. Soudain, c'est le chaos. Le *makhzen* est dérouté face à la mort, ce grand égalisateur. Le roi devient un homme comme un autre. L'effet est comparable à celui d'une bombe à neutrons, qui dérègle tous les instruments de navigation. La mort est la faiblesse du système monarchique.

Bien des années avant le décès de mon père, Hassan II lui avait dit : « Je veux que tu deviennes le "Baba Hassan" de mes enfants. » Baba Hassan était le surnom donné au frère de Mohammed V, l'« oncle gâteau » des enfants du roi. Moulay Hassan, Moulay Abdallah et leurs sœurs montaient sur son dos, lui tiraient la barbe… Cette phrase, qui terrorisait ma mère, résumait l'ambivalence des relations entre les deux frères. On peut la lire de deux manières. Soit « je veux que tu deviennes l'oncle gaga pendant que j'accapare le pouvoir et la gloire », soit « je veux que tu sois comme un père pour mes enfants ». Hassan II regrettait un peu d'avoir dit cette phrase en comprenant que ma mère l'avait interprétée dans le premier sens. Chaque fois que mon père se diminuait à ses yeux, elle lui disait : « Tu vois ! Tu es en train de devenir le "Baba Hassan" ! » De son côté, le roi reprochait à ma mère de vouloir transformer son mari en Lord Mountbatten, le dernier vice-roi de l'empire britannique en Inde. Chacun caricaturait ainsi la vision de l'autre.

En août 1983, quatre mois avant sa mort, mon père avait suivi un parcours de golf avec Hassan II. Trop fatigué pour marcher, il s'était installé dans la voiturette. Ses nièces étaient montées avec lui. La plus jeune, Lalla Hasnaa, avait pris le volant pour faire la folle. Hassan II avait hurlé à l'endroit de sa fille : « Arrête immédiatement ! C'est ton oncle, le fils de Mohammed V ! Embrasse-lui la main, les pieds, la tête… Comment peux-tu te comporter comme ça ? » Moulay Abdallah avait pris la petite dans ses bras, en répondant devant une assistance médusée : « Tu sais, contrairement à ce que tu crois, j'ai toujours voulu être le "Baba Hassan" de tes enfants. » Hassan II avait été tellement ébranlé qu'il avait posé son club et arrêté sa partie de golf. J'avais vu de la fierté dans les yeux de ma mère. Son mari venait de faire comprendre au roi que, s'il avait été moins cynique, plus simple et sincère, son frère cadet lui aurait donné avec plaisir ce qu'il n'avait pas obtenu avec ses manigances et ses humiliations. Il aurait été de bon cœur un « Baba Hassan ».

Comme le veut la tradition, après la mort de mon père, Hassan II prend sa place comme chef de famille, à la fois protecteur et *pater familias* autoritaire. Il nous adopte, à commencer par mon jeune frère, Moulay Ismaïl. Pour lui, la suite sera classique : Collège royal, formatage princier. Il va être comme un petit-fils pour Hassan II, d'autant plus facilement qu'il a le même âge que les petits-enfants du roi. Il fera des études de gestion à l'université d'Ifrane et, par la suite, essaiera de trouver sa voie dans les affaires. Il remplira aussi des fonctions protocolaires auprès du roi, au Maroc comme à l'étranger. C'est un garçon attachant. Nous avons dix-huit ans d'écart, mais j'ai toujours veillé à ne pas adopter une posture paternelle, sinon paterna-liste, à son égard. Encore très jeune, il prend quand même l'habitude de m'appeler *Baba Khouia*, « Papa-frère ». C'est d'usage dans les familles royales, la petite sœur de mon père l'appelait également ainsi. Mais quand il l'a appris, Hassan II lui a formellement interdit d'employer ce surnom, en lui expliquant qu'il n'y avait qu'un *baba* – lui ! Je n'ai donc donné qu'un seul conseil à mon frère : « Être prince, ce n'est pas un métier. Trouve-toi un vrai métier et prends soin de ne pas faire partie de la cour. La famille, oui. La cour, non. Pas d'abus de pouvoir ou de passe-droit, quelle qu'en soit la tentation, car tu le paieras un jour au prix fort. » Pour le reste, nous ne parlons jamais politique. Cela vaut mieux.

Au lendemain du décès de mon père, le roi vient chez nous pour demander, publiquement, si le défunt a émis des dernières volontés. Ma mère répond qu'il a demandé à être enterré à côté de son père. Hassan II pensait plutôt à quelque chose d'ordre matériel, pécuniaire. Il est désagréablement surpris par la requête. Aussi met-il en doute la parole de ma mère, demandant à la cantonade à qui Moulay Abdallah aurait dit une chose aussi extravagante. L'aide de camp de mon père, le lieutenant-colonel Ahmed Doghmi, lui répond :

« La princesse dit vrai. Le prince m'a dit plusieurs fois que, si quelque chose lui arrivait, il souhaiterait être enterré à côté de son père. Il l'a même écrit sur un papier.

— Pourquoi te l'aurait-il dit alors qu'il n'en a rien dit à son propre frère ?

— Il l'a dit un jour que nous allions sur la tombe de son père. Je le maintiens sur mon honneur de militaire. »

Un tel geste aurait pu briser sa carrière mais, en l'occurrence, Hassan II a reconnu son courage et l'a même promu plus tard à d'importants postes de responsabilité.

L'affaire n'en reste pas là, ma grand-mère se ralliant à Hassan II dans ce conflit hautement symbolique autour de la tombe de mon père. Elle estime « impensable » que Moulay Abdallah soit enterré à côté de Mohammed V. Il faut dire que même Hassan II n'aurait pas imaginé reposer à côté de son père. C'est alors que Lalla Latefa, l'épouse du roi que j'appelle affectueusement « Mama » plutôt que tante, fait quelque chose d'absolument inouï. Au moment des condoléances publiques, alors qu'une foule de près de deux mille personnes converge vers notre maison et que Hassan II arrive en voiture, elle se jette, voilée, au pied du véhicule, puis se découvre brutalement le visage pour que tous la voient et dit à son mari : « Je t'en supplie, il ne t'a jamais rien demandé de son vivant, tu peux lui accorder cela. » Hassan ne peut pas ne pas accéder à sa requête. Comment elle, une étrangère, pourrait-elle être plus attachée à son frère que lui-même ?

Pour comprendre le geste de Lalla Latefa, il faut savoir que l'un de ses oncles paternels avait été tué lors d'une révolte dans le Moyen Atlas, en 1973-1974. Plusieurs membres de sa famille avaient par ailleurs été raflés par la police et, en particulier, par l'officier le plus zélé dans la répression. Or, mon père était intervenu pour calmer les ardeurs du colonel – ce qui lui avait valu une vive altercation avec Hassan II. Par reconnaissance pour l'humanité de mon père, Lalla a forcé la main du roi.

C'est ainsi que Moulay Abdallah repose dans le mausolée de Mohammed V, au côté de son père. Quand Hassan II a vu un million et demi de personnes aux funérailles de mon père, il a saisi l'erreur qu'il avait commise en cédant. Il a compris que ce capital de sympathie allait m'échoir en partage. Par la suite, il m'aurait moins perçu comme une menace si, ce jour-là, il n'y avait pas eu cette ferveur populaire.

Le décès de mon père est suivi de près par de nouvelles émeutes de la faim, en janvier 1984. Les cérémonies du 40e jour, un hommage traditionnel au mort qui est d'ordre culturel plutôt que religieux, tombent pendant cette période de troubles. Le cheikh Zayed bin Sultan al-Nahyan, qui préside aux destinées des Émirats arabes unis, vient saluer la mémoire de mon père en se recueillant sur sa tombe à la veille d'un sommet islamique au Maroc auquel il participe. Je le rejoins à Ifrane pour le remercier de cette attention. Répondant à ses questions sur les « événements » en cours, je lui explique que les gens réclament du pain et que la stabilité du dirham, la monnaie marocaine, s'érode du fait d'une créance majeure venant à échéance auprès des bailleurs de fonds. Le cheikh me rappelle alors, élogieusement, le rôle d'intermédiaire que mon père avait souvent joué auprès de lui, puis ajoute : « Dis à ton oncle que je suis à ses côtés, pour l'aider. » Je m'empresse de porter le message à Hassan II, qui me demande de « briefer » le général Laânigri. Ce dernier est à cette époque le patron du détachement des gendarmes marocains qui, à Abu Dhabi, assure la sécurité rapprochée du cheikh et de sa famille. Avec le ministre marocain des Finances, le général se rend à Ifrane pour rencontrer le cheikh Zayed. L'émir leur remet un chèque de 200 millions de dollars. En un trait de plume, la dette due est épongée !

Après l'enterrement de mon père, Hassan II nous prend en otages. Sous couvert de deuil, il nous assigne en fait à résidence. Puis, à sa demande, qui ne se refuse pas, nous effectuons notre première sortie à Londres, pour le mariage de ma cousine maternelle avec le neveu d'Ahmed Chalabi, l'argentier de la monarchie irakienne et, plus tard, dans le contexte de l'invasion de l'Irak en 2003, le supplétif des « néo-conservateurs » américains. Le roi nous loge au Dorchester Hotel, en nous prêtant son personnel domestique, et nous fait circuler en Rolls pour aller à Grosvenor House, où sont célébrées les noces. Il nous y installe à la table d'honneur. Or, à notre retour au Maroc, hop !, nous disparaissons de nouveau dans notre maison coupée du monde.

Dès le lendemain de l'enterrement, Hassan II est venu chez nous, à la maison, en exigeant que l'on ouvre les armoires de son frère, dont ma mère garde les clés par-devers elle. Ma mère refuse : « Tu es roi, mais tu n'es pas roi dans la chambre de mon mari.

— Je suis le Commandeur des croyants », lui répond-il, avant de faire sauter les serrures devant tout le monde. C'est sa manière de notifier que l'espace de liberté qu'avait été notre maison n'existe plus. Plus rien n'est inviolable. Le roi reprend les commandes. Il va jusqu'à faire mettre les scellés sur nos placards : nous pouvons vivre dans notre maison, mais nous n'y sommes plus maîtres. Ces armoires resteront scellées ! Hassan II tombe aussi sur la thèse de droit maritime, le doctorat auquel mon père s'était consacré après son départ de la cour. La dédicace, en arabe, disait : « À celle qui m'a inspiré », à savoir ma mère. Le roi arrache cette page de garde et rageusement flanque l'ouvrage à terre. Il ne supportait pas de ne pas être le destinataire de l'hommage. En 1992, neuf ans après la mort de mon père, Hassan II est revenu chez nous et, à cette occasion, s'est retiré dans la chambre de son défunt frère pour y prier. Il revoit alors les serrures forcées, qui pendent des placards, et les scellés qu'il avait fait mettre (j'en ai gardé quelques-uns à ce jour pour ne jamais oublier ce sombre épisode). Le roi est tellement choqué par le souvenir de son comportement qu'il fuit la chambre en y oubliant son chapelet fétiche, celui qui lui avait été légué par son père Mohammed V. Le lendemain, je vais au palais pour lui rendre son chapelet. « Comment ai-je pu faire quelque chose comme ça ? me dit-il, hâve à force de remords. Vandaliser la chambre de mon frère... »

Sur le moment, il n'a pas tant d'états d'âme. Après l'épisode pénible des scellés, il fait remplacer la garde de notre maison. Il y interdit la levée du drapeau, qu'il fait retirer. C'est un enjeu hautement symbolique. En lieu et place du sous-officier qui le faisait auparavant, je me mets alors à monter et à descendre sur notre toit, matin et soir, le drapeau qui avait recouvert le cercueil de mon père. Ce drapeau-là, même le roi ne peut pas nous l'enlever. Il est obligé de me laisser faire. En revanche, Hassan II s'arroge le droit de rémunérer notre personnel. Nous devenons ses invités, une annexe du Palais. Le roi envoie même quelqu'un pour brûler le papier à en-tête du prince Moulay Abdallah… Il fait supprimer notre cuisine et nous envoie sa nourriture. Dans la tradition « makzhénienne », cela s'appelle *el melzouma*, l'« offrande contractuelle ». Ma mère n'en veut pas. Pour ne pas publiquement outrager le roi, elle prétend être devenue végétarienne et suivre un régime très particulier. Elle ne mange plus que des salades… Jour après jour, Hassan II demande si la princesse a accepté son tajine. Invariablement, on lui répond par la négative. Sa nourriture est donnée aux employés. Finalement, furieux que ses domestiques mangent ses tajines, il fait interrompre les livraisons. Passé un certain délai, ma mère lui dit : « Vous savez, mon cholestérol est redescendu, je peux recommencer à manger des tajines. » Le roi n'en est que davantage offensé.

Nous ne sommes plus libres de nos mouvements. Yasser Arafat, qui connaît ma mère depuis son enfance à Beyrouth, vient nous rendre visite quand même. En réponse, Hassan II fulmine à la télévision, en prenant prétexte d'une rencontre maladroite – en fait un piège – entre Arafat et le Front Polisario à Alger : « Les Marocains ayant affaire à Arafat, je marquerai leur maison avec du crottin. » Une formule fleurie… Le roi est jaloux et excédé. Il veut que nous restions isolés du monde extérieur, de notre réseau de relations qui lui échappe. Arafat me confie qu'il a peur pour ma mère.

En effet, notre mise en quarantaine nous menace de mort sociale. Sans liens avec l'extérieur, nous risquons l'asphyxie au royaume de Hassan II. À tout prix et au plus vite, il nous faut desserrer le carcan mis en place pour nous étouffer, pour nous retirer notre singularité. Le protocole du Palais nous isole toujours plus en inventant des prétextes pour décourager tout visiteur : « La princesse est souffrante, elle ne reçoit pas » ; « Moulay Hicham est en Amérique », et ainsi de suite. Le téléphone ne sonne plus chez nous : il est désormais détourné vers le standard du Palais, qui filtre les appels à partir d'une liste remise par le roi ! C'est alors que surgit, miraculeusement, le cheikh Sheem, le frère de l'émir du Qatar. Très lié à mon père, il est pour nous comme un parent proche. Il appelle d'abord le protocole du Palais pour prévenir qu'il va présenter ses condoléances à notre famille et rendre visite à sa « sœur » Lamia. On ne le rappelle pas. Il écrit ensuite une lettre pour annoncer son arrivée. Elle reste sans réponse. Nonobstant ce silence, il vient. Le protocole royal essaie de le dissuader de nous rendre visite, mais le cheikh passe outre et reste deux jours avec nous à la maison. L'embargo est battu en brèche. Tout le monde – à commencer par nos voisins – voit que quelqu'un a défié le roi avec succès, que nous ne sommes pas des pestiférés. Après cela, les princes arabes se sentent tous obligés de se hisser au même niveau pour témoigner de leur respect pour la mémoire de mon père. Hassan II enrage mais le cheikh Sheem lui fait calmement remarquer : « Majesté, je vous ai traité en chef de famille. À deux reprises, chaque fois sans être honoré d'une réponse, je vous ai prévenu de mon arrivée. Vous ne pouvez pas m'empêcher de faire mon devoir de musulman auprès de mon ami défunt. Quand vous avez eu besoin de fonds, vous nous avez trouvés à vos côtés. Ne me comparez pas à Arafat, qui est un SDF. Ce n'est pas mon cas. » Ce jour-là, Hassan II comprend qu'il devra mener une bataille beaucoup plus serrée contre nous – et qu'il vient de perdre le premier engagement. C'est d'autant plus vrai que ma mère, avec le soutien des piliers de la maison Al-Saoud, nous avait constitué un trésor de guerre. À quinze jours de la mort de mon père, elle avait vendu en tant que mandataire un terrain, qui lui avait été donné en Arabie Saoudite, pour 7 millions de dollars. Quoique avec des moyens réduits, nous n'allions pas être sans ressources.

Dans l'absolu, après la disparition de mon père, nous aurions pu repartir sur de nouvelles et meilleures bases avec Hassan II. Mais le roi ne l'entend pas ainsi. Il cherche à nous réduire à néant. Il est méprisant à l'égard de ma mère. Il espère qu'elle quittera le Maroc à la fin du deuil. Il le disait partout afin que cela lui soit rapporté. « Lamia [ma mère] va repartir au Liban pour y refaire sa vie. Je vais récupérer la maison et en faire l'annexe du palais des hôtes. Moulay Hicham va faire son barouf jusqu'à ce que je le pulvérise, et les deux jeunes enfants seront à moi. » Voilà pour le programme. Or, ma mère se sent bien au Maroc, elle y a ses amis, sa vie. Elle reste. Elle défend la maison et l'honneur de mon père bec et ongles. À ses côtés, nous nous préparons à une guerre de tranchées. À tout le moins, nous voulons appliquer la maxime de Trotski qui, quand les Russes blancs s'étaient lancés à la reconquête du pouvoir, leur avait envoyé ce message : « Vous allez peut-être nous mettre dehors. Mais nous allons claquer la porte si fortement que tout le monde l'entendra. » Unis, nous nous battons pour sauver notre famille. Ainsi, *in fine*, mon père est-il récompensé par-delà la tombe pour l'alliance matrimoniale qu'il avait forgée et qui, en effet, nous donne cette autonomie par rapport au roi qu'il avait tant recherchée de son vivant.

Cette bataille serrée va durer vingt-neuf ans, jusqu'en 2012, par-delà la tombe de Hassan II ! En fait, il s'agit aussi d'une guerre économique, qui a débuté entre mon père et son frère aîné dès que Hassan II est monté sur le trône, en 1961, et qui va se poursuivre entre ma famille et Mohammed VI. Rien ne permet de mieux saisir la nature du *makhzen* que cette lutte sans merci pour les biens du « magasin », une lutte de père en fils au sein même de la famille régnante. Car nous vivons dans un système politique où, en dernière instance, la loyauté s'achète – un système « néo-patrimonial » dans le jargon académique. Avoir des moyens matériels y revient à avoir du pouvoir ; être privé de moyens à être politiquement neutralisé. Pour cette raison « systémique », comme diraient encore les politologues, Hassan II a empêché mon père d'émerger économiquement dans les années 1960, au lendemain de la mort de Mohammed V. Cela aussi fait partie de la succession dynastique : le nouveau roi doit empêcher tout aspirant potentiel au pouvoir de se constituer en feudataire indépendant et, donc, en recours possible. De son côté, mon père a ferraillé pour exister dans un champ de forces dont il avait intériorisé les règles du jeu. Aussi, en relatant les épisodes de la guerre économique au sein de la dynastie alaouite, tâcherai-je de mon mieux de ne caricaturer personne. Mon père n'était ni la victime innocente du cynisme de Hassan II ni un usurpateur-né, taraudé par le désir de supplanter son frère sur le trône. Plutôt, après la mort de leur père, les deux fils de Mohammed V subissaient une logique de situation – l'un comme roi, l'autre comme prince – mettant à l'épreuve leurs caractères très différents. À moins que leur différence de caractère ne fût elle-même, en partie, le résultat de cette implacable logique de situation.

Je ne cherche ni à idéaliser mon père ni à diaboliser Hassan II. Par exemple, ce dernier avait remis en 1961 l'équivalent de quelque 80 000 dollars en liquide à mon père, une partie de l'héritage paternel qui revenait à son frère, afin que celui-ci puisse acquérir un terrain de 90 hectares à Rabat, à côté de l'ambassade soviétique. C'eût été un excellent investissement. Or, mon père était parti avec l'argent en Europe et, prince jouisseur, l'avait « claqué ». Cependant, pour stabiliser le trône et son nouvel occupant, mon père devait distribuer pas moins de 5 000 hectares de terres – 80 % de ses titres fonciers – au cours de la première décennie suivant la mort de Mohammed V. Pendant ce temps, son frère régnant sabotait systématiquement toute initiative économique qu'il prenait, notamment deux contrats d'exploration pétrolière, l'un signé avec la Canadian Delhi Oil Ltd en 1963, l'autre avec Occidental Petroleum en 1966. Mieux, en 1976, Hassan II est intervenu auprès du prince héritier Fahd bin Abdelaziz pour faire annuler l'important appel d'offres pour la construction de logements en Arabie Saoudite que mon père avait emporté en association avec Bouygues. Très gênés, les Saoudiens avaient dû provisoirement enlever du ministère des Travaux publics le prince Majid bin

Abdelaziz, proche de mon père, le temps que son remplaçant *ad interim* revienne sur l'adjudication...

En 1983, après la mort de mon père, Hassan II dispose à sa guise du patrimoine laissé par son frère. Il revend d'importants actifs – des terrains à Casablanca, une usine de cartonnage, des cimenteries – à ses amis. Des biens à l'étranger ont également été vendus et le fruit de ces cessions a été rapatrié au Maroc. Toutefois, envers l'extérieur, il se sent obligé de préserver les apparences. À cette fin, il nomme un administrateur du patrimoine familial censément gardé en indivision. Le premier titulaire est le ministre de la Pêche de l'époque, Bensalem Smili, qui exécute aveuglément les ordres de son maître. Par ailleurs, le roi exerce une pression maximale pour débusquer les prête-noms auxquels mon père a eu recours dans sa guérilla de survie économique. Le plus important et le plus loyal d'entre eux, Mohamed Jennane, sort du bois franchement. « Vous êtes le chef de famille. Voici les biens du prince. » Ravi, Hassan II lui répond : « J'ai tellement aimé mon frère que je veux désormais te voir tous les jours... » Ainsi intégré de force à la cour royale, Mohamed Jennane s'y plaira finalement. « Mon frère avait bien choisi, lui dira un jour le roi. Bienvenue chez moi ! »

Deux prête-noms plus interlopes, des hommes qui avaient valu à mon père l'ignominieuse épithète de « Monsieur 51 % » rapportée par Gilles Perrault dans son livre *Notre ami le roi*, Ahmed Shbihi et Ahmed Farshado, se font davantage prier. Ils déclarent les biens de mon père qui leur étaient confiés comme ils les avaient gérés du vivant de Moulay Abdallah, c'est-à-dire en cherchant à mettre leur « part » au sec. Mais, pas plus qu'aux poissons la nage, on n'apprend au *makhzen* le pillage. Dans son royaume, le roi est aussi, si ce n'est pas avant tout, le prince des ténèbres économiques.

Mon père avait un coffre en France, qui contenait des biens strictement personnels. Après sa mort, Hassan II exige d'avoir accès à ce coffre. Il fait valoir auprès du banquier qu'il est chef d'État, que son défunt frère était aussi son confident et que le coffre contient peut-être des documents sensibles, propriété de l'État. La famille de ma mère mandate un avocat pour que l'ouverture du coffre se fasse en sa présence, que l'on vérifie s'il n'y a pas de documents d'État puis que l'on referme le coffre en y laissant les biens personnels. Le coffre est ouvert dans ces conditions. Il ne recèle rien appartenant à l'État.

Enfin, il y a l'« affaire des bijoux » qui alourdit également l'atmosphère. Au départ, ce n'est pas grand-chose : mon père était un collectionneur de bijoux, à la fois des cadeaux qui lui avaient été faits par des chefs d'État et ses propres achats de pierres de toutes sortes que ma mère avait fait monter à Paris, à Téhéran, à Beyrouth... Ensemble, mes parents s'étaient adonnés à cette sorte de passion pendant une vingtaine d'années. Or, Hassan II veut mettre la main sur cette collection de bijoux que mon père avait offerte à ma mère. Le roi cherche moins à l'accaparer qu'à signifier que tout, absolument tout, lui revient. Il l'affirme d'ailleurs explicitement. « Je suis le maître à qui tout revient. Car le *makhzen* donne et le *makhzen* reprend. »

Le roi argue que ces bijoux seraient la propriété de la famille alaouite, qu'ils nous appartiendraient à nous, les enfants, dont il est le tuteur légal... Mais il se heurte à la résistance de ma tante Mouna, l'une des sœurs de ma mère. Elle fait bloquer le coffre parisien en falsifiant la signature de ma mère. Grâce à des écoutes téléphoniques (notre ligne a été rouverte mais passe désormais par le standard du Palais), Hassan II sait que ce n'est pas la signature de ma mère qui, sur ce point, s'était opposée à sa sœur. Il n'en fait pas moins expertiser ce paraphe et engage des poursuites judiciaires. L'« affaire », pendante devant un tribunal à Paris, prend une tournure sans précédent dans les annales de la dynastie. C'est plus qu'un parfum de scandale... Aussi Hassan II demande-t-il à ma mère de renier Mouna. Mais ma mère s'y refuse farouchement. Elle lui répond : « Entre vous et ma sœur, je choisirai toujours ma sœur. »

En définitive, il n'y aura pas de procès. À cette époque, la famille royale sait encore éviter de tels déballages. Mais l'affaire ne sera vraiment soldée qu'en 1992 lorsque, sur le point d'embarquer pour une visite officielle aux États-Unis, Hassan II fera appeler ma mère de toute urgence. Fidèle à son sens de la mise en scène, le roi fait retarder le décollage de son avion pendant quarante-cinq minutes, le temps qu'elle arrive, pour ne lui dire qu'une seule phrase : « Récupère les bijoux pour tes enfants. » C'est la même semaine que Hassan II ordonne que le mouroir de son régime, le bagne de Tazmamart, soit rasé. Il peut paraître indécent de faire ce rapprochement mais, dans l'esprit du roi, il y a un lien : il solde ses comptes, il vide les abcès.

Après la perte de mon père, un parent par alliance – heureuse expression ! – est une épaule solide sur laquelle je peux m'appuyer ou m'épancher en toute confiance. Il s'agit de Mohamed Cherkaoui, le mari de ma tante la princesse Lalla Malika, la sœur de Hassan II. Signataire du manifeste d'indépendance en 1944, ministre d'État dans le premier gouvernement marocain, ambassadeur en France, puis ministre des Affaires économiques et des Finances, avant d'être chargé du portefeuille du Développement, cet homme élégant est une figure de notre histoire dont Hassan II a brisé la carrière à la fin des années 1960. Or, au lieu de se consumer d'amertume comme tant d'autres « tombés du carrosse », Mohamed Cherkaoui renvoie au roi la certitude tranquille d'un Maroc qui existait avant lui et perdurera après lui. Ce défi, incarné par la belle prestance d'un défenseur de nos traditions, sceptique à l'égard de la démocratie « à l'occidentale » mais épris d'équité et de justice, rend Hassan II littéralement fou d'impuissance. Une brûlure que je n'apaise pas en me rendant régulièrement chez Mohamed Cherkaoui, surtout le samedi quand il tient salon politique autour de sa table de déjeuner. D'origines très diverses, d'un fils du *glaoui*, le pacha de Marrakech, au fondateur de l'agence marocaine de presse (MAP), Mehdi Bennouna, en passant par de hauts fonctionnaires, tous ses invités détestent le *makhzen* pour sa cruauté et sa vulgarité. Parmi eux, nul ne donne cher de ma peau face à Hassan II. Je prends d'autant plus de plaisir à dire mes vérités, voire à faire de la provocation. Le dimanche matin, le roi reçoit le compte rendu de ce qui s'est dit, la veille, chez son beau-frère. Il suffoque de rage !

Officiellement, Hassan II ne cesse de faire état de son « devoir » de s'occuper des enfants de son frère « bien aimé ». Mais la duperie ne vise que le peuple et l'Occident. Dans la haute société marocaine, ainsi que parmi les dirigeants du monde arabe, nul n'ignore la partie serrée qui se joue. Bien que nous ayons réussi à rompre l'« embargo », notre maison, qui était un vivier d'idées, ne reçoit presque plus personne. La plupart des gens bien placés nous évitent, justement pour ne pas perdre leur place au soleil. Nos vrais amis sont terrorisés. Ceux qui nous rendent visite se le voient reprocher par Hassan II. Le roi prend sa revanche sur le bastion d'irréductibles qui lui avaient longtemps tenu tête.

Dans ce contexte, l'un de mes plus grands défis devient d'établir mon « secrétariat particulier », c'est-à-dire ma propre raison sociale, indépendante du roi. Il faut que j'existe comme acteur économique autonome, que quelqu'un puisse se présenter en mon nom pour passer commande ou régler une facture. Cela a l'air de rien en dehors du *makhzen* mais, dans notre système, l'enjeu est capital. Car, pour les membres de la famille royale, Hassan II autorise les secrétariats particuliers par décret. Ses fils, Sidi Mohammed et Moulay Rachid, se sont vu octroyer les leurs par la grâce du père-roi. Pour contourner le décret, je choisis d'appeler mon secrétariat « Bureau personnel du prince Moulay Hicham ».

Hassan II ne s'y oppose pas frontalement mais « propose » que son propre secrétariat règle mes dépenses. Je décline poliment. Peu de temps après, il revient à la charge en me montrant le papier à en-tête de mon « bureau » et en me demandant ce que « cela signifie à la fin ». Je lui réponds en substance que c'est ma carte de visite. Alors, il me dit : « Écoute, je t'établis un secrétariat particulier comme à mes fils. Mon secrétaire en sera responsable, et j'aurai un droit de regard. » Je gagne encore du temps en refusant « un trop grand honneur ». Mais je sais que temporiser ne mènera à rien. Dans son royaume, Hassan II est le maître du temps. Acculé, je sors de l'impasse à la faveur d'un coup d'éclat : un grand ami de mon père, Ali Boukhshian, un commerçant yéménite, a laissé une lourde ardoise au Hyatt Regency de Casablanca ; il y en a pour près de 500 000 dollars. Je fais régler l'impayé au nom de mon « bureau personnel » – en réalité, je demande comme un service amical à Ali Boukhshian d'honorer sa dette mais en mon nom, ce qu'il fait. Du coup, j'existe. Hassan II est bluffé par la somme et baisse les bras. Je ne suis plus seulement le fils de Moulay Abdallah. Je deviens Moulay Hicham. J'ai les moyens de m'affirmer. Je dis en quelque sorte : je suis prince et je ne dépends pas du roi du Maroc. En tout et pour tout, cet affrontement décisif pour mon indépendance aura duré deux ans.

À peine debout, revenant sur le décès de mon père, j'affronte Hassan II au sujet des racontars sur l'alcoolisme de mon père. C'est un mystère qui me ronge, qui me déstabilise. J'ai besoin de comprendre pourquoi il a entretenu ce mensonge. Je connais parfaitement le dossier médical, grâce aux professeurs Gai et Kirschner, respectivement cardiologue et gastro-entérologue de mon père. Si bien qu'à l'occasion, je lance à Hassan II : « Pourquoi vous êtes-vous attaqué à la mémoire de mon père en entretenant ces rumeurs sur son alcoolisme, alors que le dossier médical concluait à un cancer ? » Le roi entre dans une rage noire. Le fantôme de mon père s'est dressé entre nous, et nos relations ne seront plus jamais les mêmes.

Déjà, le jour des funérailles de mon père, Hassan II m'avait pris à part pour me dire : « Tu as eu deux années à Princeton, tu as fait ce que tu as voulu faire. Maintenant, il faut rentrer au bercail. » Il feignait de n'avoir jamais donné son accord pour mes études aux États-Unis. Il a même cru bon d'ajouter : « Sais-tu que l'assassin de Fayçal était son propre neveu, le fils de son frère ? On ne peut pas être plus proche du roi. Il a tué son oncle car l'Amérique l'avait manipulé. » J'ai vivement résisté : « Que voulez-vous que je fasse ici ? Je veux passer mon diplôme. Je vous mets au défi de trouver une faute que j'aurais commise aux États-Unis, même une amende pour avoir emprunté un sens interdit.

— Il ne s'agit pas de cela ! Tu es maintenant troisième dans l'ordre de succession, et je dois t'avoir à l'œil, t'éduquer comme il faut, au cas où quelque chose m'arriverait ou arriverait à mes enfants.

— Mais vous vous croyez éternel ! Comment pouvez-vous imaginer une seconde que quelque chose vous arrive ? Ce n'est qu'un prétexte, un piège ! »

Il a piqué une nouvelle colère et m'a débarqué de

sa Pullman 600 en hurlant : « De toute manière, ma décision est prise. Tu ne retournes pas en Amérique ! »

Depuis que j'ai rendu Hassan II responsable de la dérive de mon père, nos échanges sont abrupts et heurtés. C'est l'épreuve de force, désormais sans fard. Je ne cède pas. Le moment venu, je monte dans l'avion pour retourner aux États-Unis. L'appareil est bloqué sur le tarmac. Mohamed Mediouri, le chef du service de sécurité du roi, monte à bord. Il se dresse devant moi dans sa djellaba d'apparat et me dit qu'il a reçu l'ordre de me ramener au Palais. Je refuse de le suivre. Je n'en mène pas large mais je sais que Hassan II ne respecte que ceux qui lui tiennent tête.

« Altesse, j'ai les moyens de vous faire débarquer.

— Sans doute, mais si vous me débarquez de force, ce ne sera que partie remise. Je continuerai de me battre. » J'ajoute perfidement, en me retournant : « Votre fils Khalid est là, derrière moi. Il retourne au MIT [Massachusetts Institute of Technology]. Lui, il bénéficie d'une bourse royale, ce qui n'est pas mon cas. »

Mediouri baisse les yeux, redescend, sans doute pour appeler Hassan II. Finalement, avec trois heures de retard, l'avion décolle. Mais le roi est hors de lui. Je sais qu'il ne va pas abandonner la partie. Dès mon arrivée, sachant que je vais entrer dans une phase de confrontation totale avec lui, je ferme la maison à Princeton. J'appelle le consul du Maroc et lui remets les clés. Je me trouve une chambre sur le campus. Les gens qui m'entouraient auparavant rentrent tous au Maroc. Peu après, à la sortie d'un cours, on m'informe que le président de l'université souhaite me voir de toute urgence. Je file mettre ma cravate et me présente dans son bureau, situé dans un somptueux bâtiment, classé au patrimoine historique pour avoir abrité le Congrès américain pendant la guerre, quand la bâtisse qui remplissait cette fonction à Philadelphie était occupée par les Anglais. On a conservé les traces de boulets de canon sur les murs. Le portrait du roi George est accroché dans le bureau du président. Je comprends pour la première fois le concept des deux corps du roi : le roi peut être un despote, mais il incarne une fonction qui demeure le ciment de la nation. Son portrait mérite donc d'être au mur, même si on le combat. Le président commence par me rassurer, puis m'explique : « Ton oncle a fait une démarche auprès de l'université. Il veut que tu rentres au Maroc.

— Mais il ne peut pas, monsieur le président ! Je paie mes études et je peux faire ce que je veux tant que ma mère ne s'y oppose pas.

— Mais le roi est ton tuteur légal. Jusqu'à ce que tu aies vingt et un ans, il a un droit de regard sur tes études. Nous devons lui montrer tes résultats. Ils vont venir ici, et je vais te convoquer. Mais, auparavant, je dois savoir ce que tu veux faire : partir ou rester ?

— Je veux rester, absolument. »

Quelques jours plus tard, deux avocats et le consul général du Maroc aux États-Unis, Abdeslam Jaidi, l'un des courtisans les plus zélés de Hassan II, arrivent à Princeton. Ce consul était en fait l'homme à qui le roi faisait faire ses courses aux États-Unis. Il lui achetait ses pulls, ses voitures… Sidi Mohammed et moi l'appelions l'« Inspecteur Gadget ». Il trouvait des solutions pour tout, y compris les problèmes les plus insolubles. Les concubines de Hassan II, par exemple, lâchaient régulièrement des chats et des rats dans les appartements du roi, qui détestait ces animaux, pour l'embêter. Jaidi avait trouvé la parade : il avait acheté deux énormes chiens akitas que le roi avait installés dans sa chambre ! Soudain, on n'y voyait plus ni chat ni rat… Face au président de Princeton, le consul est blême. « Le roi souhaite que vous rentriez. Prince, il faut retourner au Maroc. » Je réitère, devant tout le monde, mon souhait de rester. L'un des avocats fait valoir que, le roi étant mon tuteur, il peut exiger mon retour. Le président de Princeton excipe d'un avis légal contradictoire qu'il a entre-temps fait établir par un avocat de l'université. L'avis soutient qu'à partir du moment où je poursuis mes études régulièrement, nul ne peut me forcer à les interrompre. Maladroitement, Jaidi se fait menaçant en invoquant de possibles « retombées diplomatiques ». Le président se raidit et lui rétorque qu'il prendra attache avec le Département d'État pour tout problème de cet ordre. En guise de riposte comminatoire, il ajoute qu'il prendra également toutes les dispositions nécessaires pour garantir ma sécurité. Sur ce, il raccompagne la délégation en déclarant le dossier clos.

À la suite de cet épisode, je passe six mois aux États-Unis sans aucun contact avec le Palais, en me demandant à quel moment Hassan II me fera mettre dans un sac, à un coin de rue, pour me faire ramener de force dans son royaume. Ma mère me soutient, mais nous pouvons seulement communiquer – péniblement – à l'aide d'un code secret, car nous nous savons surveillés. Nous nous servons de deux livres que nous possédons chacun : le premier est un ouvrage de combat écologique écrit par Carol Van Strum, *A Bitter Fog. Herbicides and Human Rights* ; le second un dictionnaire, l'*Oxford Abridged Dictionary*. Pour nous passer des messages indéchiffrables, nous nous donnons par téléphone les numéros de page et les lignes où se trouvent les mots dont nous construisons nos phrases. C'est très laborieux mais nous sommes terrorisés par Hassan II. À l'époque, c'est un ogre.

Après mon retour à Princeton, pour ne pas mettre ma mère encore davantage en difficulté, l'une de mes tantes – Alia, sa sœur aînée et mon soutien en toute circonstance – finance ma scolarité. Hassan II n'y peut rien. En revanche, il entreprend une démarche insolite auprès du roi Fahd à qui il demande de convoquer ses neveux, c'est-à-dire mes cousins, pour leur enjoindre de rester à l'écart de notre querelle : « Il s'agit d'une affaire strictement personnelle entre mon neveu et moi. Si tes neveux s'en mêlent, sache que tu as toi-même cinq mille neveux et que je peux mettre le bazar dans ta famille. » Mes cousins me rapportent la nouvelle. Sur ce, au terme de longs mois de silence, Hassan II m'appelle par téléphone à Princeton, le 5 juillet 1984 : « Alors, abruti, comment vas-tu ? ! C'est mon anniversaire et tu ne comptes pas venir ? Qu'est-ce que tu m'apportes comme cadeau ? Au fait, cette histoire d'études, c'était une connerie. Oublie, tu peux finir ton diplôme. »

Affaire classée. Je rentre donc au Maroc à l'occasion de son anniversaire, le 9 juillet. Il est charmant. Par la suite, sans renvoyer tout le personnel à Princeton, le roi dépêche auprès de moi deux gendarmes, les lieutenants Amiri et Touzani, ainsi qu'un précepteur du Collège royal qui s'occupait jusque-là de Sidi Mohammed. Ce dernier m'appelle, moqueur. « Tu as vu ton nouveau précepteur ?

— Et comment ! Tu parles d'un cadeau !

— Bien vu, je suis ravi de ne plus l'avoir sur le dos. Merci ! »

Derrière son apparent effort de gentillesse, Hassan II ne renonce absolument pas à son projet de renvoyer ma mère au Liban et de nous récupérer, nous les enfants. Mon frère et ma petite sœur vont déjà au Collège royal. Il n'y a que moi, l'électron libre, qui ne suis pas encore entre ses mains. Mais le roi pense que ce sera chose faite à mon retour d'Amérique. En attendant, chaque fois que je séjourne au Maroc, il fait tout ce qui est en son pouvoir pour m'empêcher de passer du temps avec mon frère et ma sœur. Dès que j'arrive, il les envoie avec ses enfants, leurs cousins, quelque part en voyage officiel. Il cherche non seulement à briser notre noyau familial mais aussi à faire disparaître le symbole de notre enfance commune, notre maison à Rabat – avec tout ce qu'elle représente de liberté prise à son égard.

Cependant, notre réconciliation en trompe l'œil prête autant à rire qu'à pleurer. Ainsi, un jour, en 1984, je suis reçu par David Rockefeller en personne, qui m'apprend que le roi a ouvert chez lui un compte pour moi mais qu'il ne l'a crédité que d'un *cent*, un centime américain ! Puis Hassan II me convoque et me dit : « Je vais te faire verser une mensualité. Sidi Mohammed reçoit 7 500 dirhams, tu auras la même chose que Moulay Rachid, soit 5 000 dirhams. » Bien entendu, même comme argent de poche, ce montant me semble ridicule. Je vais donc voir Sidi Mohammed pour lui demander comment il s'en sort avec ses 7 500 dirhams. Il me raconte qu'il avait essayé, au début, de faire exploser l'enveloppe paternelle. Par exemple, il s'était fait faire vingt costumes chez l'un des meilleurs faiseurs à Paris à qui il avait demandé d'envoyer la note au Palais. La facture atterrissant sur le bureau de son père, celui-ci l'avait convoqué pour lui passer un savon. Le roi avait fait appeler le tailleur en France pour lui notifier son refus de payer. À l'époque, pour se sortir de l'embarras, Sidi Mohammed était d'ailleurs venu voir... mon père. C'est lui qui avait réglé cette facture dans le dos du roi.

En écoutant le prince héritier, je tombe des nues. Entre mes parents et moi, il n'y a jamais eu de telles combines. Alors, que faire ? C'est moins une question de besoins qu'un nouveau défi que je compte relever vis-à-vis de Hassan II et de l'« argent de poche » qu'il me propose. Me voilà donc parti pour un jeu d'adolescents, un rite de passage pour princes en mal de sensations fortes que je suis loin de pratiquer seul. Entre 1984 et 1986, soit l'année de mes débuts dans la vie professionnelle, je rejoins mes cousins – et, plus largement, toute la cour – dans le « trafic » que tout le monde autour du roi pratique, chacun selon ses possibilités.

Un exemple : le roi attribue à tous les princes, chaque année, deux bons de franchise douanière pour importer des voitures neuves, non pas les Ferrari de nos rêves mais des carrosses de représentation, des Mercedes sécurisées. Notre « trafic » consiste à conserver nos vieilles voitures, à les repeindre dans une nouvelle couleur et à revendre les véhicules neufs importés. Le micmac est réalisé avec la complicité du concessionnaire Mercedes local, les frères Hakkam, des copains à nous jouissant du monopole d'importation de la marque allemande. Le garagiste, qui fait repeindre les voitures, est un Corse, un dénommé Marciano, un vieil ami de mon père et un partenaire de golf de Hassan II. La première fois, il le fait par gentillesse. Une fois embarqué, il est obligé de continuer, un brin de chantage de notre part l'aidant à se décider.

Une autre opportunité de « trafic » est liée aux billets d'avion. Hassan II offre à chacun d'entre nous, ainsi qu'aux compagnons de voyage de notre choix, des billets en première classe quelle que soit la destination. Ces billets viennent de l'agence TAM. Il suffit de demander. Je choisis la destination la plus lointaine alors qu'en réalité, je m'arrête à Paris pour y réclamer le remboursement de la suite du trajet non effectué. Le patron de TAM, Ben Saïd Lahrizzi, jouit également d'une situation de monopole sur les billets du Palais et des Forces armées royales. Lui, comme beaucoup de dignitaires, tant civils que militaires, participe à ce petit jeu où tout le monde gagne. Donc, l'omerta est de mise pour que la roue de la fortune continue de tourner.

Je deviens même vendeur de sable ! Au moins une

fois par an, avec la complicité d'un adjudant chargé de veiller sur notre plage privée à Témara, je fais nuitamment enlever du sable par une noria de camions tout en me plaignant le lendemain, auprès du poste de gendarmerie le plus proche, du « vol » dont je prétends être la victime. Comme l'enquête n'aboutit jamais, afin de calmer mon ire, on me renvoie chaque fois le sable dérobé – et, en fait, vendu par mes soins.

La cour entière se livre à ce genre de trafics, avec tout ce qui peut se monnayer – si c'était possible, on vendrait de l'air. Le domaine royal inclut de grandes propriétés boisées de pins ou d'eucalyptus, qui sont soumises à une coupe réglée tous les quatre ans. Il suffit de prélever quelques hectares par-ci par-là, sur des milliers d'hectares au total, et de revendre le bois à la petite semaine. De même, à la maison, nous recevons des bons d'essence en quantité, de l'armée ou de la gendarmerie, pour une cinquantaine de véhicules de fonction. Là encore, il suffit d'en revendre une partie. Enfin, Hassan II m'offre deux grandes chasses par an, pour perpétuer une habitude qu'il avait prise avec mon père. Le gibier vient de l'élevage de Sa Majesté. Je cède ma participation à ces chasses royales à des gens aisés qui me paient sur un compte à l'étranger... Bref, nous faisons nos classes dans un vaste système de corruption. Le roi ne peut rien dire parce que c'est son système à lui. Il est dedans, corps et âme.

Pour moi, le « trafic » n'est qu'un jeu, du banditisme ludique. Pour mes besoins plus sérieux, j'ai d'autres recours : les amis de mon père, dont la plupart vivent en Orient et dans les pays du Golfe. On retrouve là, en premier lieu, Ali Boukhshian, le milliardaire yéménite qui avait laissé l'ardoise au Hyatt Regency. Il appartient à la première génération d'immigration en Arabie Saoudite, avant l'émergence de la *Moukawala*, la classe possédante locale nourrie au sein de l'État pétrolier. Ali Boukhshian aimait mon père comme un fils, au point de dire non à Hassan II quand celui-ci a voulu travailler avec lui en nous écartant, nous les héritiers. Le roi a notamment voulu qu'il développe un projet immobilier sur un terrain de mon père au cœur de Casablanca. Boukhshian a refusé, quitte à voir ses biens confisqués au Maroc. En revanche, quand nous avons besoin de quoi que ce soit, il suffit d'appuyer sur un bouton et lui ou son frère, Salem, répond sans hésitation. Une autre personne à qui je peux faire appel est le prince Abdallah al-Fayçal, le fils aîné du roi saoudien. À lui aussi, son amitié pour moi a valu des tracasseries au Maroc, en représailles. Mais le prince Abdallah ne m'a jamais rien refusé. Non seulement il donne mais, en plus, il donne avec l'élégance du cœur. Ce qui est également le cas du cheikh Sheem du Qatar que j'ai déjà évoqué.

Last but not least, il y a le secrétaire particulier de Hassan II, Abdelfettah Frej. Lui, pourtant si proche du roi, répond aussi toujours présent. Il se comporte comme si les disputes familiales n'existaient pas. À ses yeux, je suis simplement le fils de mon père. Il me reçoit chez lui en m'offrant le thé... et tout ce que je peux lui demander. Je ne sais pas d'où provient sa bonne disposition à mon égard. Peut-être de sa femme Rita, une Allemande, une amie très chère de ma grand-mère. Toujours est-il qu'un jour, curieux de savoir s'il cachait nos relations au roi, je lui pose la question. Il me répond : « Je suis totalement loyal à l'égard de Sa Majesté. Mais crois-tu que, si je viens la trouver pour lui exposer une demande en ta faveur, elle peut me la refuser sachant que je brasse des milliards chaque jour ? »

Frej était un extraterrestre au Maroc, un homme au-delà des contingences. Son épouse, obsédée par la nourriture, comptait les calories à la maison. Il y avait même un cadenas sur leur frigo, dans lequel n'étaient alignées que de petites pommes rabougries ! La vie de Frej était archi-réglée, sauf quand il venait aux États-Unis. Je le rejoignais alors à New York pour dîner avec lui. À l'époque, il était follement amoureux d'une jeune et très belle Russe, Ludmila, qui vivait dans cette ville. Quand Frej n'était pas là, et que Ludmila se plaignait d'être seule, je l'emmenais dîner. Je lui serinais que Frej était un grand homme et qu'elle avait bien de la chance qu'il s'intéresse à elle. Du coup, elle repartait ravie. Bref, je plaidais pour Frej auprès de la reine de son cœur comme il plaidait, lui, pour moi auprès de Hassan II.

Sidi Mohammed faisait, lui aussi, du « trafic », bien qu'il fût serré de près par son père. Sans grand succès d'ailleurs, puisque les fonctionnaires fermaient les yeux, personne ne voulant insulter l'avenir sous le règne du futur roi. Personne, sauf le « grand vizir » de l'époque, Driss Basri, qui favorisait Moulay Rachid. Entre princes, chacun roulait pour soi. Évidemment, Hassan II se rendait bien compte que nous disposions de plus d'argent qu'il ne nous en donnait. Mais, pris dans les rets de son propre système, il était impuissant. Mon autonomie financière, au-delà du « trafic », empêchait ma reddition. Du point de vue du roi, j'étais un foyer rebelle qu'il ne parvenait pas à réduire... Pour ne pas perdre la face, il lui arrivait de ne pas me donner mes 5 000 dirhams pendant plusieurs mois, puis de me faire remettre une valise contenant le multiple de 5 000 dirhams en billets de dix dirhams, ce qui représentait toujours peu de chose en valeur mais un beau volume à exhiber ! Hassan II ne supportait pas que les gens puissent penser que je trouvais des ressources en dehors de lui et de son royaume. Tout le monde devait continuer de penser que je vivais de sa munificence. Dans la tradition du *makhzen*, on appelle *al mouna* cette rente doublée d'un sentiment d'affection. En me faisant porter une valise bourrée de petites coupures, Hassan II tentait de s'acquitter de sa part du contrat – matériel autant que moral – à la vue de tous.

Dans un royaume, il ne faut jamais sous-estimer le roi, surtout quand il s'appelle Hassan II. Même en « jouant » avec lui, on risque à tout moment de se brûler les doigts, sinon le bûcher. C'est la leçon que je retiens de l'« épisode Coco ». Ledit Coco, un mainate au plumage de jais et au bec jaune bien pendu, fait partie de la ménagerie secrète de Sidi Mohammed dans sa résidence de Salé, Les Sablons. Hassan II déteste les dobermans et les BMW. C'est suffisant pour que son fils aîné adore les cylindrées allemandes sportives, et vive avec un doberman, nommé Goliath, imposant mais doux comme un agneau. Au milieu d'une soirée bien arrosée, le roi débarque à l'improviste aux Sablons. En montant l'escalier, il entend une bordée de jurons. Il découvre alors non seulement l'existence d'un mainate que nous soûlons à l'occasion mais, aussi, que l'oiseau imbibé crache les pires vilenies au sujet du roi traité, entre autres, de « connard ». Peine capitale ! « Celui-là, je me le ferai servir demain en tajine avec du citron confit. » La sentence énoncée, Hassan II repart avec Coco dans sa cage. Après un certain délai, pour laisser passer l'orage, je le suis au Palais afin d'implorer grâce pour Coco. Hassan II sursoit à l'exécution mais garde l'oiseau prisonnier. À la fête de l'Aïd, je reviens à la charge pour obtenir sa libération. En vain, jusqu'au jour où le roi, non sans plaisir, dévoile devant Sidi Mohammed et moi Coco dans sa cage. « Princes, salauds ! », « Vive le roi ! », crie la bête, à peine le drap soulevé. Nous repartons avec un mainate rééduqué au haschisch !

III.

L'HÉRITIER

En 1985, je décroche mon diplôme en sciences politiques avec un mémoire sur « Le mouvement national palestinien ». Je décide de poursuivre mes études, toujours à Princeton, pour acquérir une compétence supplémentaire en ingénierie financière, une science appliquée, en prise avec le réel. Rien ne m'attire vraiment au Maroc, où le roi traverse de nouveau une phase acrimonieuse. En 1986, il prendra même la décision de priver mon frère, ma sœur et moi-même du titre d'« altesse royale », qui était le nôtre jusque-là. Nous devenons des « altesses » sans attribut régalien. Pendant des semaines, le temps de s'y habituer, les speakers à la radio-télévisan nationale diront « le roi Hassan II accompagné de Son Altesse royale, euh... non, excusez-moi, de Son Altesse... ». Hassan II veut marquer une distinction plus nette entre ses propres enfants et les enfants de son défunt frère. Pour le jeune homme que je suis, tout préoccupé de ma petite personne, c'est une profonde blessure d'amour-propre, quasiment la fin du monde. Heureusement, ma grand-mère paternelle, Lalla Abla, me fait venir pour me dire : « Écoute, tous ces titres viennent de l'Occident et ne correspondent à rien. Tu n'es ni altesse ni royal, tu es un chérif. Si Hassan II a pris cette décision, c'est qu'il a peur que tu fasses de l'ombre à son fils. » En me flattant, elle m'aide à accepter une décision que je vivais comme une insulte. Elle sait me prendre. Avec le recul, je me rends compte à quel point elle avait raison. J'ai été successivement « altesse royale », « altesse tout court », « prince rouge », « prince vert », et même « prince jaune » quand je travaillais en Asie... *In fine*, mon compte bancaire, ouvert par Hassan II quand j'étais enfant, a conservé le même intitulé : « Son Altesse royale Moulay Hicham. »

Lalla Abla joue un rôle important au Palais. Elle s'y est d'ailleurs installée, à la différence d'autres reines mères avant elle, parce qu'elle veut être au cœur du pouvoir, y exercer son influence. Sans avoir reçu une grande éducation formelle, elle ne manque pas de discernement et de sens politique. C'est une grande dame. J'admire qu'à son âge avancé, elle prenne des leçons de français et d'arabe. Loin de se résigner à son manque d'instruction, elle cherche à le surmonter. Elle est exigeante, d'abord envers elle-même. Hassan II, que sa mère appelle *Sidna*, « maître » ou « seigneur », la respecte beaucoup. On dit dans la famille que c'est elle qui a persuadé le jeune roi qu'il devait conserver un harem. Le conseil n'était pas désintéressé parce que la multiplication des femmes du monarque renforce la position de la reine mère. Je crois que Hassan II lui en voulait secrètement de l'avoir manipulé, mais il n'en a jamais rien dit. Lalla Abla avait été favorable à mon départ du Collège royal parce que, tout en souhaitant que je me soumette à son fils, elle voulait que mon allégeance soit obtenue sans compromission, dans le respect de mon intégrité. Par conséquent, elle faisait tout son possible pour déminer mes conflits avec Hassan II ou avec le prince héritier. « Ne montre pas trop ton intelligence. Bien au contraire, commets des erreurs pour qu'ils puissent te corriger », me répétait-elle, allant jusqu'à me conseiller d'« écrire des lettres avec des fautes d'orthographe » à Hassan II et de « ne pas lui dire ce qu'on apprend en Amérique et qu'il pourrait ignorer ». Chez Lalla Abla, sagesse rimait avec simplicité. Jusqu'à sa mort en 1992, la reine mère m'a couvert de sa protection dans l'idée que je devais un jour revenir « intact » à la maison royale. Hélas, sur ce point, ses vœux n'ont pas été exaucés.

1986, c'est également l'année où ma mère tombe malade. Elle contracte quelque chose de très bizarre, un désordre nerveux qui se manifeste au niveau de la mâchoire. Il s'agit d'une affection vraisemblablement d'ordre psychosomatique dont l'origine – nerveuse ou bactérienne, peut-être les deux – est inconnue. Les premières victimes repérées avaient été des pilotes américains pendant la Seconde Guerre mondiale. On peut donc supposer que le stress est au cœur de cette maladie. Quoi qu'il en soit, j'accompagne ma mère au New York Hospital, puis reste auprès d'elle pour lui administrer le traitement prescrit. Le docteur Plumb, un éminent neurologue, me prévient que les substances qu'elle prend vont entraîner une accoutumance. En effet, après un certain temps, ma mère tombe sous l'emprise de ses médicaments. Atteinte au point qu'elle ne peut pratiquement plus parler, elle subtilise les substances non seulement pour trouver du soulagement mais aussi pour assouvir sa dépendance. C'est une situation pénible, vraiment déprimante. Je néglige mes cours pour pouvoir m'occuper d'elle. Je l'emmène faire de longues marches à pied dans la forêt ou, mieux encore, dans des terrains accidentés où elle doit se concentrer sur chaque pas – le but étant de lui faire retrouver sa contention d'esprit. Mais ma mère s'écroule souvent en cours de route, physiquement et mentalement. Elle tient alors des propos incohérents. Tous les soirs, avant de la quitter pour la nuit, je la fouille à la recherche des pilules qu'elle aurait pu dissimuler. Je suis totalement désemparé et ne sais plus vers qui me tourner. Finalement, j'appelle ses sœurs au secours. Alia, l'une de mes tantes et le pilier de notre famille, viendra dormir avec elle pour l'empêcher de prendre des surdoses de médicaments. De cette façon draconienne nous parvenons à la sevrer. À l'automne 1987, ma mère est guérie. Pour ma part, ayant fini mes études malgré tout, je dois entrer dans la vie active. Mais, dans mon cas, c'est plus facile à dire qu'à faire. Un prince se doit d'avoir de l'argent mais il ne peut pas faire des affaires comme un entrepreneur ordinaire. Cherchez l'erreur...

La succession de mon père n'est toujours pas réglée. Nos biens restent sous la férule d'un administrateur, qui sert d'écran à la volonté du roi. Or, Hassan II n'est pas prêt à abandonner ses visées sur le patrimoine de son frère et, encore moins, à me donner les moyens matériels d'une totale indépendance. De son point de vue, il est donc urgent d'attendre. Moi, au contraire, je piaffe d'impatience. Finalement, nous nous mettons d'accord sur un projet immobilier dans le Nord, sur la « Riviera marocaine ». Il s'agit de mettre en valeur cinq hectares constructibles à côté de M'diq, près de Tétouan, en y érigeant 187 habitations, pour un coût total équivalant à environ 15 millions de dollars. Je baptise le projet Ksar el-Rimal, le « palais des sables ».

Hassan II traverse une mauvaise passe. Il est recroquevillé sur lui-même, extrêmement égoïste, au point de négliger les devoirs de sa fonction. Il est surtout paresseux. Détail révélateur, il garde toute la journée les mêmes chaussettes blanches qui vont aussi bien avec sa tenue de golf qu'avec sa djellaba d'apparat qu'il revêt pour recevoir les lettres de créance des ambassadeurs. Il renâcle au moindre effort, fût-il d'ordre protocolaire, et joue sans cesse au golf. Par ailleurs, il est encore plus systématiquement en retard qu'à son habitude. Ce qui n'est pas peu dire. Un jour, il avait fait attendre la reine Élisabeth d'Angleterre, dont l'avion avait été obligé de tourner dans le ciel pendant une heure, le temps que Hassan II arrive à l'aéroport pour l'accueillir. L'avanie avait été évoquée au Parlement britannique lors d'une séance de questions pour interpeller le gouvernement... Au cours de cette même visite, le roi était aussi arrivé en retard au dîner officiel. En guise d'excuse, il avait invoqué des coupures de courant au Palais puis, sans doute pour justifier ses dires peu convaincants, avait fait sauter les plombs en plein dîner ! Par ces puérilités, cherchait-il à signifier que la monarchie alaouite était plus ancienne que la cour d'Angleterre ? Toujours est-il que Hassan II avait fait preuve de la même insolence à l'égard du roi Hussein de Jordanie lorsque celui-ci séjournait en visite privée au Maroc. Il avait débarqué chez lui en jodhpur, comme pour dire : « Tu fais partie d'une monarchie de rien du tout. Donc, pourquoi je ne me pointerais pas chez toi en culotte de cheval ? » Hussein avait été tellement choqué que, le soir même, il avait pris l'avion pour rentrer à Amman.

Prévenu des humeurs peccantes du roi, je décide de frapper un grand coup pour désamorcer toute volonté d'obstruction ou de sabotage de Hassan II. À cette fin, je fais appel au plus gros calibre de l'entrepreneuriat au Proche-Orient. Pour les études du projet, je m'associe à Kamal Shair, le patron jordanien de Dar al-Handasah, la « maison de l'engineering », dont le siège est à Beyrouth mais qui a des bureaux dans le monde entier : pour la construction, je m'en remets à Saïd Khoury, le PDG palestinien de CCC (Consolidated Contractors Company), sise à Athènes, un temps la 16ᵉ entreprise mondiale de BTP ; enfin, pour le financement, je sollicite Abdelmajid Shuman, le patron palestinien de l'Arab Bank, basée à Amman. Bien entendu, cette force de frappe est totalement disproportionnée par rapport à mon projet de dimension modeste. Mais, avant même que Colin Powell n'en développe le concept, je fonde ma stratégie sur un *overwhelming power* pour réduire à néant toute velléité de résistance. Mes trois associés sont partants pour des raisons diverses. Kamal Shair est un grand ami de ma famille et sera mon mentor en affaires. C'est un homme brillant, fils d'un cosaque « cherkass » (circassien). Très clair de peau, très droit, il m'apprend à réfléchir avec un coup d'avance. Il ouvre toute son organisation pour moi : à n'importe quel moment je peux utiliser les ressources de son entreprise pour une étude, une fiche. Saïd Khoury a un profil très différent. Il est associé en Arabie Saoudite avec l'ex-mari de ma tante Mouna, le prince Talal. C'est un autodidacte palestinien qui a commencé en écumant lui-même le désert, dormant sous la tente, pour voir comment on allait construire telle route, tel pipeline, tel pont. Il m'a adopté et intégré à sa famille. Enfin, en bon Palestinien, Abdelmajid Shuman est de l'aventure rien que pour ennuyer un roi « modéré », si commode pour les Américains et leur politique au Proche-Orient. C'était un des plus grands financiers du monde arabe, très méfiant à l'égard des pouvoirs politiques.

Ne jamais sous-estimer Hassan II... Le roi me voit venir à la tête de ce corps expéditionnaire moyen-oriental. Il tente d'abord l'esquive. Il me propose un partenariat avec lui – ce qui est sans précédent au royaume où le roi règne sans partage. J'essaie de me dérober. « Sire, vous êtes mon roi, je ne puis accepter.

— Mais si, puisque je le veux ! » Joignant le geste à la parole, il me remet un chèque d'une valeur de 5 millions de dollars. Je suis pris de court mais me rends vite compte que je ne dois pas encaisser ce chèque, sous peine de compromettre mon émancipation. Je prends donc mon courage à deux mains et rapporte le chèque au roi. Il me regarde, stupéfait : « Mais ce n'est pas le premier chèque que tu reçois de moi !

— Non, mais, cette fois, c'est différent. Je ne veux pas être en affaires avec ma famille, cela me donne mauvaise conscience. »

Le lendemain, Hassan II envoie chez moi une camionnette chargée de cantines contenant, en liquide, l'équivalent en dirhams de 5 millions de dollars, pour notre joint-venture. « La part du roi, de la part du roi », m'explique, assez joliment, l'émissaire au volant. Je saisis sur le moment que Hassan II vient de commettre un faux pas. Sauf au pays de la mafia, on n'entre pas dans une affaire en envoyant une montagne de cash... Je saute donc dans la cabine et raccompagne le chauffeur au Palais. Le roi comprend qu'il a poussé le bouchon trop loin. Il bat en retraite. « Pas de problème. Tu fais comme tu veux. Simplement, il faudra que toi et ta troïka me soumettiez vos plans, vos études, tout... Tu es prince, il faut que ça soit du sérieux ! »

Nous voilà donc convoqués pour un examen de passage. Maître du protocole, Hassan II soigne notre mise en condition. Il nous fait attendre pendant trois heures, puis oblige mes amis à se déchausser alors qu'il nous reçoit dans son bureau, un espace public. « Pas toi, bien sûr ! » me dit-il pour mieux mettre en relief la différence entre les membres de la famille royale et les trois roturiers que je lui ai amenés pour de vulgaires affaires. Enfin, en guise de contradicteur, le roi a fait venir le directeur général de la Société africaine du tourisme (SAT), notre concurrent public pour des constructions en bord de mer... Je proteste contre cette procédure biaisée. « Mais pourquoi ? La SAT est une société d'État, l'État c'est moi, et moi je suis impartial. Donc, tout va bien. » La suite est à l'avenant – mais pas la fin. En sortant de l'audience, mes trois compères ne demandent qu'à faire monter les enchères. « Ton oncle a voulu nous écœurer, mais il nous a seulement motivés. » Loin de s'ébouler, mon palais des sables finira bien par sortir de terre !

En novembre 1988, Sidi Mohammed s'installe à Bruxelles pour y effectuer, dans la foulée de ses études de droit, un stage chez Jacques Delors, alors président de la Commission européenne. De mon côté, je croise le prince Hassan de Jordanie, le frère du roi Hussein et, à cette époque, son successeur désigné. Hassan, un bon ami de mon père, est la grande vedette du Moyen-Orient. Moderne et intelligent, diplômé d'Oxford, il montre un nouveau visage du « prince arabe ». Je lui demande de bien vouloir me prendre comme stagiaire dans son cabinet. Ayant obtenu son accord, je file chez mon oncle : « Quelle chance ! Le prince Hassan de Jordanie me propose de rejoindre son cabinet pour un stage. Sidi Mohammed a commencé par l'Orient et poursuit maintenant en Occident. Moi, j'ai commencé par l'Occident et je voudrais continuer ma formation en Orient. » Hassan II ne peut pas refuser, après tout ce qu'il a dit sur les « dangers » de l'Amérique. Contre son gré, il me laisse partir.

Pendant un an et demi, je travaille pour le prince Hassan à Amman. Je deviens familier de cette capitale à l'architecture si particulière, avec ses belles pierres calcaires, d'une blancheur aveuglante au soleil. Je comprends de l'intérieur un pays sans ressources propres, guère viable d'un point de vue économique, ethniquement divisé et irrévocablement imbriqué dans le conflit arabo-israélien. Je m'occupe en particulier des ONG et du *think tank* du prince, du dialogue interreligieux et des relations avec les pays du Golfe. Mais je suis associé à tous les projets, de l'exploitation offshore du phosphate à la coopération bilatérale avec l'Italie de Bettino Craxi, qui tente d'innover en matière d'aide au développement. Infiniment généreux, Kamal Shair ne rechigne à aucune étude de faisabilité, aucune consultance gratuite que je lui demande pour son pays d'origine. Moi-même, je me mets à travailler avec des bases de données et à faire des études de régression en me félicitant de mes deux maîtres à penser à Princeton, Harold Kuhn et George Ross, qui m'ont donné le goût de la recherche opérationnelle. La Jordanie est pour moi une école de gouvernance. J'y jouis de la confiance d'un homme de rigueur, le prince Hassan, qui assure le *back office* de son frère, le roi Hussein, sur le trône – le rêve de mon père ! Le prince hachémite est comme un oncle pour moi. Expression sincère de mon respect, j'embrasse son épaule en public comme je n'ai jamais embrassé la main de mon vrai oncle, Hassan II. En Jordanie, je vois souvent le roi Hussein. Il m'invite à dîner. Il m'emmène faire le tour de « ses » tribus, qui sont le socle de sa dynastie. Doté d'une indéniable intelligence tactique, c'est ce que l'on appelle un grand manœuvrier, même s'il agit avec moins de brio que Hassan II.

Au cours des dix-huit mois de mon séjour en Jordanie, je retrouve fréquemment, le week-end, Sidi Mohammed à Bruxelles, au Proche-Orient ou au Maroc. Nous avons plaisir à nous revoir en dehors de la cloche pressurisée qu'est le palais de Hassan II. Le roi lui-même semble puiser du tonus dans l'armistice familial qu'entraîne notre éloignement. Il reprend l'initiative dans l'affaire du Sahara occidental pour préparer le référendum d'autodétermination qu'il a dû concéder en 1981. Son plan, en deux temps : il veut cimenter d'abord le fait accompli de la présence marocaine, à la suite de la Marche verte, en déversant les bienfaits de l'État-providence sur le Sahara occidental. Dans « nos » provinces sahariennes, les produits de base sont grandement subventionnés et les salaires dans la fonction publique majorés de 25 %. El-Ayoun se métamorphose en une ville moderne. Le roi consent ces efforts pour transformer sa victoire de fait, grâce à la Marche verte, en victoire de droit, dans les urnes. Pour cela, il cherche ensuite à faire passer le corps électoral recensé par l'ONU de 100 000 à 200 000 électeurs, de façon à noyer les Sahraouis partisans de l'indépendance dans la masse des votants favorables à l'intégration dans le royaume. Hassan II ne veut accepter qu'un « référendum confirmatif ». Il pense sincèrement qu'il peut remporter le vote. En vérité, trop courtisés, les Sahraouis ont le sentiment que l'on cherche à les acheter. À ce jour, un grand nombre d'entre eux s'estiment « colonisés », tandis que les Marocains croient être simplement rentrés « chez eux ».

À la fin des années 1980, en même temps qu'il se consacre au Sahara occidental, Hassan II déploie une intense activité diplomatique. Le monde arabe reste divisé entre le « camp du refus » et les « modérés ». Le roi du Maroc est le dirigeant arabe le plus franchement engagé en faveur de l'Occident. Si le panarabisme est mort avec Nasser, ses effluves continuent cependant d'imprégner l'air du temps. Par rapport aux tenants du nationalisme panarabe (*kaomyia*), Hassan II se détache comme le héraut d'une libération nationale (*watanyia*) que le retour d'exil de son père avait fait aboutir. Il bénéficie d'une légitimité incontestable dans la lutte anticoloniale. Il peut se prévaloir, par ailleurs, de son titre de Commandeur des croyants. Son père ayant protégé les juifs marocains, les Israéliens – nombreux à être issus de l'immigration marocaine – le voient également d'un bon œil. De surcroît, la manière dont Mohammed V avait protégé les juifs marocains est perçue dans le monde arabe comme un honneur fait à l'un des grands principes de l'âge d'or musulman. La marge de manœuvre de Hassan II est d'autant plus grande que les Arabes du Golfe renâclent à s'afficher comme alliés de l'Occident. Leur attitude ne changera qu'avec l'engagement américain dans les deux guerres du Golfe. Avant 1991, Hassan II jouit ainsi d'un quasi-monopole diplomatique. En plus, il est à l'abri de toute critique occidentale dans la mesure où Washington, Paris et Londres se gardent de dénoncer des atteintes aux droits de l'homme, sous prétexte de « spécificité arabe ».

Tous ces facteurs, conjugués à un savoir-faire indéniable et à un toupet monstre, font de Hassan II un personnage incontournable sur la scène internationale. Le revers de la médaille, c'est que le roi semble s'ennuyer au Maroc. Hassan II trouve les Marocains trop courtisans, trop déférents, trop dociles – alors qu'il les a rendus ainsi. En fait, il se pense trop grand pour son « petit » pays.

Le Maroc devient alors la patrie des sommets arabes. Le rituel est rodé : les ministres des Affaires étrangères des pays arabes se réunissent quelque part pour demander au Maroc d'organiser un sommet ; le Maroc accepte ; le sommet se tient pour entériner les résolutions négociées d'avance. Hassan II ouvre les réjouissances par un discours destiné à montrer combien il est plus intelligent que les autres. Entre Bédouins et usurpateurs ou lieutenants de caserne, il se donne le rôle du Commandeur des croyants. Il prend tout le monde de haut. Il n'y a que Saud al-Fayçal qui peut décemment lui tenir tête, en bon princetonien. Pendant les délibérations qui suivent, Hassan II garde ses écouteurs à l'envers et fume des Marlboro light avec son fume-cigarette. C'est ainsi qu'il apparaît à la télé. Relax, comme s'il était attablé pour manger un bon steak. Les Marocains sont ébahis, impressionnés, fiers de leur roi. Après le sommet, un groupe de contact est constitué puis, pour finir, Hassan II est mandaté pour aller expliquer aux États-Unis la position arabe. Bref, Hassan II finit par personnifier la cause arabe, du moins telle qu'elle est présentée à l'Occident. Il en devient le visage. Même les initiatives du roi Fahd d'Arabie Saoudite – comme le plan arabe de paix adopté en septembre 1982 à Fès – sont portées au crédit de Hassan II puisqu'il en est le courtier. À ce titre, il en engrange les bénéfices. Parallèlement, le roi du Maroc est omniprésent dans les affaires israélo-palestiniennes à travers le comité Al-Qods (Jérusalem) qu'il préside. Il se trouve également en pointe sur le front de l'Union du Maghreb arabe. Enfin, Hassan II joue un rôle essentiel dans la signature, en 1988, de l'accord de Taëf visant à mettre fin à la guerre civile au Liban. En 1990, quand les armes se tairont à Beyrouth, cette trame sera inscrite dans la Constitution libanaise. Aux yeux de beaucoup de Libanais, elle consacre la mainmise syrienne sur leur pays. Hassan II avait perçu ce danger et, lors des négociations à Taëf, réclamé aux Syriens un calendrier de retrait. Mais le roi Fahd s'était satisfait d'un engagement de principe. La suite devait donner raison au roi du Maroc.

À sa grande époque géopolitique, Hassan II a pour interlocuteurs favoris des figures de la guerre froide, des hommes qui placent la raison d'État au-dessus de tout. Je pense notamment à Henry Kissinger ou Alexandre de Marenches, avec lesquels le roi aime à faire des tours d'horizon stratégiques, des heures durant. Il en va de même pour le général américain Vernon Walters, qui est un homme des « services », un milieu qui fascine Hassan II. En effet, le roi est persuadé que les « vraies » décisions se prennent et se comprennent dans l'ombre. Par exemple, après avoir consenti à l'Union arabo-africaine avec Kadhafi en 1984 – une décision qui affole l'administration américaine – il ne fait pas venir l'ambassadeur américain à Rabat pour lui en expliquer le fond et le tréfonds, pas plus qu'il ne dépêche un diplomate marocain au Département d'État à Washington. Plutôt, il envoie l'un de ses proches, Reda Guedira, au siège de la CIA à Langley, en Virginie, qu'il considère comme le centre névralgique du pouvoir américain.

Le 9 novembre 1989, le jour de la chute du mur de Berlin, je me trouve à Paris. Je songe à partir avec un ami en Allemagne quand Hassan II m'appelle pour me demander de rentrer au Maroc. J'interprète la chute du Mur comme la preuve que *tout* est possible, que l'on peut *tout* voir advenir dans sa vie. Je ne crois pas à la « fin de l'Histoire » de Francis Fukuyama, à la radieuse éternité d'un monde occidentalisé, adepte de l'économie de marché et de la démocratie. Je vois en Karl Marx moins un philosophe qu'un penseur dans la grande lignée des économistes conscients de la pierre de l'Histoire qui roule. Le « royaume de la nécessité » est la base, sinon de tout, du moins de beaucoup. Pour autant, je ne suis pas marxiste mais libéral. Entre Raymond Aron et Jean-Paul Sartre, je choisis sans hésitation Aron. Lequel n'était pas un apologiste de la jungle ; il croyait au rôle régulateur de l'État. Je le suis sur ce terrain, qui est celui de la « social-démocratie » selon la terminologie occidentale.

Au lendemain de la chute du mur de Berlin, alors que nous marchons côte à côte sur un green de golf, Hassan II me dit au sujet des régimes en déroute après la fin de la guerre froide : « C'est un jeu de "tu l'as". L'essentiel est de faire bien attention à ne pas être touché. Ensuite, cela passera. Le jeu s'arrêtera. » Il n'a aucune envie d'être touché, d'être contaminé par la faillite systémique. Il est immensément fier d'être l'héritier d'une vieille dynastie, et il n'entend pas être celui par qui la fin arrive.

À la même époque, nous visitons le grand palais de Meknès. Ce lieu, qui fut le cœur du royaume, est abandonné. À l'exception du mur d'enceinte, tout y est délabré. D'ailleurs, nous déjeunons par terre, sur des tapis apportés par l'intendance. Seul ce qui fut jadis la chambre du sultan Moulay Ismaïl est aménagé pour la circonstance, afin que Hassan II puisse y faire sa sieste. Pendant ce temps, il nous laisse quartier libre. Ne sachant que faire, je traîne mes guêtres dans les ruines, jusqu'à ce que Hassan II revienne vers moi : « Viens, je vais te montrer quelque chose. » Nous traversons des cours successives en empruntant un chemin en pente. Il nous conduit dans un sous-sol, une gigantesque salle très haute de plafond. Les murs sont jalonnés de gros anneaux en fer. Ce sont des écuries souterraines. « Ici, des milliers de chevaux pouvaient être réunis, m'explique le roi. Ce fut l'équivalent de la 6e flotte en Méditerranée, la façon de Moulay Ismaïl de projeter sa puissance vers l'extérieur. » Je sens, et cela n'arrive pas souvent, que Hassan II s'interroge sur la vraie grandeur, une grandeur dont il admet qu'elle le dépasse. Il n'en est que le réceptacle éphémère. À cette échelle, même Hassan II est mal à l'aise et humble. Comme pour dissiper la gêne, il me dit : « Viens, je vais encore te montrer autre chose. » Nous quittons la salle, gagnons une cour dotée d'un jardin et entourée d'une haute muraille en terre. À l'approche, je relève qu'un pan assez large du mur a été rénové. Hassan II y appose sa main : « La légende veut que la fille de Moulay Ismaïl, Lalla Yaqout, ait été emmurée ici pour avoir refusé d'épouser l'homme que le sultan avait choisi pour elle dans le cadre d'une alliance politique. On dit que, le soir, on entend ses cris. J'ai donc restauré ce mur car, si jamais il s'effondrait et qu'on trouvait ses restes, ce serait très grave.

— Mais si on ne la trouvait pas, lui fais-je remarquer, on se rendrait compte que ce n'est qu'une légende. » Il me répond : « Oui, et ce serait encore plus grave. » Ce qui veut dire : vraie ou fausse, cette légende est une leçon de gouvernance qui, en tant que telle, doit être protégée pour traverser le temps. Ancré dans notre imaginaire collectif, le crime commis contre un individu peut se muer en gage de stabilité.

En 1989, le roi Hussein me dit qu'il est temps que je rentre au bercail. Pour ma part, je n'étais pas pressé. Dès mon retour de Jordanie, Hassan II me convoque en présence de son épouse. Là, pour la première fois depuis longtemps, je crois qu'il me parle avec sincérité : « Écoute, toi et moi, on a pris un mauvais départ. Tu ne m'as pas toujours compris mais tu étais jeune. Maintenant tu es adulte. Ton projet au Nord, tu veux le faire ? Alors, fais-le avec qui tu veux. Aujourd'hui, tu es mon troisième fils parce que je t'ai choisi, et non pas parce que je t'ai hérité de ton père. Bienvenue chez moi ! » Rendue solennelle par la présence de sa femme, pour qui j'ai beaucoup d'affection et qui me le rend bien, cette déclaration marque un nouveau tournant dans mes relations avec mon oncle. À partir de ce jour, et jusqu'en 1994, Hassan II fait de grands efforts de compréhension à mon égard. Nous nous voyons tous les jours. Pour la première fois, il me donne le sentiment d'être très proche de lui, et en même temps libre.

Malheureusement, pendant cette même période, je serai le témoin, extrêmement gêné, des relations tendues entre Hassan II et son fils aîné. Partout, le roi fait des scènes au prince héritier, dans la voiture, au moment d'aller à la prière ou à la sortie du Conseil des ministres. Hassan II est injuste, en fait jaloux à l'idée que Sidi Mohammed lui succédera un jour. En même temps, il se ronge les sangs parce qu'il ne parvient pas à façonner le prince héritier à son image. Au fond, Hassan II se veut immortel. Dans un moment de rage, j'avais une fois lancé à l'un de ses conseillers : « Le roi n'est pas éternel. Lui aussi doit mourir un jour ! » Le conseiller avait rapporté le propos à Hassan II. Lequel avait répondu qu'il gouvernerait même depuis sa tombe. Aujourd'hui, je me demande parfois s'il n'a pas eu raison.

Rétrospectivement, je me demande aussi si le roi ne s'est pas joué de moi et de son fils aîné. Ne s'est-il réconcilié avec moi que pour mieux me prendre à témoin des humiliations qu'il infligeait au prince héritier ? Il lui reprochait sans cesse son manque de sens politique en sous-entendant que j'avais bien plus de gouverne. Évidemment, mes relations avec mon cousin s'en trouvaient empoisonnées alors qu'elles avaient été excellentes. Je prenais souvent la défense du prince héritier mais c'était peine perdue. En 1993, Sidi Mohammed s'est épanché dans *Paris Match* : « Mon père me dit que, si je ne fais pas l'affaire, il peut toujours passer le pouvoir à mon frère ou à mon cousin germain. » Le journal à la main, je vais voir Hassan II. « Vous voyez ce que ça me vaut ? Vous créez des problèmes entre mon cousin et moi. » Il me répond : « Tu crois qu'on est une famille d'épiciers et qu'on ferme la boutique à cinq heures du soir ? Je fais ce que je veux ! Et ce que j'ai à dire à mon fils, c'est pour le bien de notre pays que je le lui dis. » Sur ce, il convoque Sidi Mohammed. « Toi, tu m'as mis dans le pétrin en portant nos affaires sur la place publique ! » Il s'ensuit une scène terrible entre nous trois. Le roi a tout fait pour nous dresser l'un contre l'autre et, ce jour-là, on peut dire qu'il touche au but. Il pense peut-être que la combativité dont il estime que son fils manquait pour régner va naître de sa rivalité avec moi. Mais le résultat est totalement négatif : du ressentiment pur chez le prince héritier. Tout ce que Hassan II va provoquer à terme, c'est une brouille monstre sans aucun bénéfice pour le pays.

Sur le tard, le roi a des regrets et tente de réparer ce qu'il a détruit. Il nous réunit, Sidi Mohammed et moi, en nous disant que nous sommes des frères, que « les choses sont allées trop loin ». C'est trop peu, trop tard... Au début des années 1990, mes relations avec Sidi Mohammed ont été tuées par le venin du pouvoir que Hassan II a instillé.

Sur le moment, je ne m'en rends pas compte. Entre 1989 et 1994, je suis grisé par la liberté qui m'est laissée. Je crois que le roi pense à sa succession et qu'il nous prépare, les uns et les autres, à occuper différentes fonctions dans l'État, à jouer chacun sa partition. Dans cette perspective, je prends de plus en plus d'initiatives. Des chefs d'État comme le Syrien Hafez el-Assad m'appellent pour passer des messages au roi. En retour, je transmets les réponses de Hassan II. Les deux hommes se détestent et évitent de se parler directement. En 1985, mon oncle avait voulu organiser un sommet de soutien pour Arafat, lequel avait fait un pied de nez à la Syrie en transférant le QG de l'OLP de Tripoli, au Liban, à

Tunis plutôt qu'à Damas. Dans ce contexte, Hafez el-Assad avait envoyé à Hassan II une lettre menaçante. Mon oncle lui avait sèchement répondu qu'il n'avait pas peur, qu'il avait l'habitude de la violence depuis notre lutte de libération – et, bien entendu, il avait maintenu son sommet de soutien à Arafat.

Hassan II se méfiait profondément de Hafez el-Assad, l'animal froid de la guerre froide. Il ne supportait pas de voir l'Amérique faire la cour à un personnage qu'il méprisait comme un lieutenant de caserne devenu général, mais incapable d'aligner deux mots faute de culture générale. Certes, en tirant sur les ficelles, il tenait le Proche-Orient en haleine, ayant fait de son pays la clé de voûte de la région. À ce propos, Kissinger répétait au roi : « On ne peut pas faire la guerre sans l'Égypte, mais on ne peut faire la paix sans la Syrie. » Hafez el-Assad, de son côté, reprochait à Hassan II de se mêler de ce qui ne le regardait pas. Il faut dire que mon oncle était allé jusqu'à octroyer à l'un des frères du président syrien, Rifat el-Assad, qui était entré en dissidence armée, des passeports marocains, pour lui et toute sa famille. Hafez el-Assad ne le lui a jamais pardonné.

Le 2 août 1990, Saddam Hussein envahit le Koweït. Chez nous, la première conséquence en est que… Hassan II découvre CNN. Il me convoque pour savoir qui est Ted Turner. Je le lui explique. Il se fait installer des paraboles, un téléviseur au cabinet royal et un autre dans sa chambre à coucher. Il me dit qu'il trouve « ça » plus fiable que ce que lui raconte son état-major ! Le Maroc ayant signé un traité de défense avec l'Arabie Saoudite, il

160

se range du côté de la force multinationale en dépit du large soutien dont l'Irak jouit au sein de la population marocaine. Hassan II est contrarié de s'inscrire ainsi en porte à faux par rapport à son opinion publique. Mais, monarque absolu, il est encore bien davantage contrarié par le fait qu'il ait à se soucier de ce que pense « son » peuple, de ne pas avoir les coudées totalement franches pour faire ce qu'il veut, sans risque. Dans sa tête, il se dit : « Moi, le Commandeur des croyants, j'en suis là ! »

Hassan II mise sur la victoire des Américains. Mais une chose le tracasse : pourquoi un homme aussi avisé que le roi Hussein de Jordanie s'est-il rangé dans la coalition adverse, aux côtés de Saddam ? Hassan II est convaincu que ce choix cache quelque chose qui lui échappe. Après un Conseil des ministres, il s'interroge devant un groupe restreint dont je fais partie : « Je ne comprends pas. Voilà un type [Saddam Hussein] qui va se faire exploser et dont le pays va être occupé comme l'a été l'Allemagne. Comment un homme aussi intelligent que le roi Hussein peut-il s'embarquer à ses côtés dans une folie pareille ? À moins qu'il ne sache que Saddam dispose d'une arme secrète... »

Comme le roi Hussein devait me l'expliquer plus tard, il s'agissait en fait d'un calcul politique : le roi jordanien pensait que Saddam Hussein, qui était par ailleurs son principal bailleur de fonds, allait agir de manière sensée et se retirer à temps du Koweït, possiblement en restant sur le site pétrolifère de Boubyane, mais sans provoquer la constitution contre lui d'une coalition mondiale. Au même titre que le *raïs* irakien, Hussein aurait alors été un héros dans le monde arabe.

De surcroît, il serait devenu un intermédiaire indispensable. Il n'imaginait pas que Saddam, en Bédouin jamais sorti de chez lui et entouré de béni-oui-oui n'osant pas le contrarier, allait persister et s'enferrer jusqu'à la garde.

Quoi qu'il en soit, Hassan II me convoque pour me confier une mission : « Je veux que tu tires cette affaire au clair. Je veux savoir si Saddam, qui prie devant les caméras et fait inscrire *Allah Akbar* sur son drapeau alors qu'il n'est qu'un *najous* [un faux dévot], a quelque chose en tête ou une arme secrète. Moi, je n'arrive à rien car les pays occidentaux veulent absolument lui casser la gueule, et je n'obtiens d'eux aucune information fiable. » Je reviens au Palais, le lendemain, pour lui expliquer que, n'étant pas à moi tout seul un service de renseignements, je ne pourrai rassembler que des faisceaux d'indices – pas la moindre certitude. Hassan II s'engage sur ce pari. Il me dit : « Parfait, je te donne un chèque en blanc, mais je veux savoir très vite. » Je contacte aussitôt des amis à Amman, des gens bien placés dans l'armée qui sont en contact avec des officiers de Saddam Hussein et avec sa famille. Je reçois énormément de monde, à qui je distribue des cadeaux de reconnaissance, des boîtes de cigares, des costumes, cinq Mercedes 560 SEL… Bref, l'affaire prend de l'ampleur. Ce qui n'échappe pas à Hassan II. Tous les deux jours, il me convoque et, sans relever la tête de son bureau, brandit une nouvelle facture. « Pour qui ? » Je réponds : « Vous voulez l'info ou pas ? » Finalement, le roi me fait venir pour me dire que je ne peux plus offrir des nuitées à l'hôtel Plaza-Athénée à Paris. Il explose :

« Enfin, Saddam a-t-il une arme secrète ou non ? » Je reconnais que je ne le sais toujours pas. « Tu dis ça pour me saigner à blanc ! »

Je décide de frapper un grand coup. Je demande à l'intendant du roi de mettre à ma disposition 250 000 dollars. Je veux rencontrer à Genève Georges Sarkis, un poids lourd – au sens propre aussi : il pèse 150 kilos – parmi les marchands d'armes. Il a traîné ses guêtres à Amman et livré des armes à Saddam. Je veux lui faire miroiter de lucratives affaires au Maroc. Les 250 000 dollars en seraient l'avant-goût. Mais quand Hassan II apprend que je me suis arrangé avec son secrétaire pour récupérer en Suisse les 250 000 dollars, il me convoque et me reproche de l'embarquer dans « une histoire de loubards de quartier ». Il fait tout annuler. Plus de cadeaux, plus de Plaza-Athénée, plus de ligne de crédit... « Je ne vais pas te laisser partir pour aller flamber mon argent ! » Sans fonds, je parviens tout de même à savoir ce que Saddam avait commandé à Sarkis. Nous en déduisons qu'il n'aurait pas acheté ce type d'armes s'il se préparait à une guerre chimique ou nucléaire. Hassan II conclut au bluff de Saddam. Il s'attend à ce qu'il se fasse « casser la gueule ». C'est ce qui arrive. Auparavant, à minuit moins cinq de la crise irakienne, le roi prononce un grand discours à la télévision pour adjurer Saddam de sortir du guêpier. Or, en privé, il nous dit, à Moulay Rachid et à moi : « J'espère que ce salaud ne m'entendra pas ! »

Politique jusqu'au bout des ongles, Hassan II n'a pas pratiqué la reconnaissance du ventre à l'égard de Saddam Hussein. Pourtant, le maître de Bagdad avait été le plus généreux de tous les soutiens extérieurs qui aidaient régulièrement son régime. Il donnait vraiment beaucoup, des cargaisons entières de pétrole. Il avait énormément d'estime pour mon oncle, pour sa double culture à cheval entre l'Occident et l'Orient, pour son habileté de roi alaouite sachant s'y prendre avec les démocraties occidentales. À son tour, Hassan II le flattait d'avoir réalisé l'unité de son pays. Par ailleurs, tous deux étaient unis dans leur refus des positions syriennes. Mais cela n'allait pas plus loin. Hassan II payait mal en retour l'admiration que lui vouait Saddam Hussein. Il méprisait l'« inculte de Bagdad ».

À force de parcourir le monde pour élucider les dessous de la première guerre du Golfe, je perds une bataille sentimentale, avec Hassan II en grand témoin de ma défaite. Encore célibataire à ce moment, j'avais une petite amie américaine, une actrice-mannequin. Ne me voyant plus, réduite à la portion congrue d'appels erratiques en provenance du Golfe ou d'Europe (nous sommes *avant* les téléphones portables), elle décide sur un coup de tête de se rendre au Maroc pour tirer l'affaire au clair. Elle débarque à l'aéroport de Rabat, en grande tenue et capeline. Ne connaissant rien au pays ni personne, elle demande au chauffeur du taxi de l'emmener « au Palais » ! Déposée au *méchouar*, elle y sème une certaine confusion en cherchant à faire comprendre son désir de me rencontrer. Or, le hasard veut que Hassan II déjeune sur la terrasse en solitaire et observe sa cour à la jumelle. Mon amie retient son attention. Il la fait venir et apprend ainsi son chagrin d'amour. Lui ayant offert son mouchoir pour épancher ses larmes, il la renvoie en Amérique en lui conseillant de m'oublier « au plus vite ». À mon retour au Maroc, il nous fait servir un tajine en insistant lourdement sur le fait qu'il préfère, lui, le poulet *beldi* (local) au poulet *roumi* (étranger) gonflé aux hormones. Comme je n'y comprends goutte, il me prend à part en sortant de table. « Règle tes affaires de cœur », me dit-il, avant d'ajouter : « Ce n'est pas très gentil ce que tu fais. »

De la même façon que Hassan II a joué l'Amérique gagnante lors de la guerre du Golfe, il avait dans le passé joué la France, par exemple lors des interventions militaires au Shaba-Katanga, au Zaïre de Mobutu à la fin des années 1970. Mais il savait alors que Paris agissait pour le compte du camp occidental dans son ensemble, avec le feu vert de Washington. Le roi admirait l'Amérique, sa vitalité crue, son esprit d'entreprise, sa puissance inouïe. Il savait aussi que les Américains étaient capables de lâcher un allié à tout moment, une fois qu'ils l'avaient pressé comme un citron. Il était donc sur ses gardes. L'idéal pour lui consistait à entretenir de bonnes relations avec les deux « grands » pays. En bon musulman, il prétendait à plusieurs épouses légitimes… Mais sa vraie épouse était l'Amérique, et la France plutôt sa maîtresse. Bien sûr, Hassan II avait plus d'affinités culturelles avec la France. Cependant, le « grand jeu » auquel il voulait participer, il ne pouvait le jouer qu'avec les Américains. Dès le début des années 1980, le roi est ainsi sorti de la trame postcoloniale française, du moins de la prétention à l'exclusivité tutélaire, en multipliant les voyages officiels aux États-Unis. Il s'est mis à jouer un rôle géopolitique dans le sillage de l'Amérique et à engranger la rente stratégique qu'il recevait, en échange, de Washington.

En novembre 1990, la parution du brûlot de Gilles Perrault, *Notre ami le roi*, ouvre un gouffre béant entre Paris et Rabat. C'est la plus grave crise bilatérale depuis l'affaire Ben Barka. Pour la première fois, Hassan II applique la diplomatie de la bascule : il signifie sans ambiguïté à la France que, si elle veut sa « peau », il se tournera vers l'Amérique et, dans une moindre mesure, vers l'Espagne.

Chargées d'histoire, les relations entre le Maroc et la France sont complexes. Même si la colonisation française ne fut qu'une parenthèse relativement courte, entre 1912 et 1956, elle a profondément changé le Maroc. Pour commencer, elle a sauvé le *makhzen* en le remettant d'aplomb. D'un point de vue marocain, il ne faut pas avoir honte de reconnaître le rôle de tout premier plan joué par le maréchal Lyautey, qui a réinventé « nos » traditions en transformant le sultanat en royaume. Le contact avec l'Occident nous a fait passer d'un régime despotique ou tyrannique, mais au pouvoir circonscrit par certains équilibres avec les tribus et les confréries qu'il fallait respecter, à une monarchie absolutiste avec sa bureaucratie propre, ses impôts, sa formalisation légale des prérogatives du roi. La sacralité du roi, bien que partiellement fondée sur l'islam, est plus largement d'inspiration européenne. Le colonialisme est à l'origine d'un compromis entre le despotisme oriental et l'absolutisme sacré européen. L'actuelle monarchie marocaine est le fruit de cette union. Pour preuve, la Constitution du royaume ne sert pas à limiter les pouvoirs du souverain mais, bien au contraire, à les lui garantir !

D'où l'attention extrême que Hassan II prêtait à la charte de son régime. À chaque modification, il faisait appel à des constitutionnalistes français, le plus souvent à Maurice Duverger et Michel Rousset. Le roi ne leur disait pas : « Voilà la dynamique sociale dans mon pays. Comment puis-je l'accompagner en droit ? » Il leur disait : « Voilà la dynamique sociale dans mon royaume. Comment puis-je l'encadrer pour rester maître du jeu ? » Les juristes traduisaient alors sa commande en normes juridiques ; puis les conseillers du roi tels qu'Ahmed Reda Guedira, Abdelhadi Boutaleb ou Driss Slaoui imprégnaient le droit français du contexte local et musulman ; ensuite, le « grand vizir » du moment adaptait l'appareil d'État en conséquence ; enfin, Hassan II, en position de force, négociait avec l'opposition le nouveau « contrat », qui était un contrat légal et non pas un contrat social.

La période coloniale a profondément refaçonné le régime chérifien, même si ce fait demeure un sujet tabou au sein de la famille régnante. Notre histoire officielle se lit à peu près ainsi : « Les colonialistes ont choisi Mohammed V en pensant pouvoir le manipuler. Or, il s'est avéré être le digne successeur de son père. Donc, la période coloniale n'a finalement marqué d'aucune manière le glorieux règne des Alaouites... » L'excentrique Moulay Abdelaziz est passé sous silence et

Mohammed V décrit comme un roi exerçant ses prérogatives en dépit de l'emprise française sur son royaume – ce qui relève du fantasme compensatoire, ou de la propagande, mais pas de la réalité historique.

Hassan II a hérité d'un sultanat « revisité » par le colonisateur. Il s'est coulé dans le moule du roi, à la fois chef d'un État moderne et Commandeur des croyants, donc souverain de droit divin. Hassan II était un monarque chérifien à la tête d'un appareil d'État tel que ses prédécesseurs sur le trône n'en avaient jamais eu à leur disposition. Mon oncle assumait parfaitement cette hybridité congénitale du système. Il était marocain jusqu'au bout des ongles et veillait à ce que l'on parle l'arabe dialectal à la cour, qu'on y mange à la manière arabe traditionnelle avec la main droite (j'en sais quelque chose puisque, étant gaucher, il a tout fait pour me faire changer, avec un résultat mitigé : je suis toujours gaucher, sauf à table où je me sers de ma main droite). En même temps, Hassan II était très fier de sa maîtrise du français. Il connaissait l'Hexagone comme sa maison et soignait attentivement « son » réseau français. Il connaissait chaque personnalité, ses goûts publics et privés – très privés parfois. Ceux qui venaient au Maroc trouvaient dans leur chambre d'hôtel des présents choisis sur mesure pour eux. Les visites ministérielles françaises les plus importantes et les plus fréquentes étaient réservées au Maroc, et une véritable « circonscription » marocaine existait à Paris. De l'interview semestrielle du roi dans *Le Monde* aux couvertures négociées de *Paris Match*, on finissait par se demander si le manipulateur n'était pas le Maroc.

Dans le ménage franco-marocain, le *chaouch* n'était pas toujours celui que l'on pense. Souvent, les fils entre la marionnette et le marionnettiste s'embrouillaient. La France bouclait les fins de mois du royaume, au besoin en faisant aboutir l'achat d'une licence de téléphone mobile. En échange, la classe dirigeante française était « logée » au Maroc. Elle y était à son aise, se prélassait dans une sorte de colonie de vacances orientaliste, qui lui plaisait d'autant plus que, historiquement, elle l'avait largement inventée.

Conviendrait-il de mettre ces phrases au présent ? L'un français, l'autre marocain, Jean-Pierre Tuquoi et Ali Amar, coauteurs de *Paris-Marrakech*, le soutiennent dans leur ouvrage paru en janvier 2012. Ils ne manquent pas d'exemples à l'appui de leur thèse. Cependant, en donnant à leur « mise à plat » son relief historique, on s'aperçoit que Marrakech est devenue l'oasis d'une jet-set internationale et que l'économie du royaume est « colonisée » par des multinationales qui sont loin d'être toutes françaises. Bref, si le tropisme français n'a pas disparu, sa force s'est diluée dans un cadre bien plus vaste que l'ancien tête-à-tête entre la France et le Maroc.

Déjà ébranlé par le livre de Gilles Perrault, qui fait feu de tout bois contre lui, Hassan II vit le défi d'une grève générale en décembre 1990, qui débouche sur deux jours d'émeutes populaires à Fès et à Tanger, comme une insulte infligée à sa légitimité. Cela le touche au-delà du nombre des victimes de la répression (106 morts à Fès d'après l'enquête publiée, en 2005, par l'Instance Équité et Réconciliation mise en place par Mohammed VI). Mais Hassan II persiste dans son soutien aux Américains. Il ne change pas de ligne, allant jusqu'à décorer Colin Powell du Grand Cordon alaouite. Mais il aura le triomphe modeste. Je me souviens d'avoir discuté avec lui de la possibilité de « pousser l'avantage » à la fin de la première guerre du Golfe, quand le cours des événements avait ratifié son analyse. Hassan II a écarté l'idée. Il a eu la sagesse de ne pas verser dans la provocation.

Quand toute cette agitation retombe, en 1991, Hassan II tire les leçons de *Notre ami le roi*. Le livre a secoué les piliers de son palais. Mon oncle se résout à repenser sa politique dans le cadre post-guerre froide, en tenant compte de l'opinion publique internationale et de son attachement – à géométrie variable – aux droits de l'homme. En septembre 1991, il ferme le bagne de Tazmamart et libère Abraham Serfaty... pour aussitôt le faire expulser du royaume comme « brésilien ». Serfaty, c'est le morceau qui ne passe pas ! Hassan II refuse de le considérer comme marocain. Il refuse tout à son sujet, il ne le supporte pas. Est-ce parce que Serfaty est juif et marxiste, et qu'il n'a pas milité au sein du Mouvement national ? Ou parce que son épouse française, Christine Daure-Serfaty, était la source à laquelle Gilles Perrault avait puisé pour écrire son livre accusateur ? Je ne le sais pas. Je rencontrerai Abraham Serfaty pour la première fois seulement en 2001, lors d'un colloque à Cordoue, en Espagne. Je connaissais bien l'une de ses nièces, une fille de mon âge avec qui je montais à cheval à Casablanca. Elle m'avait raconté beaucoup de choses sur son oncle, mais je n'avais jamais évoqué le cas de Serfaty avec Hassan II. À Cordoue, je découvre un homme de conviction, chaleureux. Mais, bien que je respecte sa droiture, je n'approfondis pas l'échange avec lui. J'aurais eu le sentiment de trahir la mémoire de Hassan II.

En 1993, à l'issue d'élections législatives qu'elle a remportées, l'opposition marocaine, emmenée par l'Union socialiste des Forces populaires (USFP) et l'Istiqlal, refuse de participer au gouvernement. Ce faisant, elle contrarie la volonté de Hassan II. Celui-ci riposte en prononçant l'un de ses plus beaux discours politiques, un chef-d'œuvre de communication. Finis le pupitre et l'estrade ! Il n'y a plus de barrière entre lui et le public. J'en suis ébahi : court-circuitant tous les corps intermédiaires, s'adressant par-dessus leurs têtes directement à « son » peuple, il énumère, à la manière d'un chef de famille, tout ce qu'il a concédé à l'opposition. Il dresse la liste, un par un, des quarante ministères du gouvernement – sans s'attarder sur les portefeuilles dits de souveraineté pour lesquels il s'était réservé le droit de nommer les titulaires. « Je leur ai tout donné, dit-il en substance. Que veulent-ils de plus ? » Autre chose, apparemment. Mais quoi ? Quelque chose qu'il ne peut pas leur concéder. Par un tour de passe-passe magistral, il ramène ainsi la discussion politique à ce qu'elle avait été dans les années 1960, en accusant implicitement l'opposition de « mettre en équation » sa place et, donc, la monarchie. Ce discours sème le doute chez nombre de Marocains, qui aspirent à une cohabitation à la française, au meilleur des deux mondes, c'est-à-dire au franc-parler et à l'intégrité de l'opposition en même temps qu'au leadership de Hassan II et à la stabilité apportée par la monarchie.

En vérité, le roi s'était obstiné à maintenir au ministère de l'Intérieur Driss Basri, son « grand vizir », quitte à compromettre son projet d'ouverture. Hassan II l'a regretté par la suite car, après avoir essayé moult stratagèmes pour redynamiser son régime, il voulait vraiment d'une « alternance » sous son contrôle. À la fin de sa vie, lors d'une très longue discussion avec moi, il me fera remarquer qu'en 1871, Bismarck et l'empereur avaient initié, eux aussi par le haut, des réformes démocratiques en Allemagne. De même, en 1909 en Scandinavie, le suffrage universel avait été introduit en même temps que le vote proportionnel, en contrepartie. Autrement dit : l'ouverture démocratique a souvent servi à proroger des systèmes anciens. Le roi, qui s'inspirait de l'histoire, a cru à la mystique de l'« alternance » mais il s'est trompé sur le compte de l'opposition. Quand celle-ci a fini par gouverner, Hassan II a été effaré par son manque de consistance, par la facilité avec laquelle elle s'est laissé séduire par les privilèges et hochets du pouvoir, Mercedes de fonction, téléphones portables, costumes Smalto, réceptions fastueuses et mariages de rêve...

Le soutien apporté par le roi Hussein de Jordanie à Saddam Hussein pendant la première guerre du Golfe a longtemps pesé sur les relations entre la monarchie saoudienne et la monarchie jordanienne. Je suis chez moi des deux côtés. En 1993, le roi Hussein me reçoit et m'expose ses problèmes avec les Saoudiens. Il est vraiment en mauvaise posture, vilipendé par les vainqueurs, y compris des princes subalternes d'Arabie Saoudite qui publient dans la presse arabe des lettres ouvertes hostiles. Je l'informe du fait que je vais être reçu par le roi Fahd une semaine plus tard et lui demande de pouvoir faire état de notre conversation afin d'explorer les marges d'un possible rapprochement. Hussein me prévient de la difficulté de la tâche mais me donne son accord. Comme prévu, je m'entretiens ensuite avec le roi Fahd jusqu'à fort avant dans la nuit. J'essaie de le convaincre que Hussein, après avoir fait le mauvais choix sous des contraintes qui étaient réelles pour son pays, est sincère dans sa recherche d'apaisement. Au bout du compte, le roi Fahd me demande pourquoi Hussein se fait alors de nouveau donner du « chérif ». Ne serait-ce pas pour ressortir la « vieille histoire » de sa revendication sur La Mecque ? Pour se faire passer pour l'émir des lieux saints de l'islam ? Je lui réplique que je suis un chérif moi-même, descendant du Prophète, et que j'en suis fier, sans que cela soit chargé de sous-entendus. Je retourne voir Hussein, qui promet de ne plus irriter le souverain saoudien à ce titre. J'en avertis le roi Fahd. Peu après, sans renouer des relations diplomatiques, l'Arabie Saoudite rouvre ses frontières aux marchandises jordaniennes. Un dégel s'amorce, j'y ai contribué.

J'ai tort d'être fier. De retour au Maroc, Hassan II me convoque. Il est absolument hors de lui. Il a eu vent de l'affaire et me reproche d'avoir pris, sans l'en avertir, une initiative diplomatique qui l'engage. Je cède car je me rends compte que, en effet, j'ai commis une erreur, toute action de ma part étant fatalement perçue comme émanant du roi. Pour la première fois de ma vie, je demande pardon à Hassan II. Mais ma sincérité ne trouve pas de répondant. Le roi a pris ombrage de mon initiative, pourtant bien intentionnée ; du coup, ce que nous avons construit en trois ans est fragilisé. Hassan II estime que j'ai voulu le doubler en marchant sur ses plates-bandes. Il est surtout blessé de voir que mon cœur est resté en Orient ! De mon côté, je doute de la volonté du roi de préparer sa succession. Jusque-là, j'avais pensé qu'il nous formait, ses fils et moi, avec un dessein clair, avec une répartition des rôles pour nous tous, chacun à sa place. J'avais pensé que le roi était dur à notre égard, et tout particulièrement envers le prince héritier, en vue de nos futures responsabilités. J'avais voulu y croire. Pourtant, nous n'étions jamais présents lors des délibérations vraiment importantes, quand les grandes décisions étaient prises. Lorsque le risque existait que quelqu'un dise non au roi, ni Sidi Mohammed ni Moulay Rachid ni moi n'étions conviés. Nous étions admis aux rencontres avec les Gabonais ou les Polonais. En revanche, nous n'assistions pas aux tractations avec la troïka de l'opposition – Abderrahman el Youssoufi, Mohamed Boucetta, et Ait Idder – ni aux pourparlers avec James Baker sur le Sahara occidental et, encore moins, aux apartés avec les émirs du Golfe, quand il fallait parler de ce que mon cousin et moi appelions, entre nous, le « hold-up de Jesse James » du roi sur les pétrodollars – alors là, pas question ! Il ne fallait pas de témoins quand le Commandeur des croyants se muait en « quémandeur des croyants », pour reprendre une formule du *Canard enchaîné*. Je constate donc, brutalement, que je me suis trompé sur les intentions de Hassan II. Il n'y a pas de plan, juste ce grand « théâtre » qui avait déjà jeté son ombre sur mon enfance.

Le réveil est rude. Hassan II ne veut plus me confier de mission. Je m'en aperçois à l'occasion d'un épisode pénible en 1992 quand, au cours d'un voyage en Arabie Saoudite, Hassan II m'empêche de le suivre dans la salle d'audience en déclarant que je ne fais pas partie de sa délégation. Ce jour-là, je rentre au Maroc, sans le prévenir, en empruntant l'avion d'un ami. Sidi Mohammed est également tenu à l'écart. À ce sujet, une mauvaise plaisanterie circule au Palais. On raconte que Hassan II, en visite en Algérie, introduit Sidi Mohammed et Moulay Rachid auprès de Chadli Bendjedid en disant : « Je vous présente mes dauphins. » Se tournant vers l'aréopage de généraux autour de lui, le président algérien aurait répondu : « Et voici mes requins. » Une façon de dire qu'après la disparition du roi, ses dauphins seraient vite déchiquetés.

Le 2 février 1994, Omar Raddad est condamné à dix-huit ans de réclusion par la cour d'assises de Nice. Le verdict retenu contre ce jardinier marocain accusé d'avoir assassiné, en juin 1991, Ghislaine Marchal, son employeur, soulève une grande émotion au Maroc. « Omar m'a tuer. » L'affaire condense divers sujets sensibles liés à l'immigration et à l'intégration en France, notamment en ce qui concerne les étrangers arabes et musulmans. Le cas d'Omar Raddad devient emblématique. Persuadé de son innocence, je décide de le soutenir. Il est défendu par Me Jacques Vergès, à qui son père Abdeslam et sa femme Latifa ont demandé de l'aide. Me Vergès est un brillant avocat mais il pratique une défense politique, dite de « rupture », qui, dans ce cas particulier, ne me semble pas le meilleur choix. Quand le verdict tombe, Me Vergès déclare : « On condamne un jardinier parce qu'il a le tort d'être arabe. La bataille ne fait que commencer, la bataille contre le racisme. »

Pour ma part, je connais et apprécie Me Paul Lombard, que j'appelle dès le surlendemain du verdict en première instance, le 4 février. Nous commençons à organiser la défense en appel du jardinier. Je contacte Abdeslam Raddad, le père, le 12 février. Il vient me voir à Rabat et nous convenons qu'il aille trouver son fils en prison pour le convaincre de dessaisir Me Vergès au profit de Me Lombard. C'est chose faite le 7 mars. Hassan II réagit au quart de tour : en deux semaines, il aura fait en sorte que la famille Raddad réclame de nouveau l'intervention de Me Vergès, l'avocat qu'il a maintenant constitué, lui, le roi. Me Lombard se dessaisit lui-même du dossier le 16 mars, juste avant de se faire démettre. Mais il reste l'avocat du père et, à ce titre, peut toujours intervenir dans le procès en appel.

La réaction de Hassan II m'a été expliquée plus tard. Le patron de la gendarmerie royale, le général Benslimane, avait intercepté des cars de Rifains descendant vers Rabat pour me remercier de mon aide envers l'un des leurs. Or, dans notre système, il revient au roi seul de défendre « ses » sujets à l'étranger. Il devait donc contrer ma préemption sur le dossier. Du coup, Omar Raddad avait un prince et le roi qui se battaient pour l'aider ; sans excès de scrupules, il a joué sur les deux tableaux. En cela il était différent de son père, un Rifain droit, fidèle à sa parole. Pour finir, après moult rebondissements, Hassan II a obtenu de Jacques Chirac, en mai 1996, une grâce partielle pour Omar, dont la peine initiale a été commuée à cinq ans au lieu de dix-huit. Le roi s'est montré moins clément à mon égard : la cérémonie de la fête du Trône, le 3 mars 1994, a marqué ma dernière apparition officielle à la télévision marocaine aux côtés de Hassan II. Par la suite, je n'existe plus. Je continue de voir le monarque en privé mais, publiquement, sur le plan du protocole d'État, je disparais.

À ce stade, s'il n'avait dépendu que de Hassan II, j'aurais déjà été un zombie économique, un prince exsangue. Certes, le roi m'avait finalement laissé bâtir mon « palais des sables » dans le Nord. Mais il avait étouffé systématiquement mes tentatives successives de monter des projets économiques dans son royaume, même avec des partenaires extérieurs du gabarit de Rhône-Poulenc. Avec Omar el-Akkad, un homme établi au Moyen-Orient, nous avions par exemple créé une joint-venture au Maroc pour fabriquer du PVC, et nous comptions acheter notre matière première – un dérivé du pétrole – chez SABIC, en Arabie Saoudite. Hassan II me reçoit avec mes partenaires, sous couvert de paternalisme, mais en fait pour torpiller mon projet. Il écœure et décourage tout le monde. Il arrive aux réunions avec ses clubs de golf, organise des dizaines de réunions. Nous finissons par renoncer.

À sa stratégie de suffocation, j'avais répondu par un grand roque, via les cases au Moyen-Orient d'où il ne parvenait pas à me déloger. Une fois de plus, Kamal Shair et Saïd Khouri étaient de la partie. Mais l'homme clé était le cheikh Mohammed bin Zayed al-Nahyan, mon « frère » électif. Il avait été au Collège royal avec Sidi Mohammed et moi jusqu'à l'âge de dix ans. Quand je l'ai connu, il n'était que l'un des vingt-deux fils du fondateur et dirigeant des Émirats arabes unis (EAU), pas spécialement bien placé dans l'ordre de succession. Je m'en moquais. Avec lui, je montais à cheval, je passais mes vacances, je voyageais dans le monde entier, toujours avec le même plaisir partagé. Aussi, quand il est nommé à la tête de l'Offsets Group à Abu Dhabi, en 1987, il m'associe à certaines de ses initiatives. Je mets du temps à comprendre de quelles « compensations » – *offsets* – il s'agit. L'idée est d'obliger les grandes compagnies, notamment dans l'armement, à réinvestir une partie de leurs profits dans la diversification économique des EAU, une éponge à pétrole dans le désert. Une bonne idée, du moins sur le papier. Car, en réalité, les compagnies d'armement promettent la lune avant de signer, mais se défilent par la suite.

Je l'apprends à mes dépens dans l'affaire Thomson-CSF, qui avait remporté aux Émirats un mirifique contrat pour la couverture radar et la défense anti-aérienne du pays. C'est grâce à ma capacité à débloquer ce dossier qu'ils avaient bénéficié de cette aubaine.

J'étais en effet à l'époque, avec mon ami et collaborateur de longue date Mustapha Alaoui, consultant contractuel de Thomson, mon rôle étant de leur trouver des contrats de compensation et des opportunités pour des transferts de technologie. Mustapha Alaoui, en qui j'avais toute confiance, le connaissant depuis nos années universitaires aux États-Unis, avait signé pour ma société le contrat avec la BATIF, une banque du groupe Thomson.

Quand Hassan II apprend mon implication dans ce dossier, il remue ciel et terre pour me faire éjecter. La déontologie royale aura bon dos. En réalité, Hassan II sait que, cette fois, de vraies sommes sont en jeu et, donc, mon indépendance. Sur-le-champ, il expédie le général Kadiri à Paris auprès du PDG de Thomson, Alain Gomez ; un autre émissaire part aux Émirats où le cheikh Zayed bin Sultan al-Nahyan, le père au pouvoir de mon ami, le rassure. Moulay Hicham n'est pas impliqué dans une vente d'armes ; il s'occupe de projets financés grâce à l'équivalent d'une taxe de développement. L'honneur est sauf, mais ce n'est pas d'honneur qu'il s'agit. Hors de lui, Hassan II fait arrêter la seule personne sur laquelle il peut mettre la main : Mustapha Alaoui. Quand la femme de mon ami m'apprend qu'il est injoignable et, officiellement, « en mission », je suis aux cent coups. Encore que je n'imagine pas que le roi lui inflige toute sa panoplie de terreur, roulette russe et tournée en hélicoptère incluses. Le temps que l'épouse de Hassan II se rende en personne sur place pour le faire libérer, Mustapha Alaoui a subi de telles frayeurs que, de peur, sa mâchoire s'est décrochée. Il devra se faire soigner pendant six mois aux États-Unis, avant de récupérer. Il vit aujourd'hui entre Dubaï et Montréal. Hassan II ne joue plus. Thomson, qui croit s'être débarrassé de moi et de mes rémunérations, se réjouit. Et moi ? Je m'installe à Paris chez ma tante Alia el-Solh, qui habite au 12, rue de l'Élysée. Pendant une semaine, nous guettons François Mitterrand, qui passe régulièrement sous sa fenêtre. Ma tante, qui connaît le président français, ne lui dit que ceci pour l'arrêter : « Au nom de la dignité et de l'honneur de la France, voici mon neveu. Écoutez-le, s'il vous plaît. » François Mitterrand me fait signe de le rejoindre. Il a l'amabilité de prétendre se souvenir de moi. Je lui ai été présenté dans des circonstances protocolaires au Maroc. Sur le trottoir, en peu de mots, je lui résume mon histoire avec Thomson. « Jeune homme, donnez une copie du contrat à votre tante. » Une semaine plus tard, ma tante m'appelle : « François Mitterrand m'a dit qu'on était quand même en France ici et non pas dans une république bananière. » J'y pense quand Thomson me soumet un nouveau contrat et accepte de payer ma rémunération par avance. J'en informe Hassan II. « Sire, ma fidélité m'oblige à vous dire que le contrat avec Thomson a été rétabli. » Ce jour-là, le roi comprend que j'aurai les moyens — et la volonté — de lui résister.

En 1994, je fonde mon institut de recherches à l'université de Princeton grâce à un *endowment*, une dotation qui, dans l'engineering financier, correspond au *waqf* dans la tradition musulmane. Il s'agit de placer un capital fixe dont les revenus vont servir à financer une activité philanthropique. Je fais don de 6 millions de dollars à l'université de Princeton pour mon institut. Les dividendes de cette somme couvriront un poste de directeur, ainsi que le coût d'un *visiting professor* et de deux *visiting fellows*, des chercheurs en résidence temporaire. Pourquoi à Princeton ? D'abord, du vivant de Hassan II, je ne peux pas fonder au Maroc un institut pour débattre de sujets politiques en toute indépendance et liberté. Ensuite, Princeton, mon *alma mater*, est un lieu d'excellence. Je suis reconnaissant pour l'éducation que j'y ai reçue. Par ailleurs, je veux encourager le débat d'idées et mieux faire connaître la partie du monde dont je suis originaire. Enfin, j'entends contribuer au rayonnement du monde arabo-musulman. Par exemple, Benazir Bhutto, la première femme élue chef de gouvernement dans un pays musulman, le Pakistan, viendra expliquer sa politique dans mon institut. Aux États-Unis, les anciens élèves – *alumni* – maintiennent souvent avec leur université une relation qui se situe entre l'enseignement continu, le réseau d'influence et la philanthropie. Mon institut, créé sous les conseils de John Waterbury et feu Edward Saïd, et longtemps inspiré par mon ami et compatriote Abdellah Hammoudi, anthropologue à Princeton, s'inscrit dans cette logique.

Je prends soin de prévenir Hassan II de la création de mon institut en lui envoyant deux fiches explicatives. Il ne répond pas. Je poursuis, donc, sans son accord explicite. L'opposition du roi ne devient frontale que lorsque je veux donner à mon institut le nom de son père, Mohammed V, et non pas le sien. Le 12 mai 1994, un communiqué du Palais, qui ne me cite pas, rend publique l'objection du roi par rapport à cette appellation. Dans la foulée, Hassan II me convoque : « Écoute, nous nous aimons, nous ne nous aimons plus, tout cela c'est dépassé. Mais nous devons vivre pour la galerie. Et il y a un code de la route à respecter. Tu ne peux pas décider de nommer un institut "Mohammed V" comme ça, parce que c'est ton grand-père. C'est, avant tout, un roi du Maroc.

— Mais enfin, ce n'est quand même pas un bar que je veux appeler Mohammed V !

— La nuance ne m'intéresse pas. Je t'ai expliqué le principe. »

Ce dialogue de sourds a entraîné des suites. Le 25 mai 1994, le roi nomme Abdellatif Filali Premier ministre, un signe d'ouverture en attendant l'« alternance » qu'il appelle toujours de ses vœux. Le secrétaire général du nouveau gouvernement marocain envoie au président de Princeton, Harold Shapiro, une lettre expliquant que mon institut contrevient « aux us et coutumes de la monarchie et du Maroc ». Puis des avocats débarquent de nouveau à Princeton pour demander avec insistance que le nom de Mohammed V soit abandonné. Harold Shapiro leur répond que la décision me revient. Pour remporter le bras de fer, Hassan II va jusqu'à brandir la menace d'une procédure en justice. Pour éviter de telles extrémités, bien que le roi risque fort de se voir débouter en justice, je décide de renoncer au nom de mon choix. Il n'est dans l'intérêt de personne que Hassan II perde la face, ni que des Alaouites se disputent dans un prétoire le nom de Mohammed V. D'un point de vue dynastique, le jeu n'en vaut pas la chandelle.

Je remets donc mon grand-père bien aimé dans la naphtaline. En revanche, mon institut – à qui je donne alors un nom à rallonge archi-académique : Institute for the Transregional Study of the Contemporary Middle East, North Africa, and Central Asia – voit bien le jour. Ce qui exaspère l'ambassadeur du Maroc alors en poste à Washington, Mohamed Benaïssa, qui continue de tout faire pour saboter mon projet. Il harcèle le président de Princeton au point qu'un dimanche, il le suit à un match de football pour pouvoir lui parler de l'« affaire » ! En réaction, j'écris une lettre à Benaïssa pour l'exhorter à se comporter comme l'ambassadeur du royaume du Maroc et non pas comme un représentant du « royaume de Mickey ». Je le préviens aussi du fait que, lors de mon prochain passage au Maroc, je demanderai à voir le roi à ce propos. En réalité, Hassan II va nous convoquer tous les deux au palais de Skhirat, à l'été 1994. Il nous y reçoit sur le terrain de golf, à bord de son wagon de train qui date du temps du protectorat. Comme toujours, Hassan II fait preuve d'un sens aigu de la mise en scène. Du haut de son wagon, tel Zeus depuis l'Olympe, ses paroles s'abattent sur nous comme la foudre. « Moulay Hicham, comment peux-tu parler de Mickey à mon ambassadeur qui représente le royaume du Maroc ?! Pour qui te prends-tu ?!

— Sire, c'était le seul moyen d'attirer votre attention sur cette affaire. La preuve… Maintenant, pouvez-vous demander au représentant de l'État de cesser de m'ennuyer sur ce dossier ? »

L'affaire est classée. Peu de temps après, le roi me convoque derechef. Il est épuisé, physiquement à bout. Il me fait de nouveau venir à Skhirat mais, cette fois, je le trouve assis sur un pouf. D'habitude, pour faire des remontrances, il accueille soit en position surélevée, soit au bout d'un interminable couloir que ses visiteurs doivent parcourir, sans qu'il s'avance vers eux – en se sachant toisé et détaillé, il est difficile de garder son naturel. Or, en m'invitant à m'asseoir sur un autre pouf, à sa hauteur, le roi s'est exprimé avant de prononcer son premier mot. « Quand allons-nous enfin arriver à une vitesse de croisière dans nos relations ? » me demande-t-il. S'ensuit une discussion calme, posée, raisonnable. Nous colmatons les brèches pour quelque temps. Il faut reconnaître que, dans le but de m'affirmer face à lui, j'ai été souvent véhément, parfois trop. Quoi qu'il en soit, notre ravalement de façade ne résiste pas longtemps à nos divergences de fond. Le fait que l'on ne me voie plus à la télévision, ni dans les manifestations officielles, commence à alimenter la rumeur publique. Partout et sans cesse, on m'interroge à ce sujet. Je ne commente pas mais je prends publiquement et en toute liberté position sur les sujets qui me tiennent à cœur – ce qui agace prodigieusement Hassan II. Lors de mes venues au Maroc, je continue à aller saluer le roi. Mais c'est tout. Un soir, peu de temps après une cérémonie commémorant la mort de Mohammed V à laquelle je n'ai pas pris part, je vais ainsi voir Hassan II au golf.

Sur le green, dans la lumière des projecteurs, il me reproche mon absence.

« Tu n'es pas venu saluer la mémoire de ton grand-père !

— Mais, sire, c'est une manifestation politique.

— Non, c'est une manifestation religieuse. Et c'est la famille. »

Ce soir-là, je comprends que la monarchie marocaine mêle de façon consubstantielle le religieux, la parenté et la politique. Tout cela est inséparable en même temps que distinct – une vraie hypostasie. Je comprends aussi que notre jeu du chat et de la souris ne mènera nulle part, sinon à la guerre. En n'allant pas à cette fête, j'ai rompu le lien ténu qui me reliait encore au roi, notre lien familial.

Ainsi commence ma traversée du désert. Au Maroc, ce n'est pas rien : vous faites l'objet de mille et une rumeurs, toutes malveillantes ; plus un ministre ou ambassadeur ne vous dit bonjour ; la bourgeoisie casa-blancaise et l'élite de Rabat rentrent dans leur coquille. Vous vivez une sorte d'exil interne. Seuls les amis fidèles demeurent. Il y en a, heureusement, mais ils ne sont pas légion.

En même temps que je suis mis à l'écart, rien ne va plus entre le roi, qui semble malade, même si personne ne sait ce qu'il a, et son fils aîné. À partir de 1995, Hassan II et Sidi Mohammed sont comme un couple divorcé, qui s'efforce de maintenir les apparences pour les enfants et le monde alentour : des formes sans fond, des sentiments affichés pour rassurer… Ce n'est guère mieux entre Sidi Mohammed et moi. Nous sommes les victimes d'une équation à trois variables. Le roi a tout fait pour nous brouiller. Il y est parvenu. Je ne suis plus invité à l'anniversaire du prince héritier, je ne dîne plus avec lui. Entre nous aussi, c'est terminé.

Heureusement, ma vie privée m'apporte de grandes joies pendant cette période. En 1995, je me marie avec Malika Benabdelali. Nous nous sommes connus très jeunes, dès l'âge de neuf ans. Par sa mère, une Laghzaoui, Malika est la petite-fille d'un grand commis de l'État. Son père, Abderrahman Benabdelali, était l'un des fondateurs de l'UNFP et un ami de Mehdi Ben Barka. Mis sur la touche après la mort de Mohammed V, il est décédé jeune, quand Malika n'avait que huit mois. La mère s'est alors remariée avec un ambassadeur du Maroc, Ahmed Taibi Benhima. En somme, la famille de mon épouse est à la fois dans le *makhzen* et dans le Mouvement national. Malika a fait des études de sciences économiques. Elle a ensuite monté avec son frère une société de téléphonie au Maroc, Bell Canada. Depuis plusieurs années, nous souhaitions nous marier. Mais ma mère s'y opposait, estimant la mère de Malika trop proche du Palais. Le fait que Hassan II fût favorable à notre mariage, sans doute parce qu'il pensait qu'en fondant un foyer j'allais me calmer, ne pouvait que nourrir son hostilité. Je ne souhaitais pas contrevenir à la volonté expresse de ma mère. Elle a fini par accepter notre union, voire par admettre qu'elle avait mal jugé Malika.

Hassan II était favorable à mon mariage mais à condition d'être le roi de mes noces. Il aurait voulu les organiser pour moi, me faire parader en public dans une voiture décapotable, bref : mon mariage aurait été mon retour au bercail. J'ai refusé. Ainsi, le jour de mes noces, le 16 juin 1995, Hassan II fait-il une chose inouïe. Il arrive habillé n'importe comment et en tirant une tête longue comme une toise. Je ne comprends pas ce qui se passe. Par la suite, j'apprends qu'il avait décidé de se venger de ma fronde. Il avait commandé au musée Grévin, à Paris, une effigie de mon père. Il l'avait fait venir par avion, l'avait mise dans un van et comptait l'apporter au mariage – je ne sais trop avec quelle arrière-pensée malsaine. Juste avant la cérémonie, il révèle son « plan » à son fils ainsi qu'à son « fou » préféré, Adelkrim Lahlou. Sidi Mohammed est choqué. Il dit à son père que la statue en cire lui donne envie de pleurer. Ce n'est pas un cadeau. Lahlou ajoute que, certes, Hassan II peut faire ce qu'il veut, car il est le roi, mais qu'il va créer une cassure irrémédiable. « Sire, pourrez-vous vivre avec cela ? Si oui, faites-le. Sinon, mieux vaut s'abstenir. » Malgré ces mises en garde, Hassan II s'obstine. Mais au moment de hisser la statue dans la camionnette, le prince héritier met son pied en travers et, exprès, la fait tomber. Elle se casse. « Pour la mémoire de mon oncle, je ne te laisserai pas faire ça ! » Grand drame entre le père et le fils ! En arrivant chez nous, Sidi Mohammed a juste le temps de me souffler : « Ne cherche pas à comprendre, c'est trop compliqué. Je t'expliquerai plus tard. »

Cette même année 1995, Abraham Serfaty me dédicace l'un de ses livres, *Entre le noir et le gris*, qu'il me fait parvenir par l'intermédiaire de Mohamed Mjid, alors président de la Fédération royale marocaine de tennis. En voici la dédicace : « Au prince citoyen, dans l'espérance de vivre sous l'égide d'une monarchie éclairée et réformée. » Je suis assez étonné de cette référence à la monarchie, fût-elle constitutionnelle, de la part de Serfaty, marxiste et républicain déclaré... En veine de provocation, je montre l'ouvrage à Hassan II. Le roi prend le livre et refuse de me le rendre. Je serai obligé de demander à Serfaty un autre exemplaire dédicacé en lui expliquant ce qui s'est passé. Il a dû être content d'avoir touché le nerf du roi une fois de plus !

En juillet 1995, je publie dans *Le Monde diplomatique* un article titré « Être citoyen dans le monde arabe ». Je connais le rédacteur en chef du mensuel, Ignacio Ramonet, qui a été professeur au Collège royal. Dans ce texte plutôt académique mais non sans accrocs tranchants sous une surface lisse, j'explique que le concept de citoyenneté attend un début de réalisation dans le monde arabe – c'était quinze ans avant le Printemps arabe. À l'époque, j'écris : « Le mot de citoyen, exhibé fièrement dans le texte de la plupart des constitutions des États arabes, est un abus de langage. Le terme réel de *muwatin* (traduction usuelle du mot citoyen) recèle en effet une connotation totalement différente tant elle désigne des sujets politiques dont la subordination à l'État est jugée acquise mais dont la loyauté reste toujours suspecte, et pour qui la liberté est à la fois octroyée et provisoire. »

Hassan II n'en croit pas ses yeux. Avec dix exemplaires du mensuel sous le bras, il parcourt son palais d'été de Skhirat à grandes enjambées. Il croise l'un de ses conseillers qu'il apostrophe : « Regarde ce que m'a fait Moulay Hicham ! Si tu ne le savais pas encore, maintenant tu le sais : tu n'es pas un citoyen ! » Sur ce, il lui flanque le journal à la figure ! Il trouve ainsi plusieurs malheureux, à qui il fait le même coup. Il se lamente dans la tradition du père abusé, même s'il y a une part de dérision théâtrale dans sa réaction. Au fond, *Le Monde diplomatique* ne l'intéresse pas. Il s'estime au-dessus de la mêlée, surtout de gauche. Il me convoque néanmoins dans le jardin de Skhirat. Sidi Mohammed, qui est avec moi quand j'apprends la nouvelle, me dit : « Si tu t'en sors cette fois-ci, je t'appellerai Indiana Jones. » Puis il se cache derrière un arbre pour nous écouter. C'est le dernier bon souvenir que je garde de lui : chaque fois que Hassan II tourne le regard, il sort de sa cachette pour faire un bras d'honneur, qui manque de me faire éclater de rire…

« Écoute, me dit le roi, moi je peux te gérer mais il y a le monde arabe autour de nous. Et je ne suis pas sûr qu'ils se taisent à cause de moi. Ils voudront faire de ton cas un exemple, pour éviter la contamination chez eux. Tu ne peux pas te permettre de continuer de la sorte. » Je ne réplique pas, j'esquive. Ce n'est pas le lieu de défendre mes droits de citoyen. J'ai dit ce que j'avais à dire sur la place publique. Ce faisant, du point de vue du roi, je lui ai cherché querelle sur le terrain politique, j'ai marché sur ses plates-bandes. Mieux vaut se taire. L'ambiance est déjà assez lourde, et le restera.

En septembre 1995, je quitte le royaume pour des études de troisième cycle à l'université de Stanford, en

Californie. C'est loin, donc c'est bon. Paris ne saurait m'offrir pareil répit puisque, dans un certain sens que l'on pourrait dire « postcolonial », Paris est à l'heure de Rabat. En revanche, l'Amérique est un autre monde, moins obéré par le passé, en décalage pas seulement horaire. Pour moi, c'est la liberté.

IV.

LA RUPTURE

Je m'installe à Stanford, près de San Francisco, pour y poursuivre mes études de sciences politiques. La Californie est pour moi un endroit mythique, que je connais pour y avoir rendu visite régulièrement à mes cousins maternels, les princes Walid et Khaled, qui ont fait leurs études au Menlo Park College à Atherton, une école de commerce de la Silicon Valley. À Stanford, je me plonge dans l'étude des transitions politiques pour sortir de l'autoritarisme, notamment en Amérique latine. Je cherche à comprendre dans quelles conditions s'accomplit le passage vers la démocratie de régimes militaires ou d'autres formes de dictature. C'est sur ce sujet que portera aussi mon mémoire.

Je suis à peine arrivé en Californie quand, en octobre 1995, le monde que je viens de quitter menace de s'effondrer : en déplacement à New York pour s'adresser à l'ONU, Hassan II a un malaise. L'agence marocaine de presse publie un communiqué laconique se bornant à indiquer que « les médecins de Sa Majesté lui ont demandé de se reposer ». Je décide de me rendre sur place pour voir par moi-même. J'arrive le matin vers sept heures et demie à l'hôpital de New York, où je m'installe dans la salle d'attente. Un petit cercle de dignitaires du régime, les traits tirés, m'apprend que le roi est en réalité dans une unité de soins intensifs. J'attends mais rien ne se passe, et je ne peux rien faire. Cependant, alors que je m'apprête à regagner mon hôtel, le général Kadiri, le chef du contre-espionnage marocain, me rattrape dans la rue pour me dire que le roi veut me voir. Quand j'entre dans sa chambre, Hassan II est entouré de Sidi Mohammed et de Lalla Meryem, sa fille aînée. J'embrasse sa main, nous échangeons quelques mots, puis il nous demande de rester tandis qu'il interroge ses médecins, sans fard ni fioritures. Son cas est grave. Je suis bouleversé, ébranlé aussi par le fait qu'il nous souhaite près de lui. Il me dit : « Toi, j'ai perdu ta trace. Qu'est-ce que c'est que ces histoires en Californie ? Qu'est-ce que tu fous là-bas ? » Je lui explique, comme s'il ne le savait pas, que je poursuis mes études. Il apostrophe alors une infirmière, en anglais : « *Is Stanford a serious college ?* » Elle répond : « *Oh yes, Your Majesty, a very prestigious college !* » Sa réponse, banale, me vaut absolution. Nous rions de bon cœur, c'est la fin de notre brouille.

Je rentre à l'hôtel avec Sidi Mohammed. Les regards que nous échangeons au sujet de la santé du roi sont sans équivoque. Nous ne parlons pas du reste, c'est-à-dire de nos différends et du fait que nous nous sommes évités depuis des mois. Le prince héritier fume sans arrêt ; je mange pour deux, nerveusement. Le lendemain, Hassan II quitte l'hôpital pour le Plaza Hotel, où il est rejoint par son médecin personnel puis par les meilleurs médecins américains. Parmi eux se trouve le gastro-entérologue de l'université de Chicago, le professeur Kirschner, déjà parti à la retraite, à qui le roi demande expressément de venir le soigner. « Vous avez suivi mon frère dans les moments difficiles, je voudrais que vous me suiviez aussi. »

Jamais Hassan II ne nous dira clairement ce dont il souffre. Un roi ne peut pas devenir mortel du jour au lendemain. Mais il refuse une opération complexe qui aurait sans doute prolongé sa vie de quelques années. « Je tiens à la vie mais pas comme ça, nous explique-t-il en substance. Je ne voudrais pas être diminué dans l'accomplissement de mes fonctions. » En creux, il nous dit : je vais porter le flambeau dignement jusqu'à la fin, sans tenter de repousser l'échéance.

Égal à lui-même, Hassan II va instrumentaliser le secret médical comme moyen de gouvernance. Il va s'employer à semer la confusion au sujet de son état de santé, induire en erreur son petit monde pour mieux brouiller les pistes sur la fin de son règne. Hassan II fait circuler au Maroc le bruit d'une maladie intestinale rare, douloureuse mais non létale, la maladie de Crohn. Jusqu'en 1997, et peut-être même jusqu'en 1998, il pense lui-même, sincèrement, qu'il va pouvoir tenir le mal à bout de gaffe. Nous le croyons également ou, du moins, voulons le croire. Le roi affronte sa mort avec une grande dignité. Il ne se dissout pas dans la maladie mais, au contraire, puise dans l'épreuve la force d'un ressourcement profond. Un soir, regardant le coucher de soleil depuis son balcon, il me dit : « C'est tellement beau, et les hommes sont tellement petits. » Sous l'emprise de la maladie, Hassan II semble apaisé. Il redevient plus humain. Sur le plan politique, il tire toutes les conséquences de la fin de la guerre froide et des problèmes inhérents à son règne despotique pour amorcer une transformation profonde du régime. Il a le courage de défaire en partie ce qu'il avait fait. Il accepte non seulement de « lâcher du lest » mais, plus positivement, de revenir sur des erreurs qui obèrent l'avenir de la monarchie et du pays.

Je repars pour Stanford le cœur lourd, même si, en apparence, l'état de santé du roi s'améliore. Il reprend quelques kilos, recommence à chasser. Nos relations restent distantes car, soucieux de préparer sa succession, Hassan II ne veut pas que nos retrouvailles parasitent la position de Sidi Mohammed, ce que je comprends tout à fait. Au demeurant, je me plais énormément à Stanford. Le décalage horaire est un vrai repos ! Il met le Maroc à distance. Personne ne m'appelle au téléphone, je suis tranquille. Ma femme attend un enfant. En avril 1996, enceinte de six mois, elle a une alerte qui m'oblige à l'emmener aux urgences. Son cas paraît délicat, un accouchement prématuré est à craindre. Or, je tiens absolument, de manière irrationnelle, à ce que notre enfant naisse sur le sol marocain. Cela me paraît fondamental, non négociable. Le médecin chef me rétorque froidement que c'est impossible. Un voyage mettrait en danger et la mère et l'enfant. J'insiste, au point que le chef du département de sciences politiques de l'université, alerté, m'invite à déjeuner pour comprendre ce qui me motive. Une poussée de nationalisme ? Je ne parviens pas à lui expliquer ce que je ressens. C'est viscéral, en deçà ou au-delà des mots. Le médecin chef durcit alors sa position. Il a compris que j'échafaude des plans pour faire sortir Malika de l'hôpital. Il menace d'appeler la police.

Au milieu de cette crise, Hassan II m'appelle : « Écoute, ne fais rien qui mette la vie de ta femme en danger. Je sais ce que tu ressens, ma propre fille est née à Rome. Ta fille peut très bien naître en Amérique, je sais que ce n'est pas un acte délibéré de ta part. Notre culture est souple à cet égard. Quand elle sera née, je t'organiserai un baptême à Stanford, avec du thé et un méchoui. Tu verras, elle sera à 100 % marocaine. »

Je suis touché par cet appel, mais je m'entête. Je contacte une gynécologue renommée, qui me recommande un produit susceptible de bloquer les contractions. Elle vient en personne à l'hôpital pour administrer à Malika le produit, à l'insu du médecin traitant. Les contractions épisodiques se stabilisent. Le médecin traitant n'y voit que du feu et laisse Malika quitter les lieux, en lui interdisant bien sûr strictement de voyager. Je promets tout ce qu'il me demande. Je loue même un appartement en face de l'hôpital, soi-disant pour n'avoir que la rue à traverser en cas de nouvelle alerte. En réalité, à peine rentrés chez nous, je mets Malika dans un avion, direction le Maroc où elle va finalement accoucher de Faizah. Notre seconde fille, Haajar, naîtra bien plus tranquillement en 1999, au royaume aussi, bien entendu. L'ironie, sur le plan familial, c'est que le frère aîné de Malika, Hassan, aura entre-temps tout fait, lui, pour sortir son épouse du Maroc afin qu'elle accouche en toute sécurité sur le sol américain...

Comme souvent, la décompression politique au niveau national va de pair avec un relâchement de la pression sur ma famille et moi dans le style inimitable du *makhzen*, c'est-à-dire sur le plan matériel. Hassan II m'autorise à développer un terrain à Nador, la capitale du Rif oriental et, ce qui est moins connu, la deuxième place financière du royaume après Casablanca, grâce aux émigrés et... au trafic de cannabis. Il s'agit de cinquante-quatre hectares que je vais viabiliser puis vendre par lots à des Marocains de l'extérieur, désireux d'investir dans leur patrie. Dans cette affaire, je sollicite de nouveau mon ami Kamal Shair et son entreprise Dar al-Handasah. Mon autre partenaire est la Banque populaire du Maroc. Tout se passe très bien – les lots s'arrachant comme des petits pains – jusqu'en septembre 1996, date de parution de mon deuxième article dans *Le Monde diplomatique*. Intitulé « Pour assurer une transition démocratique et la pérennité du trône : La monarchie marocaine tentée par la réforme », ce texte est un nouveau coup de tonnerre dans le ciel de Rabat, même s'il marque moins le roi que le précédent. Une ouverture politique est alors en cours en Maroc. L'opposition historique est sollicitée pour entrer au gouvernement. Une réforme constitutionnelle a été adoptée en 1996, instituant une Chambre des conseillers en plus de la Chambre des représentants. Ce bicamérisme met fin à l'élection indirecte d'un tiers des députés qui, auparavant, n'étaient pas directement choisis par le peuple. En même temps, Hassan II augmente le nombre des élus indirects et crée pour eux une chambre haute. Autrement dit, il renforce encore son emprise sur le pouvoir législatif, tout en concédant à l'opposition la représentation du peuple qu'elle avait réclamée – mais seulement pour la chambre basse.

Le roi n'a pas perdu la main. J'avais envie de me positionner dans ce nouveau contexte. Mon article soutient que la source de légitimité doit être populaire. C'est une prise de position franche mais, à la différence du précédent article, elle ne remet pas en cause l'essence royale de la gouvernance au Maroc. Je livre mes réflexions sur la répartition des pouvoirs et responsabilités, sur les impératifs de la situation économique et le rôle des partis. Pourquoi ai-je écrit cet article, alors que mes relations avec mon oncle s'étaient améliorées et que je le sais malade ? Je crois que je commençais à développer ma propre pensée politique. Sans doute aussi avais-je besoin, encore et toujours, de croiser le fer avec Hassan II.

Sur ce plan-là, je suis servi. Sur instruction royale, du jour au lendemain, la Banque populaire suspend discrètement son partenariat pour le développement de mon projet immobilier. Bien pire, pour faire chuter les prix des parcelles viabilisées à Nador, un aérodrome militaire est transformé en zone constructible – quand Driss Basri suggère cette idée au roi, l'objection d'un galonné arguant qu'il deviendrait alors impossible de rapidement acheminer des troupes en cas de révolte est balayée d'un revers de main. Hassan II veut me faire rendre gorge, coûte que coûte ! Il manque d'ailleurs d'y parvenir. Plus aucun lot ne se vend ; je me retrouve avec la moitié des cinquante-quatre hectares viabilisés sur les bras ! Ce n'est pas tout. Le Palais m'accule pour que je me rabatte sur un homme d'affaires rifain, en fait un caïd de la drogue, qu'il me met dans les pattes. Si je lui avais revendu mes lots, je me serais retrouvé mouillé dans une affaire de « blanchiment d'argent de la drogue ». Or, en marge d'un match de base-ball à l'École américaine de Rabat, le chef de l'antenne de la CIA au Maroc m'a discrètement abordé pour me prévenir... Déjouant le piège, je trouve un autre repreneur pour me tirer de ce mauvais pas : Miloud Chaabi. Archétype du self-made man populaire, richissime, c'est un Midas des affaires qui, depuis les années 1970, a eu plusieurs fois maille à partir avec le régime. Aussi, en octobre 1996, vient-il me féliciter pour mon article « vraiment courageux » dans *Le Monde diplomatique.* Je dois reconnaître que je lui rends mal la politesse en lui proposant le rachat de mon projet à demi achevé à Nador... Mais, tope là !, il est d'accord. Hélas, le jour où je viens déjeuner chez lui à Marrakech pour réceptionner mon chèque, il s'est ravisé. « J'ai croisé ce matin Driss Basri au golf, et ce n'était pas un hasard, m'apprend-il. Basri m'a mis en garde : "Le roi veut discipliner son neveu et toi, tu te mets en travers de son chemin. Fais attention !" Dans ces conditions, tu comprendras que je ne peux pas conclure l'affaire avec toi.

— Comment ? ! » m'écrié-je, indigné, en même temps que je décroche le téléphone. J'appelle sur-le-champ Driss Basri et, en mettant le haut-parleur, lui passe un savon. Pour finir, je lui demande : « Est-ce que le roi t'a demandé d'intimider mon ami ? » Bien sûr, pour qui connaît le système de l'intérieur, la réponse ne fait aucun doute. Jamais, au grand jamais, le « grand vizir » n'accablerait le roi. « Non, prince, j'ai pris les devants. Je croyais bien faire. » Miloud Chaabi commence à douter mais il n'est pas encore convaincu. Je bondis. « Viens, on va au Palais pour vérifier auprès du roi en personne ! » Sur ce, je l'entraîne vers ma voiture. Nous voilà en route ! Connu de la sécurité du Palais, je franchis tous les barrages jusqu'à tomber sur l'ultime obstacle, le caïd Marjane, l'esclave posté devant la porte de Hassan II. Dans le dos de Miloud Chaabi, je lui fais un gros clin d'œil en frottant trois doigts en signe de promesse pécuniaire s'il joue le jeu. « Pouvons-nous voir le roi ?

— Bien sûr, prince, *Sidna* va vous recevoir. » Or, l'idée de se trouver face à Hassan II tétanise Miloud Chaabi. Des années plus tôt, après le premier coup d'État, il avait en effet salué en public la « délivrance » que ce coup apporterait au pays. Il avait dû quitter le pays précipitamment, puis avait fait fortune dans la Libye de Kadhafi ainsi qu'en Égypte. Il me demande de tourner bride. « Moulay, je te crois. Il n'y a pas de problème. Je t'achète les terrains comme convenu. » Sitôt dit, sitôt fait. Bon perdant, Miloud Chaabi ne me tiendra pas rigueur de mon coup d'esbroufe. Au contraire, il devient un vrai ami qui ne me refusera jamais rien. « Grâce à toi, pour une fois, j'ai fait braire Hassan II », se félicite-t-il. Il lui faudra quand même attendre une dizaine d'années la remontée des prix à Nador, avant de pouvoir revendre mes lots sans grande perte.

Dans mon article du *Monde diplomatique*, une phrase

en particulier, à la suite d'une série de questions sur l'avenir du pays, a fait suffoquer le roi de colère : « À l'aube du XXIᵉ siècle, le parti au pouvoir, quel qu'il soit, et le prochain souverain, Mohammed ben Hassan, devront prendre ces questions à bras-le-corps avec le soutien de tous les citoyens. Le Maroc doit saisir le moment historique ou régresser. » Hassan II a le sentiment que j'ai déjà fait une croix sur lui, publiquement. Ce n'est pas faux. J'ai tué le père pour la énième fois… En guise de représailles, il ne se contente pas de saboter mon projet immobilier. Il m'inflige, de surcroît, un redressement fiscal terrifiant. Involontairement, il me rend ainsi un insigne service, puisqu'il m'oblige à régulariser ma situation financière. C'est une bonne chose. J'en suis convaincu au point que je vais prodiguer ce conseil à Sidi Mohammed dès le lendemain de son accession au trône. Il aura alors une chance historique d'assainir les comptes de la monarchie, de légaliser ses richesses en les réintégrant dans le budget de l'État comme des fonds nécessaires à l'exercice de la représentation nationale par la famille royale. Hélas, Mohammed VI ne suivra pas mon conseil. À ce jour, ses avoirs n'ont pas été légalisés, ce qui rend la monarchie marocaine, d'un point de vue démocratique, extraordinairement vulnérable. Car *le* grand problème de notre monarchie, c'est son rapport organique à l'économie. J'en suis plus que jamais convaincu : davantage que le respect des droits de l'homme ou l'acceptation de la démocratisation, l'implication du Palais dans la sphère économique est *le* problème qui, avant tout autre, bloque la transformation institutionnelle de notre système.

Posons-le, en toute franchise, du point de vue de la famille régnante : jusqu'où la monarchie marocaine, dont la nature est patrimoniale, peut-elle pousser la modernisation économique sans se tirer une balle dans la tête ? Les institutions financières internationales reprochent au royaume sa frilosité en matière de réforme économique. Mais si le roi jouait franchement le jeu libéral, s'il poussait de toutes ses forces le Maroc dans la mondialisation, ne créerait-il pas les conditions de sa propre perte ? La réponse n'est pas évidente dans la mesure où il convient de distinguer entre la monarchie et le *makhzen*. Si l'on arrivait à découpler les deux faces du régime, le *makhzen* pourrait périr mais la monarchie survivre, voire se réinventer. C'est une façon de dire que le système tel qu'il est ne saura se pérenniser. Pour perdurer, l'institution monarchique devra faire la part du feu en déliant son sort du *makhzen*, qui est un empêchement dirimant à la modernisation économique du Maroc – et, donc, à la modernisation du pays tout court. Le *makhzen* distribue des rentes de situation, il accorde des privilèges, rémunère et punit à travers son contrôle néo-patrimonial des sources de revenu. Pour libérer et rénover la monarchie, il faudra casser ce « bazar ». Ce n'est pas seulement un impératif moral mais, par-dessus tout, une exigence *politique*. En effet, dans un système que l'on voudrait sous contrôle, qui contrôle le roi et ses proches, ces derniers étant tous les obligés du souverain ? Qui contraint le Palais et sa cour à faire évoluer un système qui, littéralement, les fait vivre ?

L'honnêteté oblige à reconnaître que nul ne peut

prétendre que la fin du *makhzen* sera sans risques, qu'il n'entraînera pas de « casse ». Il n'y a pas de garantie quand on passe de la théorie à la pratique en changeant d'échelle. Dans un tout autre domaine, à savoir dans une usine de Sheffield, en Angleterre, où nous cherchons à produire du biodiesel, j'ai fait cette expérience. En laboratoire, nous avions fabriqué un biodiesel parfait. Mais quand nous avons voulu étendre l'expérience en augmentant les quantités, nous avons fabriqué... du savon ! À l'échelle industrielle, une enzyme avait disparu en cours de route. Qu'aurais-je dit à mes compatriotes si, *mutatis mutandis*, il s'était agi de la réforme de notre monarchie ? Il n'y a pas de victoire sans péril. Prétendre le contraire serait démagogique. En voulant transformer le système, on court le risque de le détruire. Cependant, en ne faisant rien, ce risque est encore plus grand, même s'il reste un certain temps latent. Car, à terme, la catastrophe devient certitude. D'où ma conviction : il n'y aura pas de progrès digne de ce nom, c'est-à-dire réel pour le plus grand nombre au Maroc, avec l'Etat-*makhzen* tel qu'il existe.

Il est facile d'accabler de mépris la classe politique marocaine. Or, dans le cadre qui lui est imposé, ses options se résument à un dilemme qu'elle aborde les mains liées : le risque systémique tout de suite, ou l'effondrement à terme de l'ordre dont elle fait elle-même partie ? Nos politiques sont des eunuques. Les analystes se plaisent à les traiter de *minus habens* mais, s'ils étaient à leur place, ils ne feraient pas mieux qu'eux. Car, à moins de s'attaquer au *makhzen*, le champ des possibles reste clôturé. Donc, si vous demeurez dans le système, le système vous éviscère puis on vous reproche de manquer de tripes ! La seule manière de recouvrer sa dignité autant que sa liberté d'action, c'est de casser le moule et de renoncer à ses propres privilèges – pour pouvoir exiger que la monarchie fasse de même.

En octobre 1996, quelques semaines après la parution de mon article dans *Le Monde diplomatique*, Abderrahman el Youssoufi se rapproche de moi. Nous discutons longuement de l'avenir. Je découvre un homme honnête, vrai et intègre, qui veut servir son pays. C'est aussi un politicien habile voire madré, dans mon esprit un peu trop l'homme d'un parti. Avant son exil à Cannes, entre 1993 et 1995, il était déjà venu me voir pour que je fasse passer à Hassan II le message suivant : « Il y a trop de petits jeux autour de vous, en particulier de la part de [Driss] Basri et de [Reda] Guedira », soit le « grand vizir » et l'un des conseillers les plus influents du roi. J'avais transmis le message tel quel à Hassan II, qui avait été choqué que ses proches puissent être contestés par – ce sont ses mots – « un vieux pouf et un jeune chenapan », c'est-à-dire Youssoufi et moi, le messager présumé complice. Il est vrai qu'il existait un terrain d'entente entre nous. Youssoufi avait pris conscience du fait que seuls les princes avaient vraiment intérêt à ce que la monarchie se pérennise, alors que ce n'était pas forcément le cas d'un Basri ou d'un Guedira. Les gens autour du roi étaient, pour la plupart, des courtisans intéressés. Hassan II le savait et n'avait que dédain à leur encontre. Il estimait que chacun avait son « prix », telle une marchandise. Mais il tirait de cette vérité une surprenante conclusion : il tenait à distance les rares personnes qui n'avaient pas de prix. C'était plus simple que de se remettre en cause. Pour faire plier ses proches, le roi employait toute une gamme de moyens : la manière forte, les honneurs, l'argent, le charme... Si rien ne marchait, il concluait : « Bravo, tu es l'exception à la règle. Alors, on te verra une fois par an au buffet de la fête du Trône. Merci et au revoir ! »

En prélude à ma conversation avec Youssoufi en 1996, je l'avais averti que, même si je pensais que l'« alternance » pouvait stabiliser la monarchie, il restait potentiellement un adversaire de mon oncle, ce qui me plaçait dans une position morale délicate. Je n'acceptais de discuter avec lui qu'à la condition expresse qu'il en informe le roi, ce qu'il s'était engagé à faire. Sur ces bases, je lui prédisais qu'en cas de pacte avec Hassan II, il serait aux affaires mais pas au pouvoir. « Aurez-vous suffisamment de marge de manœuvre pour avancer, pour faire changer les choses dans le cadre de ce pacte forcément un peu flou et qui sera contrôlé par le roi à tous les étages ?

— Si j'ai l'appui de l'étranger, une majorité aux élections, même plus ou moins bricolée, une dynamique dans la société et le droit de gestion des principaux dossiers du pays, je m'en sortirai, m'avait-il répondu. Cela me permettra d'être en place quand ce qui doit arriver arrivera. » Bien informé par les Français, il savait le roi malade. Il croyait qu'en maîtrisant le « circuit » que formaient le gouvernement, le Parlement et la technostructure de l'administration, il se trouverait en position de force à la disparition de Hassan II.

Mário Soares, avec qui j'étais alors très lié, m'a confirmé à l'époque que Youssoufi se positionnait parce qu'il savait le roi diminué, sur la fin. D'autres scénarios plus ou moins fantaisistes, qui tournaient autour de Moulay Rachid, Driss Basri et les militaires, étaient également présents dans son esprit. Avec le recul, je crois que Youssoufi avait réellement les atouts pour mettre en œuvre sa stratégie. Cependant, il allait se retrouver à la tête d'un parti qui n'était pas en phase avec la réalité. L'USFP s'était dévitalisé dans la longue durée de son opposition au régime. Le parti était sans sève et sans troupes de choc. Youssoufi lui-même n'était pas le prédateur qu'il aurait dû être dans le corps à corps annoncé avec le *makhzen*. Et que dire de son entourage qui ne lui arrivait pas à la cheville ? L'un de ses plus proches collaborateurs était un homme des « services », qui renseignait le Palais sur ses faits et gestes... L'ironie, c'est que Hassan II n'en avait pas tant besoin pour parer les coups de son adversaire politique que pour empêcher Driss Basri de torpiller l'« alternance »... Le roi se donnait les moyens de contrôler l'USFP de l'intérieur. Hélas, c'était aussi facile que de glisser sa main dans un gant.

J'obtiens mon diplôme à Stanford en juin 1997. Plutôt que de rentrer au Maroc, où la fin de règne de Hassan II commence à peser sur le pays comme une pierre tombale, je pars m'installer aux Émirats arabes unis, à Abu Dhabi. J'ai le sentiment qu'il n'y a pas de place pour moi dans mon pays. Au contraire, je risque fort d'être pris dans les rets de la succession qui s'y prépare. Je rejoins donc mon ami d'enfance, le cheikh Mohammed bin Zayed, sans même passer par le Maroc. Je guette la réaction de mon oncle. Elle est positive.

Hassan II est sans doute soulagé d'épargner à son fils aîné la tension désormais très présente entre nous. Moi aussi, j'y trouve mon compte. À Abu Dhabi, je me lance dans un projet de pisciculture industrielle, l'élevage de loups et de crevettes tigrées. Rapidement, ma société, Asmak (« poissons »), est bien cotée en Bourse. Par ailleurs, je gagne un pactole grâce aux introductions en Bourse couronnant un certain nombre de projets que j'initie dans le cadre des « compensations » – *offsets* – imposées aux vendeurs d'armement comme, par exemple, le groupe Dassault. Ma relation avec Mohammed bin Zayed était vraiment très forte. Je le conseillais sur des dossiers ultrasensibles. Nous partions parfois au pied levé, au milieu de la nuit. Il me faisait réveiller pour que je sois à l'aéroport une heure plus tard : je demandais juste si je devais emmener Monsieur Sig Sauer, une arme autrichienne, ce qui signifiait que nous allions au Pakistan, en Afghanistan ou en Afrique ; ou Monsieur Ralph, autrement dit Ralph Lauren, ce qui signifiait alors que nous allions en Europe. Actif dans son *think tank*, j'ai aussi un accès privilégié à l'Offsets Group, dont je suis toutes les activités. Beaucoup de projets m'intéressent : Asmak, que j'instruis de A à Z. Mais aussi d'autres projets, autour desquels je monte des opérations en profitant de ma connaissance des dossiers. Ce n'est pas illégal car les marchés émergents sont très peu réglementés. Comme beaucoup d'autres, je profite de l'existence de zones grises…

À la fin de l'été, les fiançailles de ma sœur seront l'occasion de mes retrouvailles publiques avec Hassan II.

L'ambiance est courtoise, même si l'équipe de la RTM (Radiodiffusion Télévision marocaine) m'apprend que le roi leur a ordonné de ne pas nous filmer ensemble, vraisemblablement pour éviter des complications avec Sidi Mohammed. À la télévision nationale, l'on ne me reverra donc que deux ans plus tard, lors des obsèques du roi. Cependant, à la suite de nos retrouvailles, je rendrai visite à Hassan II tous les deux ou trois mois, chaque fois que je passe au Maroc, souvent en compagnie de ma fille aînée. Nos relations seront alors totalement sereines, familiales. Le roi répétera qu'il est le grand-père « alaouite » de mes enfants – une manière de dire que je suis réhabilité. Le passé jouera quasiment en ma faveur, comme une suite d'épreuves ayant solidifié nos relations. Hassan II est très amaigri. La maladie le ronge. Nous parlerons librement du Maroc, de politique, de l'« alternance » en cours. Le roi se dira déçu par cette expérience qui, de son point de vue, démystifie la gauche comme force de proposition, comme vraie alternative. « J'aurais dû les faire venir au gouvernement il y a quinze ans », reconnaîtra-t-il. Il me taquinera en ajoutant que « mes » copains de l'USFP sont, en fait, des « ringards ». Je lui rétorquerai que ce ne sont plus mes copains puisqu'ils m'ont « planté » pour son fils !

À la fin de sa vie, Hassan II prend conscience du fait qu'il n'est pas un homme de la génération Internet, qu'il n'est plus chez lui dans l'univers des jeunes qui forment la majorité de notre population. « Je pouvais comprendre les Beatles mais je ne comprends pas le rap », résume-t-il. Le roi se rend à l'évidence que « la liberté est une chose qui fascine les gens », et que l'avenir de la monarchie chérifienne se jouera sur l'obtention – la conquête ? l'octroi ? – de plus grandes libertés citoyennes. Il décide de ne plus entraver cette marche vers le futur, même s'il souhaite que tout reste en ordre jusqu'à son départ. Il a intériorisé l'idée qu'il est devenu un poids plutôt qu'un atout pour le Maroc.

Hassan II découvre en même temps les vertus du libéralisme économique. Il est littéralement estomaqué par la vente d'une licence de téléphonie GSM, qui permet à l'État d'engranger 1,5 milliard de dollars. Il faut dire qu'il s'agit là de l'un des premiers appels d'offres sans interférence, sans commissions et sans « message » politique (à la différence de la licence accordée aux Canadiens pour faire comprendre à Paris, au paroxysme de la crise franco-marocaine, que le royaume n'était pas sa chasse gardée). En même temps que le roi s'entiche de libéralisme économique, il enrichit son jargon de termes comme « synergie », ou d'anglicismes comme *leverage* et lance un groupe de réflexion, le « G14 ». Il se découvre sur le tard, non sans plaisir, comme le grand « manager », le PDG ou CEO (*chief executive officer*) du Maroc.

Les élections législatives de novembre 1997 sont assez particulières. Ce n'est plus le folklore habituel, les urnes bourrées et les morts qui votent, mais le scrutin n'en est pas moins sous contrôle. L'argent circule, l'administration joue de son influence. Le système est parfaitement rodé pour empêcher, sans que cela saute aux yeux, la constitution d'une majorité claire – ce qui garantit au roi son rôle d'arbitre. La classe politique dans son ensemble lira le vote comme un gage donné à une alternance octroyée par le roi. La majorité est

« bricolée », tout juste suffisante pour que Youssoufi puisse former une coalition.

Le 4 février 1998, Abderrahman el Youssoufi devient Premier ministre. Suivant l'« alternance » de quelques semaines, la visite officielle au Maroc de Lionel Jospin, alors chef du gouvernement français, prend une tournure dramatique. Jospin dit à Youssoufi, publiquement : « Toutes les instances de la République française sont derrière vous. » Tant qu'à faire, il aurait tout aussi bien pu dire : « Le roi est fini. » Or, Hassan II se rend rapidement compte que les technocrates de l'opposition s'effilochent au contact du pouvoir. Ce n'est pas une bonne nouvelle pour lui. Il ne trouve en eux aucun appui. Il voulait cette ouverture à l'USFP pour stabiliser le trône, pour oxygéner son régime, pour ne pas se retrouver au premier plan face à la rue. Je sens qu'il revient, après bien des années et, donc, après beaucoup de temps perdu, à la croisée des chemins où il avait quitté la voie de la monarchie consensuelle pour bifurquer vers une monarchie populiste. C'est un *flash-back*, la vraie fin de l'affaire Ben Barka.

Mes propres relations avec l'USFP ne sont pas bonnes non plus. L'intérêt des socialistes aux affaires est de se rapprocher du prince héritier, ce qu'ils font avec zèle. Un exemple : alors que j'avais été invité par la fondation Bouabid à Rabat à prononcer un discours sur les transitions démocratiques dans le monde arabe, je suis prévenu à la dernière minute d'un « changement du programme ». J'ai été « zappé » et, à ma place, Sidi Mohammed prendra la parole. Il signale ainsi sa volonté de s'impliquer au moment où l'emprise de son père se relâche. Ce jour-là, à mes dépens, il sort de l'ombre et fait son entrée dans le monde politique. Moi, je plonge dans le brouillard. Je prends alors mes distances, le large. Je multiplie les missions d'observation électorales pour la fondation Carter, d'abord en Palestine puis, pour les législatives d'avril 1998, au Nigeria.

Le Sahara occidental vient aussi compliquer la fin de règne de Hassan II. Longtemps, le roi avait pu se contenter de « faire du processus » pour temporiser et mieux préparer le vote crucial pour le Maroc qu'allait être le référendum d'autodétermination dans l'ex-colonie espagnole. À cette fin, les législatives au royaume avaient même été repoussées de deux ans, qui plus est sur proposition de l'opposant Abderrahim Bouabid, en l'occurrence dans un rôle à contre-emploi. « C'est le plus beau cadeau que Bouabid m'ait jamais fait », s'était réjoui le roi en privé. Mais jusqu'en 1997, Hassan II croyait sincèrement que le Maroc pouvait remporter le référendum. S'il en repoussait l'échéance, c'était pour mieux l'emporter, de façon plus éclatante. Son calcul était le suivant : en gonflant le corps électoral de 100 000 à 200 000 votants, l'issue du scrutin allait être d'autant plus favorable au Maroc. D'où la mise en place de tout un dispositif pour augmenter le nombre des électeurs. Les conseillers Driss Slaoui et Ahmed Senoussi étaient missionnés pour en convaincre l'ONU ; sur le terrain, Driss Basri, habitué à manipuler les élections au royaume, était en prise directe avec les gouverneurs. Enfin, le général Kadiri de la DGED (Direction générale des études et de la documentation) s'occupait du

« sous-sol » : il faisait remonter de l'information depuis les camps de réfugiés en Algérie, contrôlés par le Front Polisario. Lequel était affaibli par des ralliements au Maroc qui étaient plus souvent le fait de nos « barbouzeries » que de sincères changements de convictions. En revanche, les révélations sur des atteintes aux droits de l'homme à Tindouf, la « capitale » sahraouie en territoire algérien, servaient la cause du Maroc, tout comme la situation de « fait accompli » créée par la présence marocaine au Sahara occidental. Hassan II ne ménageait pas ses efforts : dans les « provinces du Sud », les salaires dans la fonction publique étaient majorés de 25 %, les produits de base lourdement subventionnés et des travaux herculéens entrepris pour doter ces arpents de sable d'infrastructures.

Sur ce, en 1997, l'ancien secrétaire d'État de Bush père, James Baker, est nommé représentant spécial de l'ONU au Sahara occidental. Hassan II s'en inquiète énormément. Il sait que ce poids lourd sur la scène politique américaine est capable de lui forcer la main. Il se rend également compte que l'importance stratégique du Maroc pour les États-Unis a grandement diminué depuis la fin de la guerre froide. Aussi prépare-t-il avec un soin méticuleux ses premières rencontres avec Baker. Le roi s'adresse moins au représentant des Nations unies qu'au diplomate américain, insistant à dessein sur les enjeux géopolitiques de la question saharienne. James Baker comprend le jeu du roi, qui lui convient également, du moins au début (c'est ce qu'il me confiera, plus tard, lors d'une rencontre à Vienne). Il sait que, si le roi lui donne sa parole, il la tiendra. En revanche, après la mort de Hassan II, il désespérera de ses interlocuteurs marocains et, en 2004, démissionnera. C'est ainsi que le dossier se perdra dans les sables dans lesquels il est toujours enlisé.

Le 14 juillet 1999, Hassan II est l'invité d'honneur du défilé sur les Champs-Élysées à Paris. Jacques Chirac lui offre ce cadeau de fin de vie. Depuis plusieurs mois déjà, mon oncle sait que sa mort est proche. Quand le roi Hussein avait été à l'agonie, en février, nous avions suivi ensemble le compte rendu de sa fin, d'heure en heure, sur CNN. C'est l'une des rares fois où j'ai vu Hassan II verser une larme. Cela le touchait vraiment, parce que c'était la fin d'une époque – la sienne. Il voyait sa mort dans celle du roi de Jordanie. Il se sentait de plus en plus fatigué. Pas question, pour autant, de lui suggérer davantage de repos, du recul par rapport aux affaires. Quand j'ai brisé le tabou, Hassan II m'a regardé droit dans les yeux pour me dire : « Je suis le roi et c'est un métier à plein temps. Je ne me désincarne pas un jour pour être fatigué, un autre jour pour ceci et un troisième pour cela. Quand comprendras-tu qu'il est déjà tout à fait exceptionnel que je me désincarne parfois avec toi pour ne plus être le roi mais, tout simplement, ton oncle ? »

Hassan II n'a jamais pris ni un somnifère ni un calmant de sa vie. Il voulait être lucide à tout instant, même dans la douleur. Il n'a jamais pris non plus de vitamines, de compléments alimentaires. Il avait un très grand courage physique. Il a regardé la mort en face. En la voyant venir, il ne l'a pas subie. Mais, en attendant, il a porté ce poids terrible tout seul.

Dans la soirée du 22 juillet, alors que je me trouve à Paris, je suis averti de l'hospitalisation en urgence de mon oncle. Je parviens à joindre le chef de son équipe médicale, qui me confirme la nouvelle. « Je prends un avion privé et je rentre immédiatement. » Mais Hassan II, qui est présent et lucide, se saisit du combiné pour me dire : « Ne te précipite pas. Rentre demain, tranquille. » Il me repasse le médecin, et je l'entends lui répéter : « Dites-lui qu'il ne se stresse pas, qu'il rentre tranquillement demain. » Je réserve donc mon vol pour le lendemain, dans l'après-midi. Le 23, je déjeune avec Ghassan Salamé, quand je reçois un coup de fil de Sidi Mohammed, à qui je n'ai pas parlé depuis longtemps. Il me dit : « Ton oncle est très fatigué, il faut que tu viennes. » Je demande davantage de précisions. Il répond : « Nous sommes en train de tenter une intervention de sauvetage à l'hôpital. Je n'ai prévenu que toi et le Premier ministre, pour des raisons politiques. » En fait, Sidi Mohammed ignorait que j'étais à Paris et, le matin, avait demandé au cheikh Zayed de me faire partir de toute urgence d'Abu Dhabi pour le Maroc. Un hélicoptère avait même atterri sur un terrain vague près de ma maison aux Émirats arabes unis. Pour rien !

J'arrive vers dix-neuf heures trente au Palais. Je comprends tout de suite que c'est fini, que Hassan II est mort. Un incident me marque en particulier : je vois deux gendarmes de la sécurité rapprochée du roi secouer Driss Basri dans un bureau, à quelques mètres des généraux Arroub et Benslimane. J'entends Basri crier : « Mais arrêtez la provocation ! Arrêtez ! Je suis quand même le ministre de l'Intérieur ! » Je demande au général Arroub des explications. Il me répond que c'est « juste à titre préventif ». Je lui fais remarquer que le procédé fait mauvais effet, que les médias du monde entier sont aux aguets et que, s'ils l'apprenaient, cela donnerait une piteuse image de la monarchie. Mais le roi est mort et, sans sa protection, son « grand vizir » prend des coups après en avoir beaucoup donné.

Plus tard, quand je serai totalement brouillé avec « M6 », comme on va rapidement surnommer le nouveau roi, je me suis demandé si le prince héritier ne m'avait pas fait venir de toute urgence pour que je lui prête allégeance avant qu'il ne m'écarte. Je me suis posé cette question parce que ma présence, pour ceux qui avaient la mémoire de notre dynastie, revêtait un enjeu important. En effet, après la mort accidentelle de Mohammed V et en attendant d'être éclairé sur les circonstances de ce décès, mon père avait signé l'acte d'allégeance, mais refusé de se rendre à la cérémonie qui suivait. Or, renseignement pris, M6 n'avait pas de dessein caché pour prendre sa revanche sur l'histoire. J'ai enquêté auprès des médecins traitants du centre de cardiologie de l'hôpital Avicenne ; j'ai vérifié auprès du Premier ministre. Tout ce que le prince héritier m'avait dit au téléphone s'est avéré conforme aux faits, rigoureusement exact.

À vingt-deux heures, réunis avec les autres dans la salle du Trône, je signe donc la *beiya*, mais sans me mettre en djellaba, ce qui est ma façon d'exprimer que je ne suis que de passage. Je suis le seul en costume. Ce n'est qu'un détail vestimentaire mais il traduit mon intuition, puis ma conviction intime, que je vais être écarté de cet univers. Détail révélateur du *makhzen* : personne n'a de stylo pour signer, même le protocole n'y a pas pensé ! Je laisse passer un instant puis, dans la gêne générale, je propose mon stylo. La *beiya*, ce texte qui renouvelle l'allégeance entre les gouvernés et les gouvernants, est ainsi signée de mon encre.

Je m'attarde un instant sur la *beiya*, qui est un concept islamique. Il s'agit d'un accord contractuel entre le Commandeur des croyants et ceux qui peuvent faire et défaire le pouvoir. C'est une variation locale sur un thème connu partout : les contractants sont l'élite de la société, des gens qui jettent dans la balance leur poids social. Dans la tradition avant Lyautey, chaque grande ville, chaque vrai centre de pouvoir, avait ses représentants et, de ce fait, l'acte d'allégeance était un grand rendez-vous du donner et du recevoir. Puis la cérémonie s'est vidée de son sens. Elle n'était plus précédée de tractations mais s'est réduite à un coup de sifflet pour faire signer un acte de soumission, sans discussion préalable.

Je pense qu'il faudrait revenir à la *beiya* comme un contrat signé après négociation de ses termes. Dans un Maroc idéal, ce serait un rituel fort, une onction conférée par des institutions élues, à commencer par le Parlement. Le retour à la tradition marquerait ainsi, en fait, un progrès envers une société plus démocratique ancrée dans le passé. Dans ce cas, la *beiya* devrait également inclure les femmes, ce qui n'est pas le cas actuellement, sauf pour les femmes ministres.

Modifier la *beiya*, est-ce toucher au sacré ? Je ne le crois pas. Dans la tradition islamique, c'est un rituel mystique qui prend en charge le divin. Après la mort du Prophète, il y a eu nombre d'interprétations quant à la forme que devait revêtir la bonne gouvernance inspirée par son exemple. Certains disaient qu'il devait y avoir un successeur unique, d'autres qu'il pouvait y en avoir plusieurs. D'autres encore estimaient que l'on n'avait pas besoin d'autorité politique du tout. Pour finir, une forme de califat a été privilégiée dans le souci d'assurer la survie de l'*umma* – la communauté des croyants – grâce au pouvoir en place. Aujourd'hui, il est donc tout à fait concevable de requalifier, de nouveau, la forme idéale de la gouvernance politique dans le cadre de l'islam.

Dans les heures qui ont suivi la mort de Hassan II, nous avons été une cinquantaine à incarner les forces vives de la nation : les princes, Moulay Rachid, mon frère et moi ; les ministres et grands commis de l'État, des officiers supérieurs et des ulémas. Plus tard, il m'a été reproché d'avoir embrassé mon cousin, le nouveau roi, plutôt que de lui baiser la main. Je l'ai fait spontanément, dans l'émotion du moment. Il est cependant vrai que j'estimais depuis longtemps que le baiser de la main royale, dessus-dessous, était un geste humiliant qu'il fallait supprimer. Parce que je n'avais pas baisé la main recto *et* verso de Hassan II, celui-ci m'avait déjà fait la tête pendant six mois – et il avait alors fallu que Sidi Mohammed m'en explique la raison pour que je comprenne. Pour moi, embrasser la main du roi d'un côté ou des deux côtés ne faisait aucune différence. Or, pour Hassan II, c'était un rite essentiel. Quand il était en colère contre quelqu'un, la punition suprême consistait à ne pas donner sa main à baiser en la retirant immédiatement, avant que l'autre puisse s'en saisir. Pour ma part, j'avais eu droit à une punition juste en dessous en termes de gravité : le roi m'avait tendu son poing fermé, et j'avais dû tirer sur ses doigts pour l'ouvrir ! Bref, le baisemain était un signe éloquent dans l'idiome du pouvoir. Une main abandonnée au serviteur était de bon augure, une main vite retirée un signe de mauvaise grâce. Au moment de l'« alternance », sachant que son nouveau Premier ministre socialiste, Abderrahman el Youssoufi, n'allait pas lui embrasser la main, le roi était allé vers lui en ouvrant ses bras… Pour un autre récalcitrant présumé, Seddik Belyamani, le vice-président de Boeing, qui avait la double nationalité marocaine et américaine, Hassan II avait pris les devants, donnant cette consigne à son protocole : « Dites-lui que *Sidna* est tellement fier de sa réussite qu'il lui ordonne de ne pas lui embrasser la main. » Autant dire que ce geste de soumission relevait d'un répertoire subtil dont Hassan II se servait avec maestria. Son fils et successeur se l'est approprié dès qu'il a chaussé les babouches du pouvoir.

En sortant de la cérémonie d'allégeance, j'ai une prise de bec avec une dizaine d'opposants, dont Mohamed Boucetta de l'Istiqlal. Ce vieux routier de la politique marocaine, un homme pragmatique doté d'un vrai sens de l'humour, m'interpelle : « Alors, qu'est-ce que c'est que cet archaïsme ? Tout ceci aurait dû se faire devant le Parlement ! Tu verras les conséquences. » Moi, je défends la monarchie : « On ne peut pas commencer la réforme en remettant en cause l'autorité du roi. Il faut d'abord qu'il assoie son pouvoir. » Je suis le seul de la famille royale à être bousculé de la sorte par ces politiciens qui m'abordent avec vigueur, comme pour me sonder.

En dépit de cette agitation, je ressens un grand vide en moi, comme si soudain ma boussole tournait sans direction. Vers une heure du matin, je décide de retourner au Palais. La veillée funéraire se déroule dans un lieu au cœur du bâtiment où les proches se rendent librement, le *koubat* – la « pièce » – de Sid Ahmed el Boukhari, un grand théologien islamique d'Orient. C'est le sanctuaire du pouvoir, une salle de trente mètres carrés environ dont la sobriété sinon l'austérité matérialise l'intemporalité de notre dynastie. Ici débute la fête du Trône ; ici, le roi se pare de ses habits d'apparat et vient, le soir, lire le Coran ; ici, aussi, devant cette pièce est prise la photo officielle chaque fois qu'un membre de la famille royale se marie. Cette nuit-là, deux femmes que je ne connais pas s'approchent de moi comme deux ombres. « Moulay Hicham, dites-nous, est-il vraiment mort ? » me demande, en chuchotant, l'une d'elles. Pour ces femmes, comme pour tant de Marocains au terme d'un règne de trente-huit ans, la disparition de Hassan II est impensable.

En quittant la veillée, je tombe sur M6 qui est sur le point de rentrer chez lui pour dormir. Je lui dis : « Mais tu ne peux pas aller à Salé ! Tu es maintenant le roi, tu dois passer la nuit ici. » Il me regarde sans rien dire et, finalement, reste au Palais. De retour chez moi, exténué, je me confie à ma femme, enceinte de notre seconde fille : « Je sens très mal cette histoire. Je vais au clash avec Sidi Mohammed, c'est inéluctable. En fait, j'ai envie qu'on me mette à la porte. J'ai le sentiment d'un faux départ, j'ai l'impression qu'on s'installe non pas dans la rupture mais dans la continuité. Je ne me vois pas vivre des mois ou des années dans cette schizophrénie. Le *makhzen* a perdu sa tête mais on la sent déjà repousser. Il est tout autour de nous. Il veut vivre et va nous dévorer. Que faut-il faire ? »

Tourmenté, je sais qu'il est de mon devoir, pour l'histoire et pour les Marocains, de livrer le fond de ma pensée à mon cousin. Je suis résolu à m'acquitter de cette obligation, bien que les chances d'une amélioration de mes relations avec Mohammed VI après le décès de son père soient infimes. Le nouveau roi doit s'affirmer. Il s'était longtemps tu pendant que je parlais haut et fort sur la place publique pour tenir tête à Hassan II. À présent, son heure est venue. Peu importe ce que nous pensons l'un de l'autre. La logique de situation nous oppose. Déjà avant, déviées par la raison d'État, nos trajectoires avaient été de plus en plus divergentes.

Par-delà sa tombe, Hassan II nous surprend. Nous pensions tous qu'il se ferait inhumer dans la grande mosquée de Casablanca qui porte son nom. Or, sa dernière volonté est de reposer dans le mausolée, à Rabat, qui abrite déjà son père et son frère. Quelques années auparavant, du temps du roi hautain, tout imbu de sa personne, ce vœu eût été inimaginable. Mais au soir de sa vie, Hassan II a fini par se ranger *derrière* Mohammed V. Ses obsèques, le 25 juillet 1999, sont à la hauteur du personnage exceptionnel qui vient de disparaître. Il y a là le prince Charles d'Angleterre, toutes les têtes couronnées du Golfe, Bill Clinton,

Jacques Chirac... La foule est hystérique, l'organisation chaotique. Le peuple a perdu son père, son roi, son commandeur, son souverain despotique aussi. Tout s'éteint avec lui, même si Mohammed VI est immédiatement accepté comme le nouveau monarque, l'interlocuteur des chefs d'État étrangers et l'espoir du peuple marocain.

Mohammed VI s'est dépouillé de son humanité dans la *koubat*, là où le corps de Hassan II était solennellement exposé en attendant les funérailles. Le fils y a d'abord caressé la tête de son père, accomplissant enfin les gestes tendres qu'il n'avait jamais osés du vivant de son prédécesseur sur le trône. La scène m'a profondément ému. J'en ai pleuré. Mais j'ai aussi vu le fils revêtir les habits du souverain. Il est sorti du graal dynastique en monarque, déjà dans la carapace du pouvoir.

Le lendemain des obsèques de Hassan II, je prends mon courage à deux mains. Je vais voir Mohammed VI au Palais pour lui dire tout ce que je pense, de A à Z, au sujet de la monarchie, du *makhzen*, à propos des militaires et de l'« alternance ». Devant les dignitaires du Palais et la famille, lors d'une conversation à bâtons rompus, je lui dis que le patrimoine de la maison royale doit revenir à la nation. Je l'adjure de ne donner aucun gage aux généraux, de ne plus tenir ses réunions à l'état-major – toute l'Afrique du Nord étant déjà gouvernée par des galonnés. Je lui demande aussi d'écarter Driss Basri en douceur. Enfin, je le presse de renforcer l'ouverture du régime vis-à-vis de la gauche. Mais M6 esquive le tête-à-tête et la franchise qu'il aurait pu permettre entre nous. Il ne répond pas, il semble juste ne pas savoir quoi dire. Les dignitaires présents se chargent en revanche de m'envoyer sur les roses, avec politesse mais une grande véhémence. Pourtant, le premier discours de M6, écrit par Abdelhadi Boutaleb, reflétera mes positions. Il sera prononcé le 30 juillet, pour la fête du Trône. En revanche, le 20 août, ironiquement pour l'occasion de la fête du Roi et du Peuple, le ton change. Ce discours est franchement rétrograde. Il annonce la continuité du *makhzen* ou, plus précisément, sa restauration sur de nouvelles bases. De tous les scénarios que j'ai envisagés, c'est le pire.

Mon « cas » a été réglé bien avant. Au Palais, dès le moment où j'ai dit mon fait au roi, tout le monde m'a désavoué du regard. On m'évite comme une grenade dégoupillée. Je me sens mal à l'aise. L'attente sera de courte durée. Quarante-huit heures après ma prise de position, le chef du protocole royal, Abdelhak el-Mrini, m'annonce qu'il a reçu pour instruction de se rendre chez moi avec une délégation dont fait partie l'un de mes cousins germains, Moulay Abdallah. Une fois dans mes murs, le chef du protocole me déclare : « Je dois vous délivrer un message de Sa Majesté. Sachez que je ne suis qu'un messager et que j'ai demandé à être dispensé de cette responsabilité. Sa Majesté vous prie de ne plus venir au Palais royal à moins d'y être convoqué. Vous lui avez causé assez de tracas. » Je ne suis pas surpris. Je me sens à la fois profondément blessé et immensément soulagé. Moulay Abdallah coupe alors la parole au chef du protocole : « Tais-toi, c'est trop gentil ce que tu lui dis. Moulay, tu es un emmerdeur, reste chez toi ! » Je lui réponds que ce n'est pas la peine d'insister. Ne voulant pas ressembler à ceux qui sont venus m'insulter sous mon toit, je puise aux meilleures sources de l'hospitalité marocaine la force de leur proposer un thé.

Le lendemain, le chef du protocole me rappelle pour m'annoncer la venue d'une nouvelle délégation. Rochdi Chraïbi, le directeur du cabinet royal, et Fouad Ali el Himma, le condisciple et confident de Mohammed VI, en font partie. El Himma me dit : « Sa Majesté estime que les membres de sa famille ont été très maladroits en exécutant ses consignes. Nous allons donc délivrer le message à nouveau, différemment : Sa Majesté vous fait dire qu'elle vous appellera si elle a besoin de vous. Et que nous sommes à votre service. » La rumeur avait couru, inventée par M6, que je me serais rendu au cabinet royal pour demander la liste des nouveaux conseillers du roi afin de voir qui, parmi eux, était valable à mes yeux. Autrement dit, j'aurais exercé une sorte de droit de regard sur les choix du nouveau souverain. Ma supposée venue au cabinet royal a été rapportée par la femme de Moulay Abbas, qui y travaille. Moulay Abbas, un officier de la Garde royale, et son épouse étant des Alaouites, ce témoignage est digne de foi aux yeux du roi. Peu importe alors que son propre frère, Moulay Rachid, qui me donne ainsi une ultime preuve d'affection, lui dise et lui répète que cette rumeur est sans fondement – ce qui est la vérité puisqu'il ne me serait jamais venu à l'esprit de « contrôler » le travail du roi. Mais M6 cherche un prétexte pour m'écarter et, un prétexte lui étant fourni, il s'en saisit. Dans ces conditions, que me reste-t-il à faire ?

Je réponds à la délégation : « L'unique privilège dont je jouis est mon passeport diplomatique. Je vous le rends, le voici. » Gênés, ils passent un coup de fil dans un recoin de mon salon. Puis ils me rendent le document.

Hassan II est mort un vendredi ; il a été porté en terre quarante-huit heures plus tard, un dimanche ; le lundi, j'ai dit à son fils ce que j'avais sur le cœur ; quarante-huit heures plus tard, le mercredi, j'étais viré du Palais. Quand, une semaine après la mort du roi, la grande prière du vendredi est dirigée pour la première fois par Mohammed VI, je m'y rends, par respect pour notre religion, mais n'y reste pas longtemps. Comme il m'a été demandé, je ne mets plus les pieds au Palais. Le soir, Abderrahman el Youssoufi m'appelle, paniqué. Je passe le voir. Le chef du gouvernement veut savoir pourquoi je ne me trouve pas aux côtés du roi. Il me reproche d'y être allé trop fort, estime que M6 a besoin d'être rassuré. Je lui répète alors l'histoire que j'avais déjà racontée, trois jours après la mort de Hassan II, à M6. Il s'agissait d'un échange que mon père avait eu avec Mohammed V, après la rupture entre Moulay Laarbi el Alaoui et le sultan. Il était allé le voir pour lui dire : « Vous avez mis en prison tous les opposants du Mouvement national. Ne croyez-vous pas que vous êtes allé trop loin ? » Le roi, son père, lui avait répondu : « Tu sais, c'est plus fort que moi. Il aurait fallu retoucher la djellaba du Commandeur des croyants avant de la mettre. Une fois que tu l'as endossée, elle te colle à la peau. Elle a sa propre vie. »

À la mort de Hasssan II, Youssoufi aurait dû poser sur la table son pacte avec la monarchie pour obtenir de Mohammed VI une avancée démocratique. Mais il me dit et répète : « Je dois attendre. » Mon désaccord tient en trois mots : « Attendre, c'est échouer. »

Je reste au Maroc jusqu'au 40ᵉ jour du deuil, par respect pour la mémoire de mon oncle. Je suis blessé que mon cousin me frappe d'ostracisme même si, d'un point de vue politique, je suis sûr d'avoir fait le bon choix. Le lendemain du 40ᵉ jour, je pars, résolu plutôt que résigné à refaire ma vie ailleurs. Pour commencer, j'effectue un voyage d'affaires à Londres où je suis évidemment interrogé sur le Maroc et sur mon rôle au royaume de Mohammed VI. Malgré les échos dans la presse, personne ne croit vraiment que je sois écarté, tout le monde pense à une répartition secrète des rôles. Pour ma part, je sais ce qu'il en est. Je me rends aux États-Unis, où je me repose quelques jours avant de gagner le Moyen-Orient, en août 1999, pour y faire aboutir un projet sur lequel j'ai déjà travaillé pendant deux ans depuis Abu Dhabi : la création d'une entreprise d'énergie verte, renouvelable. Je fonde ma société Al Tayyar Energy. Son nom – « courant d'air » – traduit mon état d'esprit du moment. Le fait de me voir en entrepreneur indépendant présage mon avenir.

Je vois Mohammed VI une dernière fois en septembre 1999, à l'occasion du baptême de ma fille. Il frappe à ma porte et me dit : « Alors, tu ne m'invites pas ? » Je lui réponds qu'il est le chef de famille et que l'on n'invite pas le chef de famille. Il est toujours chez lui sous mon toit. Je ne me doute pas encore à quel point l'inverse n'est plus vrai.

V.

COUPS FOURRÉS

Le seul maître des rois est le temps. La durée d'un règne est la force autant que la faiblesse du système monarchique. À chaque relève, les compteurs sont remis à zéro, pour le meilleur comme pour le pire. Le passage d'un roi à un autre est aussi l'entracte pour les courtisans, le moment opportun pour eux de sortir d'une pièce à bout de souffle pour se réinventer dans le spectacle du nouveau metteur en scène. C'est un moment délicat. Crier « vive le roi ! » quand le prédécesseur n'est pas encore mort vaut exclusion. En revanche, dire qu'on est prêt à acclamer, le moment venu, peut rapporter gros sans rien coûter, du moins à ceux qui n'ont de toute façon ni dignité ni honneur.

Le 23 avril 1998, soit quinze mois jour pour jour avant la mort de Hassan II, le fondateur et directeur du groupe de presse *Jeune Afrique*, Béchir Ben Yahmed, vient me rencontrer dans un café à Paris. Nous nous connaissons, je l'ai déjà aidé à de multiples reprises. Dans une main, il tient la dernière anthologie de ses éditoriaux dans son hebdomadaire (« Ce que je crois ») qu'il vient de publier sous le titre *Face aux crises*. Il m'en apporte un exemplaire aimablement dédicacé. Je lis : « Ce *Face aux crises* en hommage d'amitié fraternelle pour un homme qui a eu et aura à faire face. Et pour accompagner un destin qui sera, je pense, à la hauteur de son ambition. » Dans l'autre main, Béchir Ben Yahmed tient une lettre datée du même jour et qui dit ceci :

« Cher Ami,
Pour racheter le local de 1 500 m² environ qui, depuis près de dix ans, abrite *Jeune Afrique* au 57 bis rue d'Auteuil Paris XVIᵉ, j'ai besoin de trouver <u>un prêt de 3 millions de dollars à un taux normal (*voisin de 5 %*) remboursable en cinq ans, à partir de janvier 2011 (*60 mensualités égales de 50 000 dollars chacune, plus intérêts*)</u>.

Le local est très bien situé dans un bon quartier de Paris (*Auteuil*) ; il vaut ce prix aujourd'hui et, la crise de l'immobilier étant sur sa fin, vaudra beaucoup plus cher dans quelques années (*description ci-joint*).

Je vous demande de vouloir bien nous prêter cet argent ou de nous aider à trouver ce prêt, avec votre garantie.

Je sais que <u>vous le pouvez</u>, et c'est la raison pour laquelle je m'adresse à vous avec la conviction que <u>vous voudrez le faire</u>.

Il s'agit bien d'<u>un prêt</u> qui sera conclu sous l'égide d'avocats et de notaires, dans le cadre d'un contrat donnant au prêteur toutes <u>garanties</u>, dont, si besoin, l'hypothèque sur l'immeuble.

Le prêteur a, ainsi, la certitude absolue de rentrer dans son argent dans le délai imparti.

226

Le prêt pourra être fait à moi-même ou à la société Sifija, holding du groupe Jeune Afrique, au choix du prêteur qui pourra bénéficier de la garantie des deux. »

S'ensuit le nom du cabinet désigné par Béchir Ben Yahmed, puis ce dernier paragraphe précédant sa signature : « Si, comme je l'espère, vous acceptez de répondre positivement à ma demande, et si nous pouvons régler cette affaire au cours du mois de mai, vous serez assuré de ma durable reconnaissance. »

Pour faire court : je n'ai pas levé 3 millions de dollars en un mois pour que le groupe Jeune Afrique puisse se porter acquéreur de son siège à Paris, et je n'ai pas eu droit à la « durable reconnaissance » de Béchir Ben Yahmed. En somme, me semble-t-il, cela a été un marché honnête.

En septembre 1999, deux mois après l'accession au trône de Mohammed VI, des manifestations éclatent au Sahara occidental. Elles sont durement réprimées par le ministre de l'Intérieur Driss Basri, qui est alors limogé par le jeune roi. Mais, comme l'attestera la suite sans fin de ce dossier épineux, le limogeage de Basri ne répond pas à la question de savoir ce qui arriverait si le Maroc perdait « son » Sahara. Lors de ma dernière entrevue avec l'opposant Abderrahim Bouabid, peu avant sa mort en 1992, il m'avait dit : « Le problème du Sahara occidental ne pourra vraiment être résolu que par la démocratisation du Maroc tout entier. » Je pense qu'il avait raison. En effet, mes interlocuteurs sahraouis me disent en substance : « Pourquoi voulez-vous que nous nous rattachions au Maroc ? Il y a chez vous des problèmes sociaux, pas de démocratie et trop de corruption. Nous, de notre côté, nous avons des richesses naturelles et une petite population. Nous ne sommes pas endettés et nous aurions la possibilité de construire un État viable protégé par les normes internationales et, de ce fait, protégé des dérives de nos propres leaders. » Tout cela est juste, et la seule réponse pérenne serait l'avènement d'une vraie démocratie au Maroc.

Avant et après Hassan II, par quelque bout que l'on prenne les problèmes du Maroc, du Sahara occidental au « réveil berbère » en passant par la corruption, l'on aboutit indéfiniment à la même conclusion : aucune solution ne saurait être trouvée sans la redéfinition du pacte social en vue d'une vraie démocratisation du système. La stabilité politique et la prospérité économique de notre pays, et même l'unité nationale, en dépendent.

Le recul que j'ai pris en 1999 me laisse le temps de réfléchir à l'avenir de la monarchie. Mes convictions n'ont pas changé, et je continue de les défendre sur la place publique. Le 1er décembre, je donne une conférence sur « les défis démocratiques dans le monde arabe » à l'Institut français des relations internationales (IFRI) à Paris. Le Tout-Rabat s'est déplacé dans la capitale française. Plusieurs centaines de personnes se pressent dans une salle qui n'est pas faite pour une telle affluence. L'ambassadeur du Maroc en France est intervenu pour tenter de faire annuler l'événement. Des agents de la DGED, le service marocain de contre-espionnage, prennent des photos du public. « Les hommes passent mais le système reste », constate ce jour-là le spécialiste du Maghreb Rémy Leveau, l'un de mes maîtres à penser. Des compatriotes étudiants, qui me posent des questions un peu délicates sur la monarchie, auront par la suite des ennuis. Au pouvoir depuis six mois, M6 jouit pourtant d'un état de grâce exceptionnel. Les médias l'ont surnommé le « roi des pauvres ». Il est populaire et courtisé. Il accumule les promesses, sans préciser comment il les réalisera. Mais, à l'intérieur comme à l'extérieur du pays, on ne demande qu'à le croire sur parole. À tous, le roi dit ce qu'ils veulent entendre ; surtout, il leur dit ce qu'ils ont vainement espéré entendre depuis tant d'années. Et peu importe si c'est immature, irréaliste, politiquement suicidaire. Du moment que cela tranche avec Hassan II. Le passé comme repoussoir instruit l'avenir.

Cette volonté de rupture de Mohammed VI avec le passé « hassanien » naît d'un réel désir de changement. Mais assez rapidement, cela devient un outil de marketing et une manière de démolir le père. En vérité, le roi en fait trop et pas assez : trop dans l'œdipien et pas assez dans la transformation institutionnelle du régime. Au Maroc de M6, les comptes de la répression sont vaguement apurés mais on ne touche pas à l'armature du régime qui a rendu cette répression possible. Du reste, les pratiques ne changent pas tellement. Sous Hassan II, les « gauchistes » subissaient le plus fort de la répression ; sous Mohammed VI, ce sont les islamistes. Seulement, comme ces derniers ne sont pas très populaires à l'extérieur, notamment dans les pays occidentaux, les abus commis à leur égard suscitent moins de protestations.

Au début de l'année 2000, je postule à l'ONU. J'ai besoin de changer radicalement de paysage. Je veux voir de près une autre réalité, au pire même la guerre et ses souffrances. Tout sauf l'image kitsch du Maroc. Lorsque je songe au royaume de ces années-là, je revois un bal de somnambules, des gens valsant les yeux fermés au bord d'un précipice. À ma demande, Kofi Annan, le secrétaire général des Nations unies, me reçoit. L'ambassadeur du Maroc auprès de l'ONU tente d'abord de torpiller mon projet mais, ensuite, il reçoit de nouvelles consignes de Mohammed VI sur le mode : « Bon débarras, qu'il y aille. » Je deviens ainsi le conseiller pour les affaires communautaires non albanaises de Bernard Kouchner, le haut représentant des Nations unies au Kosovo. Kofi Annan n'a posé qu'une condition : que ma sécurité soit garantie au maximum. Il estime qu'en tant que personnalité musulmane, je suis une cible de choix pour Milošević et les siens. J'aurai ainsi cinq gardes du corps. Rien de bien nouveau pour moi. J'ai l'habitude des dispositifs de sécurité depuis mon enfance.

J'arrive en Macédoine en mars 2000. Un hélicoptère russe me transporte de Skopje à Pristina. Je débarque avec mon énorme paquetage américain sur cette base où des officiers russes m'attendent. *In petto*, je me dis : « Mais qu'est-ce que je viens faire ici ? ! Tout cela est grotesque... »

La première semaine, mes relations avec Bernard Kouchner sont très tendues. Il me regarde de travers. Il tente de cerner qui je suis. Il m'invite à déjeuner, à dîner, mais nous ne trouvons rien à nous dire. C'est une situation pour le moins inconfortable. Puis nous sortons dîner avec une collègue de la MINUK, la Mission d'administration intérimaire des Nations unies au Kosovo. En quittant la table, je la raccompagne chez elle. J'ai à peine tourné les talons que j'entends une forte déflagration dans mon dos. Je reviens sur mes pas, convaincu que ma collègue vient d'être la victime d'un attentat de l'UCK, le mouvement indépendantiste albanais. En effet, son appartement a été touché par une roquette. Mais elle n'était pas la cible visée. Plus tard, nous apprendrons que l'UCK cherchait à éliminer une Serbe vivant dans le même immeuble. Sur-le-champ, mes gardes du corps se précipitent dans la cage d'escalier pour aller, si possible, extraire la fille. Elle est saine et sauve. Sur ces entrefaites, Bernard Kouchner et la police débarquent pratiquement en même temps. Kouchner est en manteau, avec des chaussettes et des chaussures, mais sinon, nu comme un ver. C'est déjà assez comique. En plus, désignant l'immeuble éventré, il me dit : « C'est comme ça qu'on dit bonne nuit en albanais. »

Nous échangeons un rire spontané. La journaliste star de la BBC, Jacky Rowland, nous filme. Je lui fais une grosse grimace. Alors, Kouchner se jette à l'eau : « Cela fait une semaine que vous me faites la gueule. Vous pensez que je suis un illuminé ?

— Non, mais vous avez une flopée de conseillers que vous n'écoutez pas. Vous n'en faites qu'à votre tête.

— Je sais, je suis égocentrique. Mais est-ce vraiment un problème ?

— Pas pour moi, en tout cas. Vous savez, avec Hassan II, j'ai eu affaire au calibre au-dessus... »

Cela aura suffi pour briser la glace entre nous. Ensuite, nous travaillons en bonne intelligence. Je loue la maison du chauffeur de Kouchner, et je me mets au boulot. Le Kosovo est un endroit dur, avec des gens difficiles, violents et agressifs. Il fait très froid, parfois -20°. La terre est lourde, les distractions sont rares. J'apprécie cependant de pouvoir rencontrer les diplomates de premier plan qui défilent à cette époque dans notre quartier général. Richard Holbrooke, représentant des États-Unis à l'ONU, Lakhdar Brahimi, le représentant spécial de l'ONU pour l'Irak et l'Afghanistan, Paddy Ashdown, un ancien parlementaire britannique, représentant de l'ONU en Bosnie, le général Wesley Clark, Ismael Cem, le ministre turc des Affaires étrangères qui me recevait souvent à Ankara pour discuter du statut des populations turcophones dans le sud du Kosovo... La mission est exigeante, mais nous avons le week-end pour nous reposer. Le dimanche, je fais le tour des contingents, avec une prédilection pour le contingent italien (dont la cuisine est fameuse) et le contingent turc. Il m'arrive aussi de passer la fin de semaine à Vienne ou à Skopje.

Dans le cadre de ma mission, je dois favoriser l'intégration dans le processus de reconstruction politique des communautés non albanaises et non serbes, autrement dit bosniaques, roms et gorans, les Slaves musulmans de Macédoine. Il faut leur donner le sentiment qu'ils comptent pour l'ONU, que nous leur prêtons attention. Nous les recensons, répertorions les violations des droits de l'homme dont ils ont été victimes sous Milošević, ainsi que les discriminations qui perdurent à leur encontre. Aidé par mon statut de « coreligionnaire », je leur prouve, au jour le jour, par ma présence que la communauté internationale est à leurs côtés. Je participe à la dynamique d'intégration des populations musulmanes au cœur de l'Europe en allant à la rencontre de leurs leaders de quartier, puis en me faisant l'écho de leurs problèmes. Les sessions hebdomadaires du Kosovo Transition Council (KTC), une sorte de parlement au pouvoir consultatif composé d'une trentaine de membres, sont passionnantes.

Les opposants serbes venaient au Kosovo pour se réunir dans la belle cathédrale byzantine de Gračanica, dans la banlieue de Pristina où il y avait une enclave serbe. Le cardinal Bartolomé, un petit bonhomme mais une grande figure morale, dirigeait les débats. Il était le père spirituel du Kosovo orthodoxe. J'aimais me joindre à eux. J'avais besoin d'un interprète mais, finalement, je suis devenu une sorte de mascotte pour ces opposants qui savaient que j'étais musulman. Ils ont senti à quel point j'étais fasciné par leur activité. C'était comme si l'histoire s'accomplissait sous mes yeux.

Autre dossier à suivre : le cas des personnes disparues après avoir été détenues sous Milošević. Certaines sont encore en prison en Serbie, inculpées de « terrorisme » ; d'autres ont été torturées ou ont fini par réapparaître et veulent à présent faire entendre leur voix ; d'autres encore ont été tuées et leurs parents cherchent à récupérer leur corps. Nous constituons une base de données. Nous veillons de notre mieux à ce que les prisonniers soient traités conformément aux conventions en vigueur. À ce sujet, j'ai d'ailleurs dû prendre des cours du soir car je n'avais jamais fait de droit. Enfin, j'aide le Tribunal pénal international pour l'ex-Yougoslavie (TPIY) à répertorier les cadavres en les identifiant grâce à des tests ADN, et à retracer les circonstances de leur mort. Un détective étranger aux Balkans instruit l'enquête. C'est un travail pénible. Je me souviens en particulier d'un jour où nous suivions un jeune homme dans un champ, qui ne cessait de répéter : « C'est ici que ça s'est passé. » Nous lui demandons, bien sûr, ce qui s'était précisément passé. Mais il disait seulement : « Vous ne comprenez pas ? ! C'était ici ! » En creusant, nous avons alors trouvé, sous nos pieds, une fosse commune remplie de cadavres.

À l'approche des élections municipales, qui sont pour nous une échéance majeure, Kouchner me demande de préparer une campagne de sensibilisation pour convaincre la population de participer au scrutin. Cette tâche, que j'ai menée à bien avec tout mon zèle d'adepte du vote démocratique, aura été ma dernière au Kosovo, la consécration de mon séjour. Car je quitte le territoire en décembre 2000, en même temps que Bernard Kouchner. Notre bilan n'est pas mauvais même si, hélas, nous laissons la minorité serbe dans une situation délicate. Nous voulions faire respecter la diversité mais, en fin de compte, le Kosovo est devenu ethniquement homogène. À ce sujet, je suis terrifié par la reproduction de l'intolérance : les victimes d'hier, en relevant la tête, s'empressent de bâtir leur propre domination brutale au détriment des anciens bourreaux qui, du coup, leur empruntent leurs références aux droits de l'homme comme ultime ligne de défense.

Je garde un souvenir fort agréable de la fin de ma mission. Le 19 novembre 2000, Kouchner me propose de le retrouver au 37e étage du siège de l'ONU à New York, au Département des opérations de maintien de la paix (DPKO). De là, nous nous rendons ensemble au Conseil de sécurité devant lequel Kouchner doit présenter son rapport de fin de mission. Je m'installe derrière lui. À l'issue de sa présentation, il reçoit un hommage appuyé du Conseil, qui retient en particulier l'apport de la campagne de sensibilisation – *outreach campaign* – dont je m'étais occupé. Avec beaucoup d'élégance, Kouchner, qui relatera plus tard son aventure au Kosovo dans un livre, *Les Guerriers de la paix*, me présente comme l'auteur de ce travail et me remercie devant tout le monde. Cela a été l'un des plus grands moments de ma vie. Pour la première fois, je me sentais citoyen du monde et utile à d'autres. Bien sûr, j'aurais surtout voulu être utile aux miens.

À quel point mon pays et les miens me manquaient, je l'avais compris en passant par Paris après mon départ du Kosovo. Je me trouvais à l'hôtel Meurice quand, tout d'un coup, un souvenir olfactif irrésistible m'avait forcé à me lever, à suivre l'odeur au fil des couloirs jusqu'à frapper à une porte. C'est mon jeune frère Moulay Ismaïl qui m'avait ouvert, à notre surprise réciproque : il utilisait un des derniers flacons du parfum de Hassan II, l'ambre mélangé au santal, un bois d'Asie…

J'ai beaucoup aimé la mission au Kosovo, malgré la bureaucratie onusienne. Mais je ne souhaitais pas postuler à un nouveau poste. Au Kosovo, j'ai compris à quel point il est difficile de monter une mission de maintien de la paix, d'arriver dans un pays inconnu avec un organigramme et un plan tout fait en tentant de les plaquer sur les réalités locales. C'est d'autant plus hasardeux que les rotations du personnel de l'ONU sont constantes. À peine acquises, les connaissances s'en vont avec des gens en fin de contrat ou appelés à d'autres fonctions. Enfin, Mohammed VI, qui avait dû entre-temps se rendre compte que l'ONU pouvait devenir une tribune pour moi, m'a aidé à faire mes adieux. Iqbal Riza, le chef de cabinet de Kofi Annan, alors Secrétaire général des Nations unies, m'a dit que Mohamed Bennouna, qui siège aujourd'hui à la Cour internationale de justice, lui avait été envoyé par M6 pour s'opposer au nom du Maroc à ce qu'une nouvelle tâche me soit confiée alors qu'il était question que je fasse partie de la commission d'enquête sur les tueries perpétrées en avril 2002, à Jénine, en Palestine. Tant pis ! Ou plutôt, tant mieux. J'étais un peu fatigué de ce milieu aseptisé où il fallait faire attention à chaque mot pour ne pas froisser les États membres. Surtout, ma famille, restée au Maroc, m'avait beaucoup manqué, et j'étais heureux de la retrouver. Ma seconde fille venait de naître ; je la connaissais à peine.

Je rentre donc au royaume. M6 est toujours le « roi des pauvres » dans le miroir médiatique, et le Premier ministre Youssoufi se dilue comme un Alka-Seltzer, hélas avec moins d'effervescence. Depuis le Kosovo, j'avais suivi l'évolution dans mon pays. En 1999, Mohammed VI avait enrobé le changement qu'on attendait de lui d'une trouvaille marketing floue et attrape-nigauds, le « nouveau concept d'autorité ». En fait, cela revenait à dire que le roi avait un droit de préemption sur le pouvoir exécutif et, donc, sur les prérogatives du gouvernement. J'ai compris que nous ne cheminions pas vers plus de démocratie mais, au contraire, que le roi se préparait à fermer la parenthèse de l'alternance. Son projet pouvait se résumer ainsi : « Abandonnons la politique politicienne, qui est une occupation pour de vieux bonhommes, et, au fond, une mauvaise chose. Concentrons-nous sur la croissance économique sous la tutelle de la monarchie et pour le bien du peuple. » Comme nombre de militants de la société civile, le roi entendait faire de la politique « en prise directe », sans la médiation des partis. Il en a résulté une « ONGisation » du pouvoir au Maroc. Depuis toujours, M6 a éprouvé une profonde aversion à l'égard de la politique, de ses leaders et du « jeu institutionnel ». Il a voulu se situer ailleurs. Son attitude envers la classe politique marocaine était parfaitement résumée par le trait d'esprit du journaliste marocain Aboubakr Jamaï : « La classe est mauvaise, donc on brûle l'école. »

Après mon retour, je reste en quarantaine politique. Depuis la mort de Hassan II, je n'ai eu aucun contact avec mon cousin sur le trône. Cependant, je prends le roi au mot. Il affirme vouloir instaurer la démocratie et laisser l'opposition s'exprimer. Alors, militons et exprimons-nous ! La période s'y prête. Les Marocains se sont mis à revendiquer. Sous peu, je reçois un appel dudit Aboubakr Jamaï, le directeur de l'hebdomadaire *Le Journal* que je ne connais alors pas encore. Il me demande d'aller parlementer avec une soixantaine de diplômés chômeurs en grève de la faim à Témara, près de Rabat. Entortillés dans des draps trempés d'essence à la manière dont nous enveloppons nos morts dans des linceuls, ils menacent de s'immoler – nous sommes dix ans avant le Printemps arabe, qui partira des étincelles de tels suicides de désespoir !

Je me rends sur place, et nous discutons toute la journée. Finalement, je me mets d'accord avec Jamaï et Fadel Iraki, le propriétaire du *Journal hebdomadaire*, sur la mise en place d'un fonds social de l'équivalent en dirhams de 150 000 euros géré par un comité de suivi présidé par Fadel. À charge pour le fonds de verser une allocation mensuelle aux diplômés chômeurs pendant que le comité tentera de les insérer dans le monde du travail. Cette crise ponctuelle est ainsi résolue sans drame mais, bien entendu, notre « solution » n'a pas vocation à être généralisée. Surtout, elle ne change rien à la faillite totale du système éducatif marocain. Les jeunes que j'ai par la suite testés pour les recruter dans mes entreprises n'avaient pas même un début d'idée sur la marche du monde. Pour la plupart d'entre eux, ils étaient incapables d'enchaîner trois arguments dans un raisonnement. Ce qui n'est pas étonnant. Au Maroc, le taux global d'alphabétisation n'est que de 56 %, contre 73 % en Algérie. En Algérie, 95 % des filles et 98 % des garçons vont à l'école primaire ; en Tunisie, 98 % des filles et 97 % des garçons ; au Maroc, il n'y a que 85 % des filles et 90 % des garçons qui accomplissent le premier cycle de l'éducation formelle. En même temps, le taux d'échec scolaire est très important au Maroc : seuls 80 % des enfants y finissent le cycle de l'école primaire. Un quart des enfants du royaume – 2,5 millions d'enfants sur 10 millions au total – n'y sont pas ou plus scolarisés. La situation des cycles supérieurs n'est guère meilleure. Il y a environ 300 000 étudiants au Maroc. Autour de 5 000 par an sortent avec un diplôme universitaire en poche. Là encore, la comparaison régionale tourne au désavantage du royaume : en Algérie, environ 20 % d'une promotion universitaire rejoignent le troisième cycle, 30 % en Tunisie, mais seulement 11 % au Maroc. Or, le pays où l'on dépense le plus pour l'éducation est, de loin, notre pays : avec 27 % du budget, contre 20 % en Tunisie et 16 % en Algérie. Bref, nous faisons nettement moins bien que nos voisins mais à un coût beaucoup plus élevé.

Sur les 14 pays du Maghreb et du Moyen-Orient (MENA), le Maroc est 10e au regard des critères d'accès, de la qualité, de l'efficacité et de l'équité de son système éducatif. Le royaume ne devance que l'Irak, le Yémen et Djibouti. À ce rythme, en 2030, un cinquième de ses adultes n'aura pas de diplôme du secondaire. Si l'on y ajoute les déscolarisés, un quart de la population marocaine sera « inutilisable » à cette échéance dans le cadre d'une économie du savoir. L'intégration mondiale du Maroc butera forcément sur ce problème. Si l'on compare le royaume à la manière dont, par exemple, la Chine ou l'Inde forment leurs jeunes générations, l'écart – grandissant – crève les yeux. Seule l'Afrique subsaharienne fait pire que mon pays.

Il y a diverses hypothèses pour expliquer cette contre-performance : la piètre qualité et la forte syndicalisation des enseignants marocains, leur autorité trop « despotique », l'islamisation rampante de l'Éducation nationale... La Banque mondiale retient également l'idée que l'État serait trop hégémonique. Elle souhaiterait que les élèves et les parents d'élèves s'impliquent davantage, que l'éducation réponde moins aux exigences d'en haut et plus à celles d'en bas. Pour qui connaît le système éducatif au Maroc, ce serait là une révolution ! En attendant, tout le monde est bien obligé de laisser ses enfants aux mains d'un système scolaire incapable de les former. Cela est d'autant plus révoltant qu'avec un taux de fécondité de 2,7 enfants par femme en âge de procréer, le Maroc est sur le point d'achever sa « transition démographique ». Théoriquement, il devrait bénéficier d'un « bonus démographique », c'est-à-dire d'un ratio entre sa population active et sa population dépendante favorable à son émergence économique. Or, il y a un double blocage, en amont dans l'Éducation nationale et, en aval, dans une économie en mal de création d'emplois. L'effet de ciseaux de ces deux échecs taille en pièces l'avenir du royaume.

Le 21 mai 2001, je donne une nouvelle conférence à l'IFRI à Paris, cette fois sous le titre : « Monarchies, successions et dérives dynastiques dans le monde arabe ». Je prône un retrait du roi de la gestion des affaires courantes et un nouveau « pacte monarchique » pour mieux prendre en charge les aspirations des couches défavorisées. Je suggère une monarchie régnante mais non pas gouvernante grâce à un « repli sur la garantie de la pérennité, de l'exigence communautaire, de l'arbitrage des équilibres et de la commanderie morale et religieuse de la société ». J'ajoute que le « pacte de famille » autour du trône devait également évoluer en cas de démocratisation.

Deux jours après cette conférence à l'IFRI, dans une interview sur TV5 que des proches de Youssoufi ont vainement tenté de faire annuler, j'insiste sur une nouvelle Constitution. Les opposants marocains sont gênés. Je vais bien plus loin qu'eux. Pour enfoncer le clou, je publie, le 27 juin, une tribune dans *Le Monde* titrée : « Mortel attentisme au Maroc. » J'y évoque les occasions manquées depuis la mort de Hassan II, la paralysie politique, la déception qui commence à se généraliser. Je dénonce la procrastination en lieu et place d'une stratégie de sortie de crise. Le texte est sans ambages. « Chacun sait, ou devrait savoir, que le vieux mode de gouvernement a vécu, et qu'il ne peut être conservé ou ressuscité. » Je dis ma crainte que le déficit d'autorité du régime ne soit propice à un retour en force de l'armée. En même temps, je reconnais volontiers les progrès accomplis en deux ans par Mohammed VI en matière de droits de l'homme et dans la réforme de l'administration, qui a gagné en efficacité. Mais je me refuse à ce que « l'angoisse du débat se substitue à la peur de l'État ». Je propose de réunir une Conférence nationale pour, justement, mettre à plat nos problèmes fondamentaux avant les échéances électorales de 2002. Bien que mon propos soit argumenté, les réactions sont souvent simplistes et agressives, sur le mode : « Vous allez trop loin, laissez donc du temps au roi, qui doit gérer un lourd héritage. En fait, c'est le gouvernement qui ne fait rien. » Je m'explique donc de nouveau, le 30 juin, dans une interview au *Journal hebdomadaire* : « Il ne s'agit pas de reproduire un schéma de despotisme éclairé comme semble le souhaiter une certaine élite. Plutôt, il faut que le roi s'implique activement dans la démocratisation du pays et que la monarchie ait un rôle d'avant-garde. »

Dans ce contexte, un article du *Monde* cosigné par Stephen Smith et Jean-Pierre Tuquoi, paru le 13 juillet sous le titre « En attendant Mohammed VI », déclenche la fureur des premiers cercles autour du roi. Il faut dire que leur analyse des premières années du nouveau règne n'est pas tendre. Suprême irrévérence, y sont évoqués quelques sobriquets de Mohammed VI : « roi noceur », « roi fainéant », « Sa Majetski », plus souvent sur sa planche dans l'eau à pratiquer son sport favori que derrière son bureau à travailler pour le pays... Les Marocains, « habitués à se définir par rapport au roi tel un champ de tournesols qui s'oriente par rapport au soleil », se voient reprocher d'avoir tacitement reconduit ce qui tient lieu de contrat social au Maroc : « Ne t'occupe pas des affaires publiques, le monarque y veille, le *makhzen* ne dort jamais. »

Pris sous le feu de cette artillerie lourde, le Palais mobilise ses troupes supplétives. La semaine suivant la publication de l'article, une « délégation de la société civile » – elle va vite être surnommée la « mission tournesol » – fait le tour des rédactions parisiennes. Trois de ces « délégués », dont la directrice de la rédaction de la chaîne de télévision 2M, Samira Sitaïl, signent par ailleurs dans la presse marocaine une lettre ouverte indignée, « En attendant *Le Monde* ». Sur leur lancée, ils s'en prennent aussi à moi. Le ministre des Affaires générales, Ahmed Lahlimi, *de facto* le numéro deux du gouvernement, leur emboîte le pas en déclarant à mon propos, dans l'édition du 14 août de *Jeune Afrique* : « J'aurais aimé qu'il développe ses idées au sein de la famille royale au lieu de s'épancher dans les journaux. On a l'impression que ses déclarations suivent un plan minutieusement concocté. Certains vont même jusqu'à évoquer, en privé, un soi-disant complot étranger dont il serait l'instrument. » Je rédige une réponse que publient le quotidien arabophone *Al Ahdath Al Maghribiya* et *Le Journal hebdomadaire*, respectivement à la fin août et début septembre. J'affirme que mes prises de position ne sont pas mues par la volonté de devenir calife à la place du calife, mais se situent dans le « droit fil de tous les Marocains qui ont lutté, depuis l'indépendance, pour les réformes adéquates que notre pays attend ». Pointant les problèmes qui se sont accumulés depuis des décennies, j'explique qu'il m'est apparu nécessaire d'appeler à une réforme de la monarchie. Je reviens sur mon idée d'une Conférence nationale pour mettre à plat tous ces problèmes. Dans la foulée, je qualifie Ahmed Lahlimi d'homme « ayant passé sa vie à débiter le verbe prétentieux et à se tromper lui-même en croyant avoir réalisé des projets dont il n'a fait que parler ». Je cite ce propos ici pour reconnaître que je me suis parfois laissé entraîner dans la polémique – et que je n'aurais pas dû. Ce n'est qu'au fil du temps que j'ai décidé que tout cela ne m'atteindrait plus, et que je me focaliserais uniquement sur le fond du débat. J'ai appris à ignorer les attaques *ad hominem* téléguidées.

J'ouvre une parenthèse pour parler d'un personnage qui, dans l'« affaire des tournesols » comme en d'autres circonstances, a joué un rôle clé : André Azoulay. Il serait injuste de le ranger parmi ceux que l'on appelle souvent au Maroc, avec mépris, les « juifs de la cour ». D'abord, je ne veux pas faire mienne cette expression, quand bien même elle serait replacée dans son contexte historique, qui remonte à loin. Ensuite, André Azoulay n'aurait de toute façon pas sa place dans cette catégorie contestable. Qu'on l'apprécie ou qu'on l'exècre, on doit lui reconnaître ses qualités professionnelles. Il a aidé Hassan II à ravaler la façade de son régime. Avant Azoulay, il n'y avait pas de plan de communication au Palais. C'est lui qui a apporté cette nouveauté dont Hassan II a tout de suite saisi l'intérêt. Azoulay a su le convaincre qu'il ne devait plus prononcer ses discours derrière des pupitres et de grands bureaux, mais assis sur son trône sans façon, un verre de thé à la main. Il l'a humanisé. Il lui a aussi appris quelles chemises convenaient devant une caméra. Enfin, il a initié Hassan II aux charmes d'une politique économique libérale. Il a su la lui rendre enviable, appétissante. Comme il ne menaçait pas les autres courtisans du roi, ceux-ci l'ont laissé travailler. Il a ainsi organisé le G14, un *think tank* de personnalités marocaines triées sur le volet pour leurs compétences économiques, qui travaillaient sous la houlette du roi. Ultime mérite et pas des moindres, il a tenté de rapprocher le père et le fils pendant que d'autres membres de l'entourage royal s'en moquaient ou, pis, attisaient le conflit.

André Azoulay n'en est pas moins un homme cynique. Il a deux faces et peut être d'une méchanceté extrême. Au début, il était une caution libérale pour le *makhzen*. Par la suite, son second visage est apparu : celui du courtier des grandes entreprises françaises. Cette image de *smooth operator* a estompé l'image du libéral de conviction. Autrement dit : à la longue, le libéral au sens économique a damé le pion au libéral politique.

À l'époque de l'« affaire des tournesols », la soi-disant insulte infligée aux Marocains par *Le Monde*, une femme née au royaume, Liliane Shalom, qui est par la suite devenue vice-présidente de la Fédération mondiale sépharade, était le relais d'Azoulay à New York. Elle l'appelait *Blue Eyes*, comme Frank Sinatra, sa façon à elle d'évoquer le côté « gangster chic » d'Azoulay. C'était bien vu. En février 2002, lorsque *Le Monde* me consacre un portrait, de nouveau cosigné par Smith et Tuquoi, Azoulay fait pression sur le quotidien français pour qu'un autre portrait royal, celui de ma tante Lalla Fatima Zohra, soit publié, à titre de compensation en quelque sorte. Feu ma tante, dont j'étais très proche, m'a raconté qu'un émissaire d'Azoulay avait lourdement insisté auprès d'elle pour qu'elle se prête au jeu alors qu'elle n'en avait aucune envie. Une « plume » du *Monde*, Annick Cojean, a signé ce portrait de commande, hagiographique à souhait. Merci la France, bonne fille du royaume !

Dans l'« affaire des tournesols », André Azoulay

pilote la contre-offensive sans jamais apparaître au premier plan. À son instigation, la délégation dite de la « société civile » est envoyée au charbon pour nier que l'establishment marocain soit inféodé au roi au point de le suivre comme la fleur héliotrope suit la trajectoire du soleil. Azoulay lui-même intervient seulement auprès de l'Agence France-Presse et de l'hebdomadaire *Jeune Afrique*. Mais il est finalement dessaisi de ce dossier par l'entourage dur du roi qui veut traiter mon cas avec plus de fracas. Heureusement ! Azoulay, en bon professionnel, eût été bien plus dangereux pour moi. Lui, au moins, connaît son métier, même s'il ne fait pas toujours le meilleur usage de ses compétences.

Surviennent les attentats du 11 septembre 2001. Depuis un an environ, je suivais de près la montée en puissance des réseaux dits « jihadistes ». Nous étions quelques-uns à pressentir qu'après le *jihad* interne à l'Afghanistan, c'est-à-dire la guerre de résistance contre les Soviétiques, ces réseaux allaient s'étendre à l'extérieur. Le 11 septembre, je suis chez moi à Rabat. Ma première réaction est l'incrédulité née d'un complexe collectif d'infériorité : « Ce n'est pas possible que des Arabes aient fait cela. C'est trop fort pour eux ! » Nous avons tellement intégré la défaite du monde arabe que cela semble inimaginable. Je pense d'abord que l'attentat pourrait être le fait de milices extrémistes américaines, voire de mouvements altermondialistes, avant de me rendre à l'évidence.

En la circonstance, Mohammed VI se révèle lucide et formidablement courageux dans sa réaction. Il condamne immédiatement l'attentat, sans équivoque – ce qui, dans le contexte, fait exception puisque les dirigeants et les peuples du monde arabe n'osent, dans leur grande majorité, désavouer le crime commis au nom de leur religion. Pour ma part, j'envoie une lettre à l'ambassadrice des États-Unis, qui la remet pour diffusion à l'agence Associated Press. Je donne aussi une interview à RFI, pour dire que je reconnais aux États-Unis le droit de se défendre, à condition qu'ils fassent savoir à « la communauté musulmane inquiète, le but des frappes, pourquoi elles sont effectuées et combien de temps elles vont durer ». Je conclus en évoquant, en face, notre responsabilité de musulmans : « Faire en sorte que l'islam, qui est une religion de paix, ne soit pas kidnappé par des forces qui prônent la violence et la destruction de la vie humaine. »

L'ambiguïté de mes pensées n'en est pas moins réelle. Tout en ayant une immense empathie pour les États-Unis, tout en condamnant les attentats, tout en me sentant américain par solidarité, je ressens malgré moi une griserie à voir que des ressortissants du monde arabe aient été capables de porter un tel coup à la première puissance mondiale. C'est peut-être le retour du refoulé arabe depuis la grande humiliation qu'a été pour nous tous la conquête napoléonienne de l'Égypte en 1798. Toujours est-il que je pense, tout en me reprochant ces pensées : « Maintenant, les Américains vont enfin comprendre ce que c'est que d'être touché dans sa chair. Ils vont se réveiller et voir tout le mal qu'ils font dans le monde. »

Je n'ai cependant pas de problème, au départ, avec

la réaction américaine, à savoir leur droit légitime de se défendre et de poursuivre leurs agresseurs, y compris sur le sol afghan. Il en va tout autrement quand Guantanamo Bay et ses pratiques sont révélés, quand l'on apprend que les États-Unis ne respectent plus les Conventions de Genève. Dans mon esprit, cela fait partie du plan des néo-conservateurs de changer les règles du jeu international pour imposer, coûte que coûte, l'hyperpuissance américaine.

En 2002, j'explique à ce sujet, dans une interview à *Politique internationale*, que l'islamisme est né d'une révolte contre des régimes perçus comme injustes après l'échec de l'idéologie nationaliste et des dictatures « modernisantes » qui prétendaient offrir un raccourci pour rattraper l'Occident. Dans l'histoire du monde musulman, les mouvements revendicatifs ont souvent revêtu une forme religieuse. La nouveauté, cette fois, est l'irruption d'un islamisme transnational. Je soutiens que « le phénomène Ben Laden est très différent de ce que l'on avait connu jusqu'ici car son objectif n'est pas de réformer un État islamique ou d'en instaurer un, mais de déclencher une guerre tous azimuts contre les forces anti-islamiques de la planète. Toute la question est de savoir si cet islamisme, qui est capable de mener des actions spectaculaires, peut faire une jonction avec les bases populaires dans les pays dont ses recrues sont issues ».

Les leaders nationaux de l'islamisme savent qu'ils n'ont pas le monopole de la représentation de l'islam. Par conséquent, ils sont désireux d'intégrer le jeu politique pour occuper la case radicale sur l'échiquier tel qu'il existe. Ils cherchent à devenir les porte-parole des couches défavorisées et les hérauts de l'anti-mondialisme. Et pourquoi pas ? À mon avis, il ne faut surtout pas « victimiser » les islamistes. Dans *Politique internationale*, j'analyse ainsi les causes de leur progression. « Au-delà des problèmes structurels, l'émergence de l'islamisme est liée à des facteurs culturels. Les protestations s'expriment dans les mosquées, les écoles coraniques et les maisons privées, à travers les prêches du vendredi et un certain code moral. Les effets de la mondialisation, en particulier les chocs culturels et le repli de l'État-nation, pèsent aussi très lourd. Les gens cherchent de nouvelles identités. En Europe, l'on est à la fois européen et provincial. Dans le monde arabe, le repli sur soi est musulman, et l'on a tendance à politiser cette posture. »

Paradoxalement, les monarchies s'avèrent les mieux outillées pour lutter contre l'islamisme en raison de leur plus forte légitimité historique et culturelle. Elles disposent de la profondeur nécessaire pour bâtir des institutions d'arbitrage incontestées. La confrontation entre l'État et les islamistes par armée interposée n'est donc pas une fatalité. Déjà à cette époque, soit dix ans avant le Printemps arabe, il me semble probable que tous les pays musulmans soient amenés à ouvrir des vannes pour réduire la pression. À cette fin, je prévois qu'ils recourent à l'« autoritarisme électoral », c'est-à-dire qu'ils respectent les échéances électorales dans un formalisme de façade tout en perpétuant, en réalité, la domination des élites au pouvoir. Le dénominateur commun de ces systèmes semi-démocratiques est l'existence de « domaines réservés » et de « lignes rouges » à ne pas franchir.

En septembre 2002, je suis invité à prononcer un discours à l'université de Princeton, dans le cadre d'une conférence sur les relations entre l'Amérique, l'islam et le monde musulman après le 11 septembre 2001. J'y rencontre un journaliste du *Washington Post*, Barton Gellman, l'un de mes anciens condisciples à Princeton, qui m'apprend – c'est alors un *scoop* – que le Maroc accueille un « site noir ». Autrement dit, mon pays est impliqué dans les *extraordinary renditions*, c'est-à-dire qu'il fait partie des pays qui acceptent de recevoir sur leur sol, en toute illégalité, des prisonniers de la CIA pour les interroger à leur façon « musclée ». Barton Gellman affirme en avoir les preuves. En effet, le 26 décembre 2002, il publie son enquête, cosignée par Dana Priest. Or, celle-ci avait été mariée à l'un de mes amis marocains, Abdeslam Maghraoui, mon condisciple à Princeton. Il n'en faut pas plus pour que le général Hamidou Laânigri, de la DST (Direction de la sécurité intérieure – les services secrets intérieurs), se persuade que j'ai été pour quelque chose dans les révélations du *Washington Post* – qui sont largement reprises, notamment par CNN, dans un programme animé par Aron Brown. Comme souvent, Laânigri fixe l'arbre mais ne voit pas la forêt. Il cherche à s'en prendre à moi au lieu de comprendre que le Maroc ne sera plus jamais le même après avoir « cassé » du musulman pour plaire à George W. Bush. À cette époque, pour le président américain, islam et terrorisme islamiste ne font qu'un.

Il est tout à fait honteux que le Maroc ait été complice d'un tel raccourci ignominieux. D'avoir accompli la basse besogne des « néo-conservateurs » américains restera une tache indélébile dans notre histoire.

Dans ce contexte géopolitique chargé, mes relations avec le Palais entrent dans une nouvelle phase, très inquiétante. Après les attentats du 11 septembre 2001, ma dissidence – ouverte, publiquement assumée et sans double fond – est gérée au Maroc comme un « risque sécuritaire ». À ce titre, toutes les bornes sont franchies. À la paranoïa sécuritaire s'ajoute une hargne vindicative contre ma personne. Voici les faits. Je les rapporte avec la sobriété d'un rapport de police. Ils sont suffisamment éloquents pour se passer de commentaire.

La première de toute une série d'affaires sera connue au Maroc comme l'« affaire du faux anthrax ». Elle survient, dès octobre 2001, alors qu'un vent de panique souffle sur le monde du fait de la diffusion à des fins terroristes d'un produit mortel, à savoir le bacille du charbon (anthrax). L'affaire implique Hicham Qadiri et Abdelkader Alj, deux de mes amis d'enfance, grands farceurs devant l'Éternel. Habitués des blagues osées, ils ont joué plus d'un tour pendable. Hicham était ainsi rentré de toute urgence des États-Unis après que son copain lui avait annoncé la mort de sa mère – rien de moins ! Hicham cherche donc à lui rendre la monnaie de sa pièce. Il envoie à Abdelkader une missive anonyme contenant ce message : « Ayant lu cette lettre, sachez que vous avez été contaminé par l'anthrax. » Hicham m'en informe au cours d'une conversation téléphonique amicale, pour me mettre dans le coup – et je dois reconnaître que je n'ai jamais autant ri de ma vie. Je lui rappelle quand même qu'Abdelkader est un peu fragile du cœur et qu'il ne faudrait peut-être pas trop « forcer ». Quelques jours passent. Le 18 octobre, Abdelkader ouvre la lettre expédiée par coursier. Hicham a brodé autour de sa menace : « Vous recevez cette lettre parce que vous êtes associé avec Robert Assaraf, un juif sioniste qui apporte des aides substantielles à l'État israélien au détriment de l'État palestinien. » Abdelkader est en effet associé à Assaraf dans un élevage de poulets. À la réception de la lettre, il prend peur, d'autant plus que le marché des poulets est *de facto* contrôlé par des islamistes. Il appelle la police.

Sous peu, des policiers et des spécialistes de l'Institut Pasteur débarquent chez lui. Entre-temps, affolé, Abdelkader a déjà brûlé les habits qu'il portait à la réception de la lettre et a fait désinfecter sa voiture. De son côté, Assaraf, prévenu, a ameuté le patron de la DST, le général Laânigri. Toute une machine se met en branle. Une enquête est ouverte. Pourtant, le 18 octobre vers treize heures trente, quelques heures seulement après la réception de la lettre, Hicham appelle Abdelkader, qui s'esclaffe en lui expliquant les tenants et aboutissants de sa « blague ». À seize heures trente, Abdelkader se rend au commissariat pour retirer sa plainte – ce qu'on lui refuse. Il me prévient de ce refus au téléphone, contrarié mais ignorant encore que l'affaire va mal tourner pour nous tous. En effet, Hicham est convoqué au commissariat à dix-huit heures trente. On lui demande alors de signer un document affirmant que je suis à l'origine de l'affaire ! Le lendemain, un communiqué publié dans le quasi officiel *Matin du Sahara* annonce que « les coupables » seront poursuivis, alors que la police sait parfaitement qu'il s'agit d'une plaisanterie douteuse.

Hicham est « cuisiné » jusqu'à minuit : la police veut absolument lui faire avouer que je suis le vrai instigateur du mauvais tour qu'il a joué à son ami. Il parvient à m'en informer sur son téléphone portable. Il restera trois jours en garde à vue. Le lendemain, la police interroge aussi la femme de Hicham, toujours dans le but de me faire porter le chapeau. Pour ajouter à la confusion, l'agence marocaine de presse, la MAP, affirme, le 18 octobre, que l'ambassade des États-Unis ainsi que l'ambassade néerlandaise auraient également reçu de faux plis à l'anthrax. Ce qui est faux.

Je commence à soupçonner ce qui se trame. Mes intuitions se confirment lorsque le père de Hicham vient me voir pour m'apprendre qu'il est mis sous pression afin de me faire passer pour l'auteur de la lettre « empoisonnée ». Digne et courageux, il s'y refuse, de même que sa femme d'ailleurs. Tous deux répètent que je suis comme un fils pour eux. Si déjà ils ne peuvent rien faire pour sortir « leur » Hicham de prison, ils se refusent à m'accuser faussement. Dans sa cellule, Hicham, lui aussi, tient bon. Une dizaine de jours passent, sans dénouement. Fouad Ali el Himma fait le tour des rédactions pour les persuader que je suis réellement derrière l'affaire. Les journaux aux ordres, *La Gazette du Maroc* en tête, développent la thèse de ma « volonté insidieuse de déstabiliser le Maroc ». Je comprends que je suis sur écoute et que la transcription de l'appel de

Hicham m'informant de sa plaisanterie a été versée au dossier comme « preuve » de mon implication. Hors de moi, je dénonce, dans une déclaration diffusée par l'Agence France-Presse, un « montage », une « barbouzerie ». Pour finir, le chef de la gendarmerie, le général Benslimane, qui entretient à cette époque des relations assez conflictuelles avec le général Laânigri, se saisit de ma sortie pour convoquer son rival de la DST. « Hamidou, qu'est-ce que c'est ce cirque ? » lui demande-t-il. La manipulation se retourne contre son auteur.

Mais il faut croire que le général Laânigri est couvert en haut lieu. Car, dans la foulée, survient une autre « affaire » tout aussi bizarre. Un ancien employé, Walid Belhaj, qui avait quitté mes services deux ans auparavant, vient m'apprendre qu'il a été interpellé par des agents en civil. Le 21 octobre, soit trois jours après le début de l'affaire de l'anthrax, deux policiers l'ont embarqué à son domicile et emmené en voiture dans le quartier du lotissement OLM, derrière la forêt du Hilton à Rabat. Ils y ont immobilisé leur véhicule et, sans l'en faire descendre, l'ont longuement interrogé sur mes relations tant amicales que professionnelles. Ils lui ont dit : « Nous savons que Moulay Hicham a des liens secrets et suivis avec des haut gradés des FAR [Forces armées royales] qu'il reçoit chez lui ou qu'il rencontre dans les Émirats. Pouvez-vous en témoigner ? » Belhaj leur répond qu'il n'a aucune idée de qui je reçois, où et pourquoi. L'un des agents sort alors un dossier de la boîte à gants, en lui demandant d'en parapher chaque page puis de le signer à la fin. Ce faux procès-verbal affirme, comme Walid Belhaj le révélera dans *Le Journal hebdomadaire* du 24 novembre 2001, mes prétendus « liens secrets et suivis » avec des officiers supérieurs. Belhaj refuse de signer le PV. Les agents se font menaçants mais lui accordent un sursis de quarante-huit heures pour changer d'avis. Belhaj en profite pour me contacter.

À ce stade, je conclus que le général Laânigri, après avoir échoué à me mettre l'« affaire de l'anthrax » sur le dos, tente de monter de toute urgence un autre dossier à charge pour sauver son « enquête ». Je me refuse à traiter avec lui. Il est le chef des « services », pour qui des coups bas relèvent de la routine, le pire produit des arrière-salles du *makhzen* avec, en sus, le complexe de l'ancien sous-officier de l'armée française ayant rallié le Palais sur le tard. Pour ne pas m'abaisser, j'effectue des démarches discrètes auprès du roi afin de clarifier la situation. Je joins par téléphone Rochdi Chraïbi, le chef du cabinet royal, en lui rappelant que, lorsque j'avais été éjecté du sérail, il m'avait suggéré de prendre contact avec lui en cas de problème. Je lui demande de se renseigner sur ce qui m'est reproché et de tirer l'affaire au clair. Je connais suffisamment le général Laânigri pour savoir qu'il ne s'arrêtera pas en si bon chemin. Mais je n'obtiens pas de réponse satisfaisante du Palais. Les jours passent, sans que l'on me rassure. Le seul message en retour se limite à des paroles creuses pour m'apaiser : « Calme-toi, ce n'est rien. » Or, en même temps, mes amis les plus proches, voire les membres de ma famille, sont ostensiblement suivis par des voitures de police. Ma femme reçoit des menaces au téléphone. *La Gazette du Maroc* publie, le 5 novembre 2001, un dossier reprenant de façon abracadabrantesque des rumeurs tentant d'accréditer ma volonté de troubler la « quiétude du Maroc ». Je commence à me demander ce que Mohammed VI cherche à obtenir, jusqu'où il est prêt à aller. Qui ne dit mot consent. Le chef de la maison royale ne réagit pas alors qu'un membre de sa famille est accusé sur la place publique d'atteinte à la sécurité intérieure de l'État !

Je décide donc d'aller sur la place publique pour prendre le pays à témoin. Le 24 novembre 2001, mes « affaires » sont déballées dans *Le Journal hebdomadaire*. Aboubakr Jamaï et Ali Amar ont enquêté pour recouper mes dires ainsi que ceux de Walid Belhaj. Mon ancien employé relate sa mésaventure dans l'hebdomadaire. Pour ma part, j'y accuse le général Laânigri de vouloir « m'impliquer dans une véritable opération de déstabilisation de l'État ». Venant de la part d'un prince, la charge est trop forte pour qu'elle puisse être ignorée ou étouffée. Une enquête administrative est diligentée par le ministre de l'Intérieur, Driss Jettou. Or, sous peu, des sources au Palais me rapportent que le général Laânigri s'oppose à cette enquête. Par ailleurs, des pressions sont exercées sur le père de mon ancien employé, un ex-militaire qui fut au service de feu mon père. On le presse d'intervenir pour que son fils se rétracte. Ce dernier sera harcelé pendant de longs mois. Quant à mon ami Hicham Qadiri, il paie au prix fort et sa mauvaise plaisanterie et sa loyauté à mon égard : le 15 novembre 2001, il est condamné à huit mois de prison ferme par un tribunal de première instance à Casablanca ! Trois semaines plus tard, le temps de la réflexion, il bénéficie d'une grâce royale... Et là, ce n'est pas une blague...

J'hésite encore sur l'attitude à adopter quand surgit une nouvelle « affaire ». En janvier 2002, un informateur de la DST chargé du dossier ultrasensible du Sahara occidental, Moulay Mehdi Boudribilla, révèle à la presse qu'il lui a été demandé de rédiger un rapport m'imputant des contacts avec les indépendantistes sahraouis et leur protecteur, l'Algérie. L'affaire relève de la haute trahison. À l'époque, Mohammed VI a déjà fait connaître sa décision en faveur d'une « troisième voie » – ni annexion pure et simple ni référendum d'autodétermination – pour régler le litige territorial. Dans ce contexte, Boudribilla devait prétendre que des officiers des FAR originaires du Sahara auraient émis le souhait que je sois désigné « à la tête d'un émirat du Sahara englobant sous la souveraineté marocaine le territoire du Sahara occidental et une portion de l'oriental ». Boudribilla s'y est refusé et cherche à se protéger en révélant l'« affaire ». La DST s'escrime à le discréditer comme un « affabulateur ». Pour ma part, je connais le grain de vérité à partir duquel nos services ont voulu fabriquer leur château de sable de mensonges : au printemps 2001, j'avais été contacté en vue d'une rencontre par des militants sahraouis. Rien de plus normal, de leur point de vue, eu égard à mes prises de position en faveur d'une « ouverture » au Maroc et de mon image médiatique de « prince rouge ». Toutefois, par méfiance autant que par patriotisme, je n'avais pas donné suite.

Au fil des « affaires », mon cas s'alourdit de façon inquiétante. Dans un premier temps, je crois que le but est d'aller vers un grand procès politique. Je prépare donc ma défense en constituant deux avocats, Mes Jamaï et Menni, et en rassemblant des pièces à conviction pour prouver mon innocence. Mais rien ne vient. Si bien que, dans un second temps, je finis par me rendre à l'évidence que la grande explication en justice n'aura jamais lieu, pas plus que n'aboutira l'enquête enclenchée par le gouvernement. Le Palais a choisi ses armes que sont ses services, le secret, le silence, les coups fourrés. C'est très mauvais signe. Car, de deux choses l'une : soit le général Laânigri agit avec l'accord du roi, soit Mohammed VI ne peut plus protéger les membres de sa famille. Dans un cas comme dans l'autre, le danger pour moi est extrême. En l'absence de garde-fous, la logique enclenchée ira fatalement à son terme. Connaissant le système pour être né en son sein, je décide de m'en extraire de toute urgence. Quel qu'en soit le prix à payer, je serai toujours gagnant, parce que vivant, pour avoir quitté le royaume à temps.

Tout régime a sa mémoire institutionnelle. En l'occurrence, le *makhzen* puise dans son savoir-faire pour éliminer un *rougui*. Le *rougui* introduit la *fitna*, le désordre, dans la cohésion de l'*umma*, la communauté des croyants. *Rougui* est le terme marocain pour un concept islamique. L'équivalent oriental, ce sont – au pluriel – les *khawarije*, qui sortent de la communauté au sens tribal. Généralement, le *rougui* est un proche du pouvoir, qui peut même être de sang royal, un intime qui veut porter atteinte à la personne du roi. Je me rends compte que nous sommes dans cette logique-là. Je n'en reviens pas. Après le choc initial, cela va me transformer : d'un coup, je ne me sens plus des leurs. La monarchie ? Je n'en fais plus partie. Cela devient pour moi un terme abstrait. On m'a fait passer pour un traître, ce qui modifie ma perception de la dissidence. Je ressens désormais une empathie bien plus grande pour les opposants marocains. C'est l'acte qui clôt la guerre que m'a menée M6 et qui a débuté le jour où il m'a chassé de ma propre maison. Je décide donc de partir, non pas en exil mais à la conquête d'autre chose que j'appelle, faute de mieux et en attendant de le cerner de plus près, « l'au-delà du *makhzen* ».

Je suis conforté dans cet état d'esprit par l'article qui paraît, le 22 janvier 2002, dans *Jeune Afrique*, sous le titre : « L'homme qui voulait être roi. » Il est signé François Soudan, le rédacteur en chef et la meilleure plume de l'hebdomadaire. Je considérais ce journaliste comme un ami ; je suis amené à croire qu'il est en service commandé. « L'homme qui voulait être roi » va devenir le leitmotiv de toute cette période, avant mon départ pour les États-Unis. Rien ne m'est épargné dans cet article de huit pages ! Je suis accusé d'être incontrôlable, d'avoir un ego démesuré, de souffrir d'un complexe de supériorité. On me reproche même d'être « hassanien » !
Avant publication, Soudan m'avait appelé du Togo,

le 6 janvier 2002, à la veille de se rendre à un rendez-vous avec le président Gnassingbé Eyadéma. Il m'avait dit : « S'il vous plaît, pourrions-nous nous voir dès que l'article sort pour en parler ? Il y a des choses qui ne vont pas vous plaire, et d'autres qui ne vont pas leur plaire. » Il savait ce qu'il faisait, évidemment. Mais il gardait l'espoir de pouvoir accomplir sa mission tout en me « rattrapant » avec des explications *post factum*, de vagues excuses, un fil de conversation renoué malgré tout. Je ne l'ai pas rappelé. J'aurais pu parler avec lui des accusations proférées contre moi, malgré leur outrance. J'aurais su me défendre, voire le confondre. Mais le journaliste s'était aussi attaqué à la mémoire de mon père, disqualifié comme « amateur de bouteilles, amateur de femmes ». Cela, je ne l'ai pas accepté. Pourquoi l'avait-il fait ? Ceux qui voulaient alors plaire à Mohammed VI ont sali la mémoire de mon père pour faire pendant au livre de Jean-Pierre Tuquoi, *Le Dernier Roi*, qui venait de révéler au grand public la relation exécrable entre Hassan II et son fils aîné.

L'issue d'une vraie bataille n'est jamais certaine mais il incombe à chacun de choisir son terrain. C'est ce que je comprends au fil des « affaires » en 2001-2002. J'en sors avec la conviction que je dois certes lutter pour mes idées politiques, mais avec fair-play. Les montages et les insultes, ce n'est pas mon registre. Aussi, avant de quitter le Maroc, fais-je parvenir au ministre de l'Intérieur deux lettres recommandées, dont un mémorandum de huit pages daté du 7 janvier, adressé à la commission *ad hoc* que Driss Jettou avait créée en novembre 2001 pour éclaircir l'enlèvement de mon ancien employé. « Cessez de me contacter », finit-il par me demander. Technocrates ou hommes politiques, c'étaient tous des poltrons. Je fais alors parvenir ce mémorandum à plusieurs rédactions, qui le publient *in extenso*. Après un rappel exhaustif des « affaires », j'y affirme militer pour « une refondation de la monarchie sur des bases démocratiques et populaires rénovées », et je pose cette question : « Que cherche le général Hamidou Laânigri en tentant de susciter la suspicion autour des Forces armées royales ? » Enfin, dans ma conclusion, j'annonce la poursuite de mon combat pour « un Maroc résolument engagé dans un processus démocratique, marqué du sceau du progrès social et de la modernité politique ».

Sur ce, nous préparons nos valises. Une période pénible prend fin au cours de laquelle ma fille aînée, qui va déjà à l'école, m'a découvert, encore et encore, vilipendé à la une des journaux. Le 23 janvier 2002, trente mois après la mort de Hassan II, je quitte le Maroc avec ma famille pour m'installer à Princeton, dans le New Jersey. À bord de l'avion pour Paris, notre lieu de transit, ma femme me demande si nous devrons inscrire les enfants à l'école en Amérique et, le cas échéant, pour quelle durée. Que lui dire ? J'entends bien la question du retour qu'elle pose implicitement. Je lui réponds : « On en reparlera dans cinq ans, et on verra plus clair dans dix ans. » En escale à Paris, je reçois un appel téléphonique du président algérien, Abdelaziz Bouteflika. Voici sa phrase que je ne suis pas près d'oublier : « J'ai toujours dit que le *makhzen* marocain est plus cruel que les généraux algériens. »

Arrivé à Princeton, je dors le plus clair du temps pendant trois semaines. Je me sens vidé et anesthésié, avec l'impression d'avoir fait un tour au royaume pour rien. Au début, je ne peux même pas m'aérer l'esprit lors d'une promenade ou d'un jogging car la presse est aux aguets. Les journalistes cherchent à m'extirper un commentaire sur le roi, sur le début de son règne, sur la situation au Maroc... Je ne dis mot sur M6. Au journal français *Libération*, j'explique simplement, en février 2002, que j'ai pris mes distances pour « mettre fin à une ambiance malsaine, car ce qui était censé être un débat d'idées est devenu un bras de fer sécuritaire. La famille royale doit projeter une image d'unité. J'ai toujours pensé que la diversité nourrissait l'unité et qu'une unité de façade était une fausse unité. J'ai cru qu'on pouvait fonctionner dans ce cadre, mais ce n'est apparemment pas le cas. Aujourd'hui, l'institution monarchique est malmenée, la famille royale aussi. Elle a besoin de la plénitude de ses moyens pour jouer entièrement son rôle. Je prends donc du champ, car je ne veux pas être l'instrument par lequel d'autres viennent l'affaiblir, consciemment ou pas (...) et ne veux pas entrer dans une escalade dont nous ne sommes pas nécessairement les maîtres, pour préserver l'avenir ».

J'accorde aussi une interview au quotidien espagnol *El Mundo*. Publiée le 24 février, elle est plus politique. J'y soutiens que mon pays « a manqué une occasion historique pour devenir une démocratie », et que les Marocains, tout en aspirant au changement, n'ont pas su comment le mettre en œuvre. Il m'importe de ne pas imputer la responsabilité de cet échec au seul roi mais à notre incapacité collective – celle de l'élite, du peuple, de moi-même – à transformer l'ouverture du régime à la fin du règne de Hassan II en vraie percée démocratique.

Je m'inclus dans ce constat puisque je vis mon retour à Princeton comme un échec. J'inscris mes filles à l'école française locale, et tout se passe bien pour elles. Pour moi, en revanche, c'est difficile. Tant de bassesses ont été dites à mon sujet, tout ce fiel issu de plumes aux ordres, l'image méconnaissable d'un homme aigri cherchant à tout prix à déstabiliser son cousin sur le trône... Un drame shakespearien de pacotille. Du coup, je porte un regard désabusé sur la société civile et la presse privée au Maroc. Toutes deux me semblent largement surestimées – ce qui n'enlève rien au respect que j'ai pour des individus tels que, par exemple, Aboubakr Jamaï du *Journal hebdomadaire* ou Sion Assidon de l'ONG Transparency International. Mais, dans l'ensemble, le poids du monde associatif et de la presse privée me paraît un mythe. Les associations ont vite été infiltrées et retournées par le pouvoir, qui en avait les moyens. Quant à la presse dite libre, si elle a pu faire tanguer le navire, elle ne pouvait en aucun cas le faire chavirer. Elle a vécu son moment de gloire « warholien ». Mettant à profit une plus grande liberté d'expression, de jeunes journalistes se sont retrouvés avec le pouvoir de juges d'instruction, sans les mêmes responsabilités. Ils pouvaient s'attaquer à n'importe quel « dossier » et ébranler des hommes politiques ou des chefs d'entreprise. C'était grisant, bien souvent passionnant. Ces jeunes faisaient alors des apparitions fracassantes sur

TV5, ou écrivaient des éditoriaux de justiciers. Le soir, le travail accompli, ils se retrouvaient « en boîte » à Casablanca, au Puzzle ou au Findingo, pour vider une bouteille de whisky comme le font les gens de cet âge. C'était à la fois *Citizen Kane* et Woodstock. Le casting du film était réduit : le « roi des pauvres », le « prince rouge », les militaires, les barbouzes, les corrompus, les relais à l'étranger et les grandes figures de notre histoire, en dernier recours. Le *makhzen* n'a pas eu de stratégie bien arrêtée contre ces « nouveaux journalistes » à la mode, un peu comme naguère les « nouveaux philosophes » en France. Il s'est servi, tour à tour, des carottes et des bâtons à sa disposition. Les partis politiques auraient préféré voir réduits au silence des organes de presse soudainement irrévérencieux, qui gênaient leur tête-à-tête avec le roi, leurs marchandages habituels à l'ombre du Palais. Qui étaient ces francs-tireurs qui ne boutonnaient pas leur veste et qui revendiquaient leur part du gâteau ? Au nom de quoi la politique devait-elle cesser d'être la seule affaire de gens « bien nés » ? L'enjeu était le pouvoir, la visibilité sur la place publique et l'argent faisant tourner le système.

Ce fut une révolte sans lendemain. Elle n'a enclenché aucune transition. Les jeunes journalistes ont pris de l'âge sans évoluer. Ils ont fait le tour de leurs petites et grandes histoires – « les voyages du roi », « la fortune du roi », Moulay Hicham, Ben Barka, le cheikh Yassine, le général puis toute la famille Oufkir, le mirage pétrolier de Talsint, le bagne de Tazmamart – jusqu'à ce qu'ils n'aient plus rien de neuf à se mettre sous la dent parce que la donne ne changeait pas, la gouvernance au

Maroc restant la même. Et puis, aussi, l'appât du gain leur est venu. Cette presse s'est capitalisée en cherchant à augmenter ses profits. Les titres sont entrés dans des logiques d'entreprises non seulement concurrentes mais rivales, ne s'épargnant pas les coups de Jarnac.

Le plus décevant dans tout cela, c'est que le nombre global de lecteurs n'a pas augmenté au fil du temps. Quand les ventes d'un journal montaient, celles des autres diminuaient dans un jeu à somme nulle. Le réservoir des démocrates, sinon des simples citoyens ayant le goût – et les moyens matériels – d'exercer leur droit de regard, est resté petit. Tour à tour, un titre de presse était à la mode, un peu comme le tube de l'été, avant que sa gloire éphémère ne pérît. La proportion de la population participant aux débats suscités et portés par ces journaux n'a pas augmenté. Aucune dynamique sociale n'a été induite. Les acteurs se sont donnés en spectacle à guichets fermés, alors que le grand public passait son chemin devant le théâtre. Quelques-uns ont été piégés dans le foyer.

L'usage inflationniste qui a été fait de la parole libre a, certes, libéré la parole mais en la banalisant si ce n'est en la dévaluant. Bien sûr, même des années plus tard, certains journalistes tiennent toujours la route, ne se sont pas compromis et restent cohérents avec eux-mêmes. Mais il y a peu de publications qui forcent l'estime en se transformant en « institutions ». Il y a très rarement de vrais scoops. L'interaction avec l'étranger ne s'opère plus comme du temps où *Le Monde* et *Le Journal hebdomadaire* sortaient le même jour, en France et au Maroc, une enquête menée conjointement sur la mort de Mehdi Ben Barka. La presse marocaine est redevenue provinciale, voire clochemerlesque. La qualité des journaux ne s'est pas durablement améliorée. Les titres sensationnalistes se repaissent des petites affaires de la cour et de ses contempteurs. Pendant ce temps, le plus grand nombre regarde Al-Jazira.

Cela étant, je ne voudrais pas me montrer ingrat envers ceux qui m'ont défendu bec et ongles, défendant à travers moi les principes de la démocratie. Le premier d'entre eux est Aboubakr Jamaï, un journaliste intelligent, patriote aux idées claires qui, malheureusement, souffre un peu du syndrome de la prima donna, ce qui lui joue de mauvais tours. Ou Mohamed Hafid, le directeur de *Al Sahifa*, l'ancien responsable de la jeunesse de l'USFP qui avait refusé de se faire « mal élire » par Driss Basri. Ou Hussein Majdboui, enseignant et journaliste installé en Espagne ; Latifa Boussâden, journaliste militante de l'AMDH, décédée l'an dernier ; Ali Lmrabet, ce chien fou évoqué plus loin ; et Ali Amar, qui confond malheureusement intelligence et roublardise. Plus aucun d'entre eux ne vit au Maroc aujourd'hui.

Le 16 mai 2003, le Maroc vit son 11 septembre, l'équivalent des attaques contre le World Trade Center et le Pentagone en 2001 aux États-Unis. Des attentats terroristes dans plusieurs endroits de Casablanca font 45 morts, dont les 12 kamikazes. Quand j'apprends au téléphone ce qui vient de se produire, je me refuse d'abord à y croire, avant d'en avoir la confirmation sur CNN. Je craignais une nouvelle manipulation des services, je redoutais même – un réflexe acquis – qu'ils veuillent me mêler à ce drame. Avec le recul, bien sûr, et même si ces attentats n'ont pas livré tous leurs secrets, cela en dit davantage sur la suspicion que les « barbouzeries » avaient fait naître en moi, que sur l'événement. Immédiatement, le roi annonce « la fin de l'ère du laxisme », et dix condamnations à mort sont prononcées. La suite de la répression inspirera au *Journal hebdomadaire* une « une » sur la « justice d'abattage ».

Les attentats de Casablanca attestent de la façon la plus violente d'un islam dont le contrôle échappe à la monarchie et à l'interprétation traditionnelle qu'elle fait de la religion. C'est un premier message. Le second, tout aussi important : pour la première fois, des Marocains répondent par la terreur aux inégalités qui constituent le fondement de la société marocaine. Enfin, troisième leçon, le fameux système sécuritaire censément si performant a été mis à mal. Il n'est plus tout-puissant. Pour moi, le 16 mai est un marqueur, une cote d'alerte qui signale que quelque chose de nouveau et inquiétant est advenu. Par la suite, d'autres marqueurs seront la déclaration (« Je crois à la République »), à l'été 2005, de la fille du leader du mouvement islamiste Justice et Bienfaisance, Nadia Yassine, et, un an plus tard, le taux de participation électorale tombant au-dessous des 20 %.

Les attentats du 16 mai 2003 obligent à repenser les liens entre le local et le mondial par rapport au terrorisme. Comment s'articulent-ils au Maroc ? Bien avant les explosions de Casablanca, tous les services de renseignements savaient déjà que le royaume était un réservoir du terrorisme international. Mais il pouvait y avoir des jihadistes sans que ceux-ci soient forcément partisans d'un projet radical *marocain*. Or, en mai 2003, tout le monde est frappé par l'origine sociale commune des kamikazes, dont la plupart sortent du même bidonville. Faut-il en conclure que la pauvreté est le mobile du terrorisme national ? En élargissant l'horizon, on se rend compte que l'aliénation, plus que la pauvreté, nourrit le jihadisme. Les terroristes marocains impliqués dans les attentats de Madrid, qui auront lieu à peine un an plus tard, le 11 mars 2004, semblaient bien intégrés dans la société qu'ils ont voulu détruire. Ils avaient en commun avec l'ensemble des extrémistes islamistes ailleurs l'intime conviction que la communauté des croyants, l'*umma*, était menacée. Ils entendaient la « défendre ».

Le danger, évidemment, c'est que des explosions sociales provoquées par la misère soient récupérées par le jihadisme. Les attentats de Casablanca relèvent d'un terrorisme inspiré par des phénomènes transnationaux, mais ce « dehors » s'enracine dans le sol marocain. Ce sont des Marocains qui disent à d'autres Marocains : « Notre société est divisée par une fracture sociale, nous la vivons tous les jours et nous ne voulons plus l'accepter. » Cela traduit la double incapacité de la monarchie alaouite à veiller à un minimum d'égalité socio-économique et à infuser un islam propre au Maroc, comme ce fut le cas pendant des siècles. Le roi dans sa robe blanche, à cheval et sous un parasol, était l'icône de cet islam marocain. Si cette icône n'inspire plus rien, l'islam marocain a perdu sa spécificité et sa force de cohésion. Il est d'autant plus regrettable que les autorités n'aient tiré aucune leçon des attentats de Casablanca. Elles continuent de gouverner le pays comme si rien n'avait changé.

Sur le plan international, de mauvaises leçons ont également été tirées de la violence islamiste : au lieu de criminaliser le terrorisme, les États-Unis ont politisé le *jihad*. Cela a totalement faussé la donne. Les attentats du 11 septembre 2001 ont constitué une agression à laquelle l'Amérique n'aurait jamais dû répondre par une guerre « civilisationnelle ». Il aurait fallu traquer les responsables des attaques contre le World Trade Center et le Pentagone – rien de plus. Mais les néo-conservateurs américains ont exploité le 11 septembre à des fins politiques pour forger l'union sacrée à l'intérieur et, à l'extérieur, pour justifier leur mainmise sur le monde arabe, ce qui a fait le jeu d'Oussama Ben Laden. L'idée d'une « guerre » contre le terrorisme d'Al-Qaïda était une aberration, un non-sens qui a gonflé le « monstre » Ben Laden en même temps que la cote de popularité de George W. Bush. Les États-Unis se sont fourvoyés dans des campagnes militaires pour changer des régimes, sinon pour « bâtir » des États-nations dans le monde arabe plutôt que d'y favoriser la démocratisation. Des coups fatals ont été portés à Saddam Hussein et aux talibans en Afghanistan en même temps que des coups de pouce ont été refusés aux démocrates en Afrique du Nord et au Moyen-Orient. L'Amérique s'est déchaînée contre les cancres, qui n'avaient aucun potentiel, tout en restant complaisante avec les bons élèves proches du but, qui auraient pu mieux faire. Plutôt que de « casser » des régimes avec leur machine de guerre, les États-Unis auraient dû soutenir avec courage les démocrates dans le monde arabe, quitte à heurter leurs intérêts de puissance globale à court terme – en Arabie Saoudite, notamment, mais aussi en Égypte, en Algérie ou au Maroc. En 2011, le Printemps arabe a éclairé cette erreur stratégique à contre-jour. De guerre de plus en plus lasse, les États-Unis étaient toujours en train de se battre sur les fronts qu'ils s'étaient eux-mêmes créés alors que le monde arabe se chargeait tout seul de sa démocratisation – encore heureux ! – et que l'Amérique peinait à rattraper le train qu'elle n'avait pas vu partir.

Je reconnais volontiers qu'il n'est pas facile pour une puissance étrangère d'œuvrer en faveur de la démocratie sans être accusée d'ingérence. Elle ne peut hisser le drapeau d'une cause qui, par définition, relève de la volonté d'un peuple qui n'est pas le sien. Mais l'extérieur peut contribuer à créer un environnement favorable aux forces porteuses de changement. Or, avant le Printemps arabe, c'est le contraire qui a été la règle. L'Amérique s'est bien gardée de froisser Hosni Moubarak, tout comme la France n'a pas contrarié Zine el-Abidine Ben Ali et son clan au pouvoir. On pourrait multiplier les exemples à l'envi.

Même après mon déménagement aux États-Unis, la gargote du *makhzen* continue de fomenter des « complots » pour m'en attribuer la paternité. Je me défends depuis l'étranger ou lors de mes passages au Maroc. Exilé « volontaire », j'y retourne en effet quand je veux ; tout comme je reste un membre de la famille royale malgré mon éviction du Palais. Il n'y a pas que l'Orient qui soit compliqué... Le pays le plus occidental du monde arabe – *al-Magrib,* le nom arabe du Maroc – charrie aussi son lot d'ambiguïtés en guise de moraine de sa rivalité au sommet.

Dès janvier 2002, trois agents des « services » marocains sont interrogés à Madrid. L'agence Europa Press s'en fait l'écho. Dans son édition du 28 janvier, le quotidien conservateur *La Razón* révèle que les agents marocains ont été envoyés pour me surveiller avec du matériel électronique sophistiqué. Je suis en Espagne pour assister à une conférence-débat sur le 11 septembre 2001. Éventée, l'affaire s'éteint comme une luciole. Mais le 16 octobre, rebelote. *El País* puis *Le Monde* publient un communiqué prétendument signé par des « Officiers libres des Forces armées royales ». Adressé au monarque, ce texte demande, outre l'amélioration des conditions de vie des militaires, une vraie lutte contre la corruption parmi les officiers supérieurs et la mise à la retraite de généraux « compromis ». Quel rapport avec moi ? Fouad Ali el Himma organise au domicile de Taïeb Fassi-Fihri, alors secrétaire d'État au ministère des Affaires étrangères, une réunion avec huit journalistes marocains pour leur expliquer que je manipule en sous-main, depuis les États-Unis, ces officiers renégats – pas « libres » du tout. Une idée absurde ! Rétrospectivement, je pense que toute cette histoire d'officiers libres a été inventée de A à Z par Laânigri. Dans l'immédiat, le 4 novembre, *Jeune Afrique* monte également au créneau royal pour faire accroire, de nouveau sous la plume de François Soudan, que la piste Moulay Hicham est à prendre au sérieux. « La thèse de l'action isolée, en tout cas très peu représentative, d'un ou de quelques officiers mécontents, reprise, amplifiée et politisée par un groupe de pression agrégé autour des idées de "monarchie républicaine" incarnées par le prince Moulay Hicham est donc très loin d'être exclue. » C'est alambiqué, pas vraiment franc du collier, mais qu'importe ? Toutes ces « affaires » partagent un fond de sauce pour avoir été raclées dans les casseroles usées du pouvoir marocain. Elles ne prennent pas et sont donc vite oubliées. Ce qui explique sans doute pourquoi il faut sans cesse en inventer de nouvelles.

Le 21 mai 2003, à la suite d'autres procès qui lui ont été intentés, le journaliste marocain Ali Lmrabet est condamné à quatre ans de prison, à 20 000 dirhams (environ 2 000 euros) d'amende et à l'interdiction de ses publications, *Demain* et son pendant arabophone *Doumane*, pour avoir reproduit dans ses colonnes un entretien avec l'irréductible opposant Abdallah Zaâzaâ. L'interview avait été publiée dans la presse espagnole. Pour protester contre la censure de ses journaux, Lmrabet entame une grève de la faim illimitée. Le 17 juin, la condamnation est ramenée à trois ans, mais le journaliste ne renonce pas. Rapidement, sa vie est en danger. Les médecins sont alarmistes. J'écris alors une lettre au ministre marocain de la Justice pour lui demander, en respectant les formes, de m'autoriser à aller voir le gréviste de la faim. Je le connais. Après mon retour du Kosovo, nous nous sommes croisés chez un ami commun, un diplomate. J'ai découvert ce jour un jeune homme intelligent, mais trop fonceur, sans cran d'arrêt. Le régime a tout tenté contre lui, pour arriver seulement à la conclusion qu'il n'y avait rien à faire, sauf à employer les grands moyens – ce qui fut fait. Dans ses hebdomadaires, Lmrabet brisait tous les tabous. Il s'attaquait aux militaires, à la monarchie, avec des caricatures ravageuses en prime ! C'était très fort, très efficace.

Il se trouvait que Lmrabet vivait dans le même immeuble que le chauffeur qui avait été toute sa vie au service de mon père. Un jour que je rendais visite à ce vieux monsieur, je suis tombé dans la cage d'escalier sur Lmrabet qui m'a apostrophé : « Prince, daignerais-tu entrer dans la pauvre demeure d'un modeste journaliste. » Difficile de dire non… C'est ainsi que je me suis retrouvé dans un vrai capharnaüm, un désordre inimaginable. Il y avait des marmites partout, bourrées de cacahuètes, des vêtements éparpillés… On ne savait où s'asseoir. Mais enfin, j'étais piégé.

À titre exceptionnel, le ministre de la Justice donne suite à ma requête. Parfois, cela sert d'être prince. Je me rends donc à l'hôpital Avicenne, le 19 juin. Le directeur de l'administration pénitentiaire m'y attend, ainsi que le directeur de l'hôpital et le chef de la police. Ils me conduisent au dernier étage où s'entassent une quinzaine de prisonniers malades, qui applaudissent puis crient « Vive le roi ! ». Au milieu de ce tohu-bohu, j'aperçois Ali Lmrabet, amaigri, barbu, assis sur une chaise, dans un état lamentable. Il dit : « Ah, c'est pour ça qu'on a lavé la cellule aujourd'hui ! Tu viens parce que *Sidna* t'envoie ? » Plutôt que de lui répondre, je fais le tour pour saluer les uns et les autres. Lmrabet fait les présentations : « Ne dis pas bonjour à ce type-là, il est de la DST. Le matin, il a un pansement au cul et, le soir, il court le 110 mètres haies ! » Je finis par me retrouver face un frêle Africain, silencieux, le bras cassé. J'apprends qu'il est camerounais, qu'il a tenté de gagner l'Europe par la mer, qu'il a été arrêté et attend son expulsion. Tout d'un coup, il me dit : « Vous, ça fait un moment que je vous suis dans la presse internationale. Je savais que ça se terminerait comme ça, qu'ils finiraient par vous mettre en prison ! » Tout le monde éclate de rire. Profitant de ce moment de détente, je retourne voir Ali Lmrabet. Nos discussions vont durer trois jours. Il est convaincu de perdre la face s'il renonce à sa grève de la faim. Il est correct avec moi mais se lance dans une diatribe contre les Alaouites d'une violence et d'une vulgarité impossibles à reproduire ici. Pendant ce temps, un autre journaliste emprisonné, Mustapha el Alaoui, ne me lâche pas. « Lui, c'est un chtarbé, il n'a pas envie de sortir de taule. Qu'il y reste ! Mais moi, je suis grand-père et diabétique, et je n'ai aucune envie de moisir ici. Tu ferais mieux de venir discuter avec moi ! »

Nerveusement ou pas, nous rions beaucoup. Le Conseil consultatif des droits de l'homme veut être de la partie afin que l'éventuelle interruption d'une grève de la faim soit portée à son crédit. Lmrabet boit des litres et des litres d'eau dans l'espoir de pouvoir uriner sur eux quand ils viendront en délégation. Ce qu'il fera d'ailleurs, heureusement en mon absence. Il vise l'artiste Mehdi Qotbi mais, hélas, manque l'infatigable « rabatteur » de M6. Lmrabet lui lance quand même une vieille savate puante ayant appartenu à feu sa tante et qu'il dissimulait dans son lit… Au-delà de ces provocations potaches, il reste déterminé à mourir « en homme libre ». Il veut que sa mort souille

Mohammed VI, qu'elle le marque à vie. Pour ma part, j'estime que la cause de la démocratie serait mieux servie en aidant le régime à se libéraliser plutôt qu'en l'enfermant dans son autisme répressif. J'essaie d'en persuader Lmrabet. Je l'adjure de cesser de jouer au casse-cou. Je l'avertis aussi qu'il risque de se retrouver handicapé, diminué pour toujours sans mourir et que, dans ce cas, « les autres » auraient gagné. Je lui propose, en échange de l'arrêt de sa grève de la faim, d'aller m'improviser rédacteur en chef de *Demain*, non seulement pour faire tourner son journal mais aussi pour publier sous mon nom les articles qu'il aurait rédigés depuis sa prison ! Ainsi la liberté d'expression l'emporterait-elle. Bref, j'essaie tout. Je vais jusqu'à lui dire que je sais où il planque son magot, à savoir dans l'une de ses ignobles marmites, et que je vais récupérer l'argent pour financer un prix Ali Lmrabet, après son décès... Le lendemain, il cède. Mais il pose une condition : que je lise un texte qu'il a préparé lors d'une conférence de presse prévue ce jour-là, le 23 juin, au *Journal hebdomadaire*. Le secrétaire général de l'ONG Reporters sans frontières, Robert Ménard, doit y être. Naturellement, en accédant à sa demande, je me marque au fer rouge. Mais je n'ai pas le choix. Je lis donc son texte, au demeurant assez sobre. Le lendemain, je suis interdit d'accès à la prison. Ali Lmrabet va y rester encore quelque temps : il sera gracié par le roi en janvier 2004, cependant que son journal restera interdit. Pour ma part, je le reverrai après sa sortie de prison, mais nous nous brouillerons rapidement car il ira panser ses plaies en Algérie. Or, je suis un nationaliste vieux jeu. Lmrabet partira ensuite en Espagne, où il sera d'abord journaliste au quotidien *El Mundo*, avant de créer son site Demain.online. Nous gardons des relations courtoises mais distantes.

Le 7 janvier 2004, en même temps qu'il accorde sa grâce à Ali Lmrabet et 32 prisonniers politiques, le roi annonce la création d'une Instance Équité et Réconciliation (IER) pour recueillir les témoignages des victimes des « années de plomb ». C'est à la fois une avancée considérable et une démarche incomplète. D'un côté, le passé est instruit et ses victimes sont dédommagées ; d'un autre côté, la mémoire collective restera tronquée puisque la chaîne de commandement des crimes n'est pas mise en cause. Si les victimes sont indemnisées, les bourreaux ne seront pas nommés. Cela vaut mieux que rien.

Purger un passé de tortures sans nommer les tortionnaires semble un contresens. Intuitivement, je suis donc favorable à ce que l'on fasse *toute* la lumière sur les années de plomb. En même temps, le travail de mémoire ne peut s'accomplir à un moment où, en l'organisant sur la place publique, il risquerait de faire dérailler le processus de transformation démocratique. Au Chili et en Argentine, de nombreuses années se sont écoulées avant que l'on revienne sur les « années noires », sans que cela nuise pour autant à leur transition démocratique. En Espagne et au Brésil, cet examen de conscience est resté pour le moins incomplet. Au Maroc, je pense que cela finira par arriver. Une vraie démocratisation du pays ne pourra avoir lieu sans en passer par là. Je doute que cela se produise sous le règne de Mohammed VI.

En avril 2003 survient l'« affaire du jus d'orange ». Le chef de la Chabiba Islamiya (Jeunesse islamique), Abdelkrim Motii, un opposant irréductible à Hassan II qui s'est installé en Libye, envoie son livre accompagné d'une lettre circulaire de présentation à quelques personnalités, dont je fais partie. Je reçois l'ouvrage avec une lettre manuscrite. Je renvoie à la même adresse un mot de remerciement en réaffirmant mes positions libérales. Un fidèle de Motii au Maroc, un certain Sbabi, chauffeur de taxi dans la région d'Oujda, est alors kidnappé par la police, le 3 avril. On lui fait boire un jus d'orange contenant une drogue. Puis on le force à rédiger des aveux pour dire que je finance ce qui reste de la Chabiba Islamiya. N'étant plus maître de son esprit, Sbabi obtempère. Mais la drogue qui lui a été administrée perfore son estomac. Il est hospitalisé d'urgence et confie sa mésaventure à un médecin. Lequel l'aide à organiser une conférence de presse pour expliquer que ce que la DST lui a fait dire n'est pas vrai. Encore une affaire de Pieds nickelés ! Elle est révélée par le journal arabophone régional *El Shark*. On ne sait pas s'il faut en rire ou en pleurer.

Ce n'est pas fini. En août 2004, l'« affaire Mandari » prend le relais. Dans la nuit du 3 au 4 août, Hicham Mandari, un courtisan devenu escroc, est abattu par balle dans un parking souterrain de la Costa del Sol, en Espagne. Mon seul lien avec lui, c'est que je lui ai, une fois, cassé la gueule ! Protégé par Mediouri, le chef de la sécurité royale de Hassan II, Mandari usurpait sans cesse mon identité. Il voyageait partout dans le monde en se faisant passer pour moi, demandant des chambres d'hôtel à mon nom, des repas, des habits, etc. Hassan II ne faisait rien. Un jour, j'ai reçu un coup de fil d'un ami jordanien qui m'a demandé : « Alors comme ça, tu négocies du phosphate pour nous, en échange d'une commission ? Mais pourquoi ne nous as-tu rien dit ? » Je suis tombé des nues. Mon ami m'a expliqué : « À ce qui paraît, tu as rendez-vous à Londres avec des Indiens à qui tu vas vendre du phosphate jordanien. » J'ai alors sauté dans un avion pour Londres où j'ai découvert que Mandari, se faisant passer pour moi, jouait l'intermédiaire bien placé et encore mieux rémunéré au passage... J'ai appelé l'ambassade du Maroc, qui a bloqué l'avion de la RAM à bord duquel était monté l'escroc. Mais le chef d'escale a reçu un coup de fil de Mediouri, qui lui a ordonné de laisser l'avion décoller.

À mon retour au Maroc, furieux, je suis allé voir Hassan II, qui ne nia pas l'existence d'un problème mais qui était trop embarrassé pour le résoudre. Car Mandari était le neveu de sa concubine préférée, Farida Cherkaoui. En plus, Mandari utilisait un passeport de conseiller spécial du roi qu'il avait obtenu ou dérobé dans des circonstances aussi opaques que tout le reste de cette histoire. Toujours est-il que, sur ces entrefaites, je suis tombé sur Hicham Mandari lors d'un mariage. Je l'ai alors pris à part pour le raisonner. Faute de quoi, nous sommes allés dans les cuisines, où tout s'est terminé dans un fracas de casseroles. Je l'ai viré par la porte de service, et suis retourné à la fête. Personne n'a dit mot mais tout le monde a compris. Puis Hassan II m'a convoqué : « Est-ce comme cela qu'un prince se comporte ? » Je lui ai répondu qu'il n'avait rien fait pour régler le dossier et, poussant le bouchon, je lui ai demandé si Mandari était, à ses yeux, plus important que moi. Il était très gêné. Il a esquivé en me demandant : « Où as-tu appris ce genre de règlement de comptes entre voyous ?

— Mais où voulez-vous que j'apprenne ça ? Chez vous. » Bien sûr, il m'a fait sortir – symboliquement – d'un coup de pied dans le sacrum. Mais Mandari ne s'est plus fait passer pour moi.

Cependant, il a fait mieux. En 1999, il a eu le culot de menacer Hassan II, dans un encadré publicitaire dans le *Washington Post*, de divulguer ses secrets les plus intimes. Il a aussi passé deux années dans une prison en Floride, pour infraction aux lois américaines sur l'immigration. Enfin, il se prétendra publiquement le fils naturel de Hassan II.

En ce qui me concerne, mon dernier contact avec Hicham Mandari a été indirect. Je suis approché par un journaliste indépendant, qui me laisse un message au Plaza-Athénée à Paris, pour me faire savoir que Mandari cherche à régler ses comptes avec son « frère » M6 mais qu'il m'aime bien, moi, son « petit cousin », et qu'il est prêt à me donner des documents et des photos compromettant le roi. Je réponds que je ne mange pas de ce pain-là, et que je vois suffisamment M6 à la télé pour ne pas avoir besoin de photos de lui. Sur ce, j'appelle la police française, qui consigne ce que j'ai à dire. Mais voilà que Mandari est tué. À ma grande surprise, je lis dans *Libération*, le 23 août 2004, que l'un des aspects sensibles de ce dossier est le fait que Mandari était étroitement lié à moi. J'envoie immédiatement un démenti au rédacteur en chef de *Libération*, Patrick Sabatier, qui me révèle que l'information provient d'une source à l'ambassade du Maroc. Mon démenti est publié dès le lendemain. Malgré cela, trois jours plus tard, le même fiel est distillé dans la presse marocaine, *Aujourd'hui le Maroc* en tête. Le roi, l'escroc du Palais et le prince-chanteur... Comme il sied à ce genre d'histoires, tout se termine d'une balle tirée à bout portant dans un parking souterrain de la Costa del Sol !

En février 2005, un article de Simon Malley dans *Le Nouvel Afrique-Asie*, intitulé « Tempête sur la monarchie », se fait l'écho d'une réunion, en décembre 2004, de la sécurité américaine au cours de laquelle auraient été évoqués des plans pour m'assassiner. Bien entendu, je ne connais ni le début ni la fin de cette histoire. Mais l'information fait énormément de bruit au Maroc. Elle me confère l'aura d'une victime. *Le Journal hebdomadaire* m'interroge. Je réponds par une pirouette : « Quels que soient les problèmes que vit le Maroc, je n'ose croire que quelqu'un puisse être assez dément pour penser les résoudre par l'élimination d'une personne. »

Enfin, en juin 2005, c'est l'« affaire Nadia Yassine ». La fille du leader charismatique du mouvement islamiste radical Justice et Bienfaisance déclare à un hebdomadaire arabophone, *Al Ousbouiya Al Jadida*, à peu près la même chose que ce qu'elle avait dit lors d'une conférence à Berkeley. À savoir qu'elle a une préférence « personnelle » pour « une république » plutôt que pour un « régime autocratique » dont elle précise qu'il « s'effondrera bientôt » et que sa Constitution en vigueur mériterait de finir à « la poubelle de l'histoire ». Dès le lendemain, le 3 juin, Nadia Yassine est convoquée par la police judiciaire et traduite en justice. À Paris, à la fin d'une conférence-débat organisée par l'IFRI sur « L'intégration de la mouvance islamiste dans les systèmes politiques des nations musulmanes », il m'est demandé de commenter ses déclarations. Je réponds que Nadia Yassine se trompe si elle veut dire que la monarchie est contraire à l'islam. La structure exacte de gouvernance n'a jamais été déterminée par le Coran et le *Hâdith*. Je reste poli, par principe et parce que j'estime nécessaire l'intégration des islamistes dans le jeu politique. Mais je suis bien seul à me retenir dans une polémique qui s'emballe et où tout se mélange. Nadia Yassine est clouée au pilori pour sa prise de position. Dans ces circonstances, je lui envoie une lettre pour lui faire part de ma conviction que la monarchie doit accepter le débat. Cependant, je réaffirme aussi mon point de vue sur le fond en écrivant : « Vos positions me paraissent erronées, et je ne peux qu'exprimer mon désaccord avec vous au moment où notre pays explore des chemins d'ouverture (…). La monarchie a été formée par la longue expérience historique de la société marocaine qui en a fait l'institution centrale de la nation. C'est une responsabilité à la fois exaltante et difficile car elle signifie qu'à chaque étape décisive de notre histoire, cette institution doit répondre aux aspirations de notre peuple. Dans la situation dans laquelle nous nous trouvons aujourd'hui, cette responsabilité se présente avec une urgence inédite, et c'est à répondre aux aspirations et demandes concrètes du peuple marocain, dans toutes ses composantes, que nous devons consacrer toutes nos forces. Quant à la présente Constitution, il est indispensable de la réformer afin de hisser notre système de gouvernement au rang des systèmes véritablement démocratiques (...). Cette analyse traduit mon désaccord fondamental avec vos positions mais ne préjuge pas de la question capitale de la liberté d'opinion. » Par l'intermédiaire de son avocat, je fais par ailleurs savoir à Nadia Yassine que j'assisterai à son procès. Le *makhzen* écume de rage. Dans la presse officielle, je suis accusé de vouloir renverser la monarchie bras dessus bras dessous avec les islamistes.

Toutes ces coups fourrés que je viens d'énumérer baignent dans une prose fielleuse, qui est le produit d'un journalisme d'allégations dénuées de preuves : prétendument, j'avais des « liens » avec des militaires en rupture de ban ou avec le Front Polisario, j'étais « proche » des islamistes ou de toute autre dissidence interne ou externe. Mon portrait a été brossé à grands traits et parachevé à petites touches pour me faire passer pour quelqu'un d'instable, d'irresponsable et, bien sûr, pour un revanchard, jaloux du roi. Et pour couronner le tout, j'ai aussi été accusé de malversations financières dans un hebdomadaire marocain, *La Vie économique*.

Le *makhzen* est comme un vampire, il n'aime pas la lumière. J'ai répondu à ses machinations sur la place publique, en produisant des preuves, en restant dans le débat d'idées tout en refusant de plier l'échine. Pour suite à donner, je renvoyais aux tribunaux : s'il y a un problème, ouvrez une information judiciaire et l'on verra bien ! J'ai mené bataille pour l'opinion publique. J'ai répondu à mes agresseurs sans les rejoindre dans l'invective. Ce faisant, j'ai défendu la monarchie alors qu'en face, on criait haro sur moi pour faire accroire que j'en étais le fossoyeur.

Rétrospectivement, je suis persuadé que ce feuilleton était une coproduction du binôme Hamidou Laânigri-Fouad Ali el Himma. Ce dernier, l'ex-camarade de classe devenu le plus proche confident du roi, est mal dans sa peau et maladivement jaloux de ses prérogatives ; il aimerait que Mohammed VI soit sa propriété exclusive. Il a instrumentalisé le général Laânigri, une barbouze ravie de se tapir derrière le trône. En m'impliquant dans des menaces réelles ou inventées de toutes pièces, cet homme de l'ombre a cherché à capter l'attention du roi. Il a prêté mon visage à la dissidence pour faire peur à M6 et se rendre indispensable.

Le roi pouvait-il ignorer ce qui se faisait en son nom ? Est-ce pensable ? Dans un royaume comme le nôtre, peut-on publiquement prendre à partie un prince sans y être autorisé par le roi ? Poser la question, c'est y répondre. Mais que cherchait Mohammed VI ? À me faire sortir de mes gonds ? S'attaquer à ma personne revenait fatalement, par ricochet, à s'attaquer à la famille royale dont je fais partie et dont le roi est le chef.

M6 pousserait-il l'inconscience jusqu'à se mettre lui-même un pistolet sur la tempe ? J'avoue que j'ai fini par prendre un malin plaisir à contempler cette situation paradoxale. Par exemple quand le quotidien arabophone *Al Sahifa* a rapporté que Fouad Ali el Himma et le général Laânigri avaient demandé à des spécialistes de droit constitutionnel de trouver une solution pour me retirer le titre de prince. Hélas pour eux, cela s'est avéré impossible, sous peine de créer un fâcheux précédent. S'il n'a pas pu aller aussi loin, le *makhzen* n'en a pas moins continué de canarder un prince, au risque de faire feu sur la monarchie. Quelle bêtise !

À court de cartouches, le *makhzen* s'en est rendu compte. En août 2005, Fouad Ali el Himma déclare que le Palais n'a aucun problème avec moi, que je suis un membre de la famille royale et que je dois être respecté à ce titre. C'est le signal de fin des hostilités. Certes, par la suite, il y aura encore ici et là des coups de griffe, des campagnes médiatiques, mais le dessin animé de série noire, ce drôle de mélange entre Walt Disney et Harlan Coben, est terminé. Rupture de bobine, les lumières dans la salle se rallument. Sortez, sortez, ce n'était que du cinéma !

VI.

HALFMOON BAY

À Princeton, où nous nous installons en janvier 2002, d'autres ennuis, hélas, m'attendent. Je me trouve embarqué dans une série de procès. Une employée anglaise m'assigne en justice, arguant avoir été mal rémunérée, alors que les conditions figurant dans son contrat ont été respectées à la lettre. Un ami, qui travaillait pour moi comme consultant, me poursuit également devant les tribunaux. D'autres partenaires ou salariés suivent l'exemple. Le schéma est classique et sordide : « il » n'est plus aux côtés du roi, « il » est donc exposé ; alors attaquons-le, il y a de l'argent à se faire... Je me défends de mon mieux. J'apprendrai à ne plus me fier à la parole donnée, à tout stipuler dans des clauses explicites, à « blinder » mes contrats. Je ne travaillerai plus sans le concours d'avocats, dont j'aurai appris l'utilité à mes dépens.

Cependant, en ces temps difficiles, je reçois aussi des preuves de loyauté et de générosité de cœur tout à fait exceptionnelles. En premier lieu de la part d'un couple philippin, qui garde ma maison à Princeton depuis 1982. Depuis vingt ans, à la fin de chaque mois, ce couple joue à la loterie des chiffres identiques. En 2002, ma femme confie une tâche à notre employé qui était sur le point d'accomplir ce rituel. Il demande alors à Malika de bien vouloir aller à sa place jouer la série de numéros en question, qui est affichée sur le frigo. Sur ce, sa combinaison fétiche gagne le gros lot ! Mais nous découvrons, avec stupeur, que Malika a mal noté le dernier chiffre. Elle a enregistré un 7 au lieu d'un 2. Du coup, elle a fait perdre à notre employé et à sa femme plusieurs millions de dollars ! Or, que fait l'homme en l'apprenant ? Il se saisit du ticket, sourit à Malika, puis déchire le bout de papier en lui expliquant sereinement : « Avoir été auprès de votre mari pendant vingt ans, c'est bien mieux que de gagner à la loterie. Ne vous en souciez pas. Ça ne fait rien. » Ni lui ni son épouse n'en ont plus jamais parlé, et tout a été comme avant. Bien sûr, quand ils sont partis à la retraite et rentrés aux Philippines, j'ai fait en sorte qu'ils vivent le soir de leur vie sans avoir à ruminer cette malheureuse histoire.

En Amérique, je commence une nouvelle vie... d'immigré. M6 me retire mon statut diplomatique cependant que mon frère et ma sœur préservent le leur. Par voie de conséquence, je perds le privilège d'un visa permanent aux États-Unis. Le consulat américain me notifie que, n'exerçant plus de fonctions officielles pour le Maroc, je dois régulariser ma situation légale. Dans l'urgence, j'obtiens un visa touristique de dix ans. Mais en tant que « touriste », je ne puis inscrire mes filles à l'école ! Heureusement, ma femme Malika,

qui a déjà vécu aux États-Unis, obtient rapidement sa
« carte verte » de résident permanent et nos filles se
voient délivrer des visas d'étudiants, la cadette Haajar
à l'âge de... trois ans. Pour nous mettre à l'abri de
tout risque émanant du royaume, Malika et les enfants
prendront par la suite la double nationalité – et moi,
qui m'étais battu bec et ongles pour que ma femme
accouche au Maroc. Aujourd'hui, je suis bien content
de savoir ma famille sous l'aile protectrice de l'aigle
américain. De là à acquérir moi-même la nationalité
américaine, il y a toutefois un pas que je ne parviens
pas à franchir. Je suis donc le seul « non-Américain »
de ma famille.

L'étape suivante est l'obtention d'un numéro de
sécurité sociale. Pour cela, je dois me rendre à Tren-
ton, la capitale du New Jersey. Une expérience ini-
tiatique pour moi : pour la première fois, je prends
ma place parmi des requérants du monde entier – de
nouveaux arrivants, comme moi, la plupart originaires
du Mexique ou de pays d'Afrique subsaharienne –
pour accéder à un guichet, après avoir dressé l'oreille
pour reconnaître mon nom quand il a été appelé au
microphone. D'ailleurs, mon nom pose problème.
Quand j'étais parti faire mes études aux États-Unis,
le ministère marocain des Affaires étrangères m'avait
délivré un certificat attestant mon nom – Hicham ben
Abdallah – et mon titre chérifien, Moulay. Or, sur
mon acte de naissance que je produis à présent figurent
« Son Altesse royale le prince » et, en guise de prénom,
« Moulay Hicham ». En raison de cette discordance,
je suis obligé de faire rectifier mes papiers d'identité.

Par voie administrative, l'Amérique sécularise ainsi un descendant du Prophète en « prince ».

Évidemment, je suis un immigré de luxe. Non seulement les services américains font leur possible pour arranger notre situation mais je garde aussi de nombreuses amitiés du temps de mes études aux États-Unis et, plus particulièrement, à Princeton. Je renoue ainsi avec plusieurs anciens professeurs, dont Clifford Geertz, l'un des pères de l'anthropologie moderne et, pour moi, un mentor d'une audace intellectuelle fascinante. La silhouette pleine de ce barbu pensif, habituellement sanglé de bretelles rouges, reste ainsi vivement associée à cette époque. Jim Kavanaugh, un professeur émérite d'anglais de Princeton, devient même mon secrétaire personnel pendant trente ans. Ce gauchiste d'origine irlandaise, doté d'un sacré tempérament, me sera d'un grand soutien jusqu'à son départ à la retraite en 2012. Il reste à ce jour un ami cher et un confident sûr.

Enfin, contrairement à bien d'autres immigrés, je ne manque pas de moyens. Arrivé aux États-Unis, je me félicite tous les jours d'être sorti de l'ombre protectrice de tout pouvoir politique, quel qu'il soit, en créant en 1999 ma propre entreprise, Al Tayyar Energy (ATE). Un jour à Abu Dhabi, mon directeur financier dans les projets *offsets*, John Saad, un Américano-Libanais, s'était livré devant moi à une défense et illustration des énergies renouvelables. Il fallait le faire, au cœur d'un émirat pétrolier ! Mais il m'avait convaincu. Avec plusieurs associés – dont l'excellente Nadia Abu Jabara, une Palestinienne, et un Libanais, Souhail Aboud – nous

nous sommes lancés dans l'aventure. Nous avons établi notre siège à Abu Dhabi et, après étude approfondie des options ouvertes, avons délaissé le soleil et le vent pour la « biomasse ». Hélas, en 2001, John Saad a succombé à son diabète. Un ingénieur américain, Peter Smith, qui avait travaillé sous la présidence de Jimmy Carter au ministère de l'Énergie, nous a alors rejoints comme nouveau pivot du projet.

L'idée était de produire de l'énergie à partir de déchets agricoles. Nous faisons nos premières armes en Thaïlande, avec une usine implantée près de la ville de Khorat. Nous y récupérons du féculent à partir de matières végétales, une substance blanche qui entre par la suite dans une cuve de digestion remplie d'insectes pour produire du méthane. La bâche couvrant la cuve finit par se lever et par dégager le gaz. Il s'agit d'une technologie d'origine suisse que des ingénieurs australiens nous aident à adapter localement. C'est un premier succès. Bien que notre usine soit de taille modeste, elle dégage bon an mal an des profits avoisinant un million de dollars. Sur la base de cet acquis, des investisseurs asiatiques nous rejoignent et nous permettent de reproduire l'expérience au Laos et au Vietnam. Parallèlement, en Thaïlande, le « bol de riz » du Sud-Est asiatique, nous produirons de la vapeur puis de l'électricité en incinérant de la balle de riz. Dans ce projet, nos associés sont Rolls-Royce et Chubu, une multinationale d'électricité japonaise. Nous vendons notre courant au distributeur local, la société thaïlandaise EGAT, à qui nous lie un contrat de vingt-cinq ans.

Pour anticiper sur ce point : grisés par nos succès

initiaux, nous commettrons des imprudences à partir de 2006. Notre usine de biodiesel à Sheffield connaîtra les déboires auxquels j'ai déjà fait allusion. Alors que nous cherchons à y développer une technologie de pointe pour transformer le suif animal en diesel, le changement d'échelle fait disparaître une enzyme et nous nous retrouvons avec du savon. Ce qui n'est, au départ, qu'un accroc industriel prend de l'ampleur en raison de nos partenaires financiers, pris de panique en l'absence d'un retour sur investissement pendant trois ans. Pour finir, ATE cédera l'usine pour acquérir, de Paribas, une unité de production bien plus grande mais tombée en faillite, près de Rotterdam, que nous remontons avec Electrowinds, une multinationale belge. Nous aurons également des difficultés avec nos partenaires au Canada, dans notre usine de biodiesel du côté de Calgary, dans l'État d'Alberta. Mais là, nous persisterons et redresserons ensemble la situation.

Tout cela pour dire que, après mon installation à Princeton, Al Tayyar est au cœur de ma nouvelle vie d'entrepreneur. Cette vie n'est pas toujours facile et, par moments, j'ai bénéficié de la fidélité sans faille d'amis sûrs dont, notamment, Othman Benjelloun, le président de la Banque marocaine du commerce extérieur (BMCE). À un moment très critique où il avait lui-même beaucoup à perdre, il a couvert une créance due par ses propres fonds. Mais, aujourd'hui, il y a des gens dans le monde entier qui travaillent pour moi, dont des dizaines d'ingénieurs dans nos bureaux à Princeton puis, à partir de 2012, à Washington DC. Comme toute entreprise, nous devons faire face à des contretemps, aux fluctuations des cours ou, par exemple, au coup d'État et aux inondations en Thaïlande. Mais nous réussissons aussi des percées technologiques, nouons de nouvelles alliances industrielles et, si nous ne jouons pas dans la cour des grands, damons souvent le pion aux mastodontes grâce à notre plus grande flexibilité. Peut-être banale pour d'autres, cette expérience représente pour moi une révolution culturelle. Pour la première fois, je crée des richesses non pas seulement pour moi mais au service d'une cause à laquelle je crois. À travers les joies et les déceptions, j'éprouve un sentiment d'utilité qui m'était inconnu auparavant. En un mot comme en cent : j'ai un métier.

Naturellement, je n'abandonne pas pour autant la politique. Pour stimuler ma réflexion, je mets en place un réseau international de chercheurs – un *think tank* ou, comme l'on disait dans le temps en français, une « forge à concepts » – qui travaillent au coup par coup sur des sujets d'intérêt commun. Nous organisons des brainstormings, des séminaires, des conférences. La structure de support est à dessein légère, le gain de connaissances le but recherché.

En même temps, j'affronte la vague montante des néo-conservateurs aux États-Unis. George W. Bush et les « faucons » de son entourage transforment les attentats criminels du 11 septembre 2001 en atout politique. Allant crescendo, la mobilisation en faveur de leur *Global War on Terrorism* – GWOT face au *jihad*… – tourne à l'obsession aveugle, doublée d'un zèle missionnaire à l'égard des États du tiers-monde, en particulier dans le monde arabe. L'invasion de l'Irak, en mars 2003, marquera à cet égard l'erreur fatale d'un orgueil de bonne conscience nourri d'ignorance. Mais avant de se rendre à cette évidence, l'Amérique permet aux néo-conservateurs de tenir le haut du pavé. L'institut que j'ai fondé à Princeton fait l'objet de farouches attaques de leur part. Daniel Pipes et Martin Kramer, à la tête de l'organisation Campus Watch qui s'en prend aussi vivement à l'université de Columbia, à New York, vont jusqu'à déclarer devant le Congrès que Princeton est financée par un prince arabe anti-israélien sinon antisémite qui, selon eux, ne fait inviter que des Palestiniens et jamais d'Israéliens, à moins que ces derniers ne soient eux-mêmes pro-palestiniens. Le directeur de l'institut, mon ami et compatriote Abdellah Hammoudi, est gravement mis en cause. Cependant, fort de nombreux témoignages de soutien, nous faisons face. Hammoudi reste à son poste. Plus tard, au moment qu'il aura lui-même choisi pour passer la main, l'université, qui garantit en fait l'indépendance de l'institut de mon agenda personnel à travers une charte, lui trouvera un digne successeur, le professeur Bernard Haykel, un jeune universitaire plein d'énergie et de talent. Notre travail de réflexion, de recherche et de débat se poursuit comme avant.

Dans ce contexte, le Maroc et son « jeune roi » – au même titre que la Jordanie – deviennent l'exemple mis en avant par le pouvoir américain néo-conservateur dans ses projets thaumaturges pour « refaçonner » le monde arabe, sous-entendu : à son image. Il y a là un vrai *masterplan*, qui passe par des changements de régime – en Égypte, voire en Arabie Saoudite – sous couvert de démocratisation mais, en fait, au service d'un dessein hégémonique américain. Dans ce grand jeu, qui fait finalement naufrage en Irak, le Maroc joue un rôle de faire-valoir. Obnubilé par l'effet d'aubaine géopolitique, M6 se laisse instrumentaliser et, finalement, marginaliser comme le meilleur élève d'un *new Middle East* américain qui ne verra pas le jour – et sera désavoué par le Printemps arabe en 2011.

Chaque fois que je retourne au Maroc, le passé me rattrape. Mes communications téléphoniques sont écoutées, je suis suivi, une voiture « planque » devant ma maison ou mon bureau. Ce sont des « services » dont je me passerais volontiers. Lors de mes séjours, j'entretiens des contacts courtois avec la « bonne société » marocaine, sans plus. En revanche, avec mes relations au Moyen-Orient, des parents ou des amis, nous respectons un *gentlemen's agreement* : je ne passe plus par le cabinet royal mais je suis toujours le bienvenu à la maison. De la sorte, je conserve et développe mes liens, sans gêner personne, à commencer par M6. Une exception, dictée par les exigences de la non-ingérence mutuelle : le cheikh Mohammed bin Sultan Zayed al-Nahyan, qui est devenu prince héritier à Abu Dhabi, prend ses distances. Nos relations se distendent.

Au sein de ma famille au Maroc, c'est bien plus compliqué. Lorsque, acculé par tous les coups bas qui m'avaient été portés, je suis parti en Amérique, ni ma mère ni mon frère ou ma sœur ne m'ont manifesté de soutien public. Tout ce qui m'arrivait a été mis sur le compte de l'excès de zèle des quelques subalternes – ce qui n'a aucun sens dans un système comme le nôtre. Je sentais que sur le fond, tout en admettant que ma critique de la cour puisse être justifiée, ils estimaient sacrilège de lutter contre son propre clan. Comme s'il y avait deux poids, deux mesures : l'une pour Hassan II, l'autre pour M6. Depuis, quand je passe, l'ambiance est lourde de non-dits. La politique est taboue, toute référence au roi aussi. Mohammed VI est le fantôme parmi nous, de la même manière que moi, le « cousin banni », je suis sans doute le fantôme de M6. Ma sœur, Lalla Zeineb, cherche à ne pas me blesser. Mon frère, Moulay Ismaïl, sait que sa proximité avec le roi s'explique aussi par mon absence de la cour... Enfin, retrouver ma mère dans le déni est pour moi une expérience douloureuse. Autrefois, elle scrutait les faits et gestes de Hassan II en trouvant suspect, *a priori*, tout ce qu'il entreprenait à notre égard. En revanche, elle donne un blanc-seing à Mohammed VI, elle lui passe tout, au point que j'ai le sentiment qu'elle me reproche constamment, sans jamais le dire, mon attitude critique à l'égard du nouveau roi. Il est surprenant qu'une femme comme elle, farouche partisane du progrès, couvre M6 de son indulgence. Elle, la fille d'un leader républicain, elle qui venait à la cour en robe et non pas en caftan, elle la diplômée de la Sorbonne qui, toute sa vie, a poussé mon père à s'éloigner de la tradition, semble si différente. Bien entendu, Mohammed VI est son neveu. Elle l'a vu grandir et n'a pas de passif avec lui. Au contraire, la confrontation avec Hassan II les unit dans une souffrance intime partagée.

Comme toutes les tantes de Mohammed VI, ma mère a été décorée, en 2007, du Grand Cordon alaouite, la plus haute distinction du royaume. Le déphasage avec moi est alors devenu total : moi l'Alaouite, je suis un dissident en porte à faux avec mon pays et la famille régnante ; elle, qui vient d'ailleurs, est décorée et en est fière. Ma mère, mon frère, ma sœur appartiennent à un univers, celui de Mohammed VI et du Palais, dont je ne ferai plus jamais partie.

L'été 2005, je passe mes vacances avec Malika et nos enfants sur la côte septentrionale du Maroc. Nous y avons nos habitudes, une maison sur la plage, des parents, amis et voisins que nous aimons revoir. Je me trouve un jour dans notre maison de famille sur la plage, plus précisément à la cave en train de chercher je ne sais plus quoi, des pâtes je crois. Soudain, par une petite fenêtre de l'entresol, je vois arriver un cortège de voitures. En remontant, je trouve la porte d'accès à la cave fermée. Mon frère, paniqué à l'idée que je puisse troubler la visite du roi, sinon le roi, l'a verrouillée. Je resterai assis en haut des marches pendant plus d'une heure, en attendant le départ de Mohammed VI. « Il suffisait de me le dire, dis-je à Moulay Ismaïl quand il m'ouvre la porte. Je serais parti tout seul, sans faire de bruit. »

Ce même été, le 21 août, comme tous les ans pour l'anniversaire du roi, les bateaux de pêche de la région passent au large de la résidence royale. Mes filles, attachées à M6 comme il est attaché à elles, se sont arrangées pour être de la partie, une banderole en hommage au roi à la main, les bateaux étant joliment décorés de toutes les couleurs tels les chars d'un défilé carnavalesque. Je suis le spectacle depuis la plage, seul, perdu dans mes pensées.

En 2005, l'héritage de mon père n'est toujours pas réglé. Certes, après l'accession au trône de M6, le deuxième administrateur de nos biens – le PDG de la Caisse de dépôt et de gestion, M'fadel Lahlou, un homme bien plus droit que son prédécesseur – avait quitté son poste en pensant que, Hassan II parti, notre affaire allait se débloquer sans problème. C'était mal connaître le *makhzen*. Non pas que Mohammed VI ait voulu bloquer notre succession. Mais les réflexes du système ont la vie dure. Le *cadi* du roi refuse tout acte de procédure sans ordre exprès du roi ; il ne veut même pas établir la liste des ayants droit. Peut-on lui en vouloir quand, non pas en droit mais en fait, les biens de la famille royale ne sont pas consultables au cadastre, sauf intervention du secrétariat particulier du roi, qui se défausse en l'absence d'instructions explicites. Bref, l'inertie – la stratégie la plus sûre et la plus économe d'efforts pour éviter un crime de lèse-majesté – est telle que rien n'avance à notre sujet.

Je décide alors de frapper un grand coup. Il se trouve que mon beau-frère, Mohamed Benslimane, bloque au nom de ma sœur le partage d'un terrain près de Fès. Je me saisis de cette partie de notre héritage qu'on avait bien voulu nous laisser pour en faire l'épicentre d'une secousse majeure. Avec le concours d'un excellent avocat, je persuade mon frère Moulay Ismaïl d'assigner notre sœur en justice. Bien entendu, nous ne voulons aucun mal à notre sœur. Mais j'escompte attirer par cette démarche sans précédent au Maroc, où l'état de droit ne s'applique pas à la famille royale, l'attention de Mohammed VI. Mon calcul s'avère juste. Dès que l'affaire est inscrite au greffe, le roi convoque, le soir même, d'abord Moulay Ismaïl, pour lui passer un savon, puis un avocat de Casablanca à qui il enjoint de retirer la plainte dès le lendemain. L'avocat lui fait remarquer que c'est samedi et que le tribunal sera fermé. « S'il le faut, tu iras en pyjama au tribunal pour retirer le dossier ! » fulmine le roi. Par la suite, M6 demandera à un juriste respecté proche de notre famille de superviser le partage de nos biens. « Je ne peux pas solder l'héritage des violations des droits de l'homme et ne pas solder une affaire de famille », lui explique Mohammed VI. Or, même la volonté du roi mettra encore quatre ans à s'inscrire dans les faits ! Il nous faudra dresser de nouveaux inventaires, revenir sur des démembrements illégaux, déloger des squatteurs et éponger des impayés qui se sont accumulés, avant d'entrer dans nos droits, trente ans après le décès de notre père !

En guise de post-scriptum : j'avais prévu la réaction de Mohammed VI, mais pas celle de ma sœur. Quand l'huissier de justice est venu lui apporter notification de notre plainte, elle l'a chassé *manu militari* de sa maison, le poursuivant en bigoudis jusque dans la rue.

Le 16 novembre 2005, pour la première fois depuis le décès de Hassan II six ans auparavant, je suis invité à des cérémonies officielles, en l'occurrence celles marquant le cinquantième anniversaire de l'indépendance du Maroc. L'expérience est étrange. Elle me fait penser aux conteurs à la maison, du temps de mon enfance, lorsque toutes les histoires débutaient invariablement par la formule : « Il fut un temps... » Je me sens tellement « autre » que je pense sans cesse : « Il fut un temps, il y a très longtemps. » Je suis assis aux côtés d'une famille royale qui n'est plus la mienne. Toute la presse commente l'événement, s'interroge sur un possible retour en grâce. En réalité, c'est un non-événement, une coquille désertée par l'animal, sans vie, bonne à poser sur une étagère. Le plus bizarre pour moi, ce jour-là, consiste à faire la connaissance de l'épouse et du fils de M6. Je n'ai été invité ni au mariage du roi ni au baptême du prince héritier. J'avais suivi les noces à la télévision en France, constatant que tout le monde, y compris Driss Basri, le « grand vizir » renvoyé, était de la partie... sauf moi !

J'ai un double sentiment d'aliénation, car les autres membres de la famille royale me voient, eux aussi, comme un étranger. Les miens ne sont plus les miens, et je ne suis plus dans mon monde chez eux. Mes enfants ont plus de liens avec M6 que moi. Il les appelle régulièrement au téléphone. Ils se rendent au Palais au moins deux fois par an, pour la fête du Trône et pour l'anniversaire du roi. Ce 16 novembre, j'ai envie de partir, de me lever brusquement et de m'en aller. Le petit prince est très mignon, tout le monde l'appelle *Smit Sidi* – le titre traditionnel du prince héritier, littéralement : « le nom du Seigneur ». Mais, pour moi qui ai toujours connu M6 dans ce rôle, *Smit Sidi*, c'est lui.

Mon sentiment d'extranéité par rapport à la famille royale est encore aggravé, en mai 2006, lorsque je souhaite me recueillir dans le mausolée où sont enterrés mon père, mon oncle et mon grand-oncle : la Garde royale m'en interdit l'accès « sur ordre ». Au bout du compte, je me sens moins concerné par la pérennité de la monarchie, moins appelé à agir en sa faveur, quand bien même il y aurait péril en la demeure. Je suis toujours passionné par mon pays, mais en tant que Marocain et non plus, en premier lieu, en tant que prince.

En avril 2006, je prends une initiative en matière de liberté de la presse. Je propose de payer une lourde amende de 3 millions de dirhams – près de 300 000 euros – qui a été infligée par la justice au *Journal hebdomadaire*. Cette sanction menace l'existence du titre et, du fait de la contrainte par corps, la liberté de son directeur, Aboubakr Jamaï. J'explique dans ma lettre à l'avocat du groupe de presse qu'il s'agit d'un geste « d'homme à homme, qui doit être effectué en conformité avec le respect de l'institution judiciaire et les dispositions relatives à l'application de la loi ». Mais Aboubakr Jamaï décline l'offre. Il préférera démissionner en janvier 2007, quand l'amende sera confirmée en justice. Je ne peux que lui rendre hommage pour sa droiture et son courage.

Les premiers jours de l'été 2007, un événement survient qui va bouleverser ma manière de voir la vie. Un matin, pendant mon sport quotidien, j'éprouve une petite gêne, une légère fatigue. Je pense à une allergie ou à un problème pulmonaire. Je vais voir un médecin à Princeton, qui diagnostique un type d'asthme induit par l'effort. Il me donne une bonbonne à inhaler, qui dégage les bronches pour mieux inspirer l'oxygène. Je sens cependant toujours cette gêne après mes huit kilomètres de vélo ou de tapis roulant. Je retourne consulter le même médecin, qui finit par procéder à toute une batterie d'examens. Il ne trouve cependant rien. Je me soumets alors à un test d'effort avec un produit de contraste, avant et après l'exercice. Le diagnostic se précise : mon cœur tient bon, mais il semble que j'aie un problème de « plomberie », d'artères et de vascularisation. J'appelle le cardiologue de Hassan II, Romano De Sanctis, avec qui je me suis lié d'amitié. Il me conseille le CHU de Pennsylvanie où travaille l'un de ses anciens étudiants.

Je préviens mon frère afin qu'il soit à mes côtés pendant mon hospitalisation. Le 21 juin 2007, je subis des examens approfondis. Ils confirment les blocages. Une intervention chirurgicale est fixée immédiatement au lundi suivant. Je suis opéré par le Dr Joseph Bavaria, l'un des meilleurs chirurgiens américains du cœur. Ma mère est également à mon chevet, aux côtés de ma femme et de mes enfants. Au sortir du bloc, le chirurgien leur explique qu'il a effectué cinq pontages afin que je sois « vascularisé à 100 % ». Bien que son équipe médicale lui ait demandé de renoncer au dernier pontage, il a persévéré, quitte à rallonger l'opération de trois heures et demie ! Compte tenu de la manière dont mon organisme avait réagi avant l'opération, générant des « collatéraux » en masse, c'est-à-dire ses propres bretelles pour compenser les blocages de certaines artères, le chirurgien pense que j'avais une prédisposition génétique. Il me prédit une vie normale, sous réserve que je surveille mon taux de cholestérol.

L'opération a été épuisante. Je mettrai près d'un an à récupérer totalement. Toutefois, prince ou pas, je suis chassé du lit et obligé à remarcher trois jours après l'intervention ! Dans la salle de rééducation, je fais la connaissance d'un ancien champion de hockey, qui a subi le même type d'opération que moi. On nous astreint tous les deux à faire des exercices dès six heures du matin : monter et descendre des escaliers, pédaler sur toutes sortes d'appareils aux côtés de vieux, qui n'ont de cesse de se raconter des blagues pas drôles du tout. Je suis encore à l'hôpital le 4 juillet, jour de la fête nationale américaine, quand le pavillon où je me trouve est bouclé, le Département d'État ayant alerté l'hôpital d'une « possible menace par des proches » contre moi. Peut-être une fausse alerte. De toute façon, il n'y a pas que des dangers. Peu avant ma sortie, deux Marocains, un chauffeur de taxi et un restaurateur, se présentent pour m'offrir des roses de la part de la communauté marocaine de la ville, forte d'environ 4 000 personnes. Le chauffeur de taxi, Rachid el-Kouhen, veut même me raccompagner chez moi dans son véhicule ! Je lui explique que nous sommes trop nombreux pour monter tous dans son taxi. Cependant, depuis lors, il n'y a pas une fête de l'Aïd sans que je reçoive de lui un petit mot d'attention. Il est entré dans ma vie, et moi dans la sienne.

Je quitte l'hôpital le 5 juillet. J'apprendrai plus tard que le roi Abdallah d'Arabie Saoudite fait en sorte qu'un hélicoptère du CHU de la Pennsylvanie reste pendant une semaine en *stand-by*, 24 heures sur 24, pour venir me chercher en cas d'urgence. Au début, chaque mouvement m'est pénible. Pourtant, dès le premier jour et malgré la fatigue, j'ai le sentiment de renaître, plus que jamais armé de ma foi. Mieux encore qu'avant, je sais que je peux compter sur ma famille et, en cas de coup dur, aussi sur les piliers de la maison Al-Saoud. Une seule pensée entrave mon élan. Après mon opération, j'ai reçu des centaines de télégrammes du monde entier, des messages de tous les Marocains que j'ai croisés dans ma vie, à l'exception de Mohammed VI ! Le président Bouteflika et des membres du Polisario m'ont appelé, mais pas le roi, mon cousin. J'apprécie d'autant plus les mots de réconfort inattendus, comme celui d'un Marocain inconnu du Canada : « Laissez-moi vous dire combien je vous respecte », m'a-t-il écrit. Ce n'est rien mais cela fait vraiment du bien.

Mon accident de santé m'a fait sortir de la piste à 300 kilomètres à l'heure. Sur mon lit d'hôpital, alors que j'entends mon « nouveau » cœur battre, je réfléchis à ma vie, mon parcours : ce que j'ai fait de bien, et de moins bien. C'est à ce moment d'intense introspection, vulnérable mais aussi *reborn*, revenu à la vie, que je décide d'écrire ce livre. Je demande à mon infirmière, Melissa, du papier et un stylo, et je commence à prendre des notes. Je songe à mes responsabilités à l'égard de ma famille mais, au-delà de ce cercle restreint, aussi et surtout envers mon pays. Porteur d'un projet pour le Maroc, je veux partager l'expérience dont je suis le dépositaire. Je souhaite la rendre accessible à qui veut s'en saisir et s'en servir. Que je sois compris ou pas est une autre question. Je veux offrir ce que j'ai appris du Maroc. J'ai passé un cap avec cette opération, qui fait désormais partie de mon identité. Je vis différemment. Bien sûr, banalement, je fais très attention à moi et, en particulier, à ce que je mange pour maîtriser mon cholestérol. Mais je fais également bien plus attention qu'auparavant à ce que je dis, à ce que je fais, à ce dont je m'occupe ou pas, et avec qui, quand et comment. Bref, il y a un « avant » et un « après ». Ce livre marque une césure.

Trois semaines après l'opération, je subis des examens pour vérifier si la greffe vasculaire a pris. Tout va bien. Cinq semaines plus tard, le Dr Cosin me fait passer un autre examen, douloureux, de résonance magnétique nucléaire, avec un test d'effort. Les résultats sont impeccables, tout est rentré dans l'ordre. Mon état physique ne changera pas ma vie en lui imposant des limites nouvelles. En revanche, j'ai une nouvelle philosophie. Désormais, tout peut attendre. Je suis beaucoup plus patient avec les autres, plus exigeant à mon propre égard et plus concentré sur mes objectifs prioritaires. Je juge moins les gens et je suis conscient que le temps passe irréversiblement. Pour autant, je ne vois pas tout avec flegme et détachement. Si j'ai déjà été attristé par le fait que M6 n'ait pas pris de mes nouvelles, je suis franchement meurtri en apprenant que, lors de l'interdiction de l'hebdomadaire *Al Watan* pour publication d'informations classées « secret défense », on ait interrogé le directeur de publication à mon sujet. Nous sommes en juillet 2007, et je commence tout juste ma convalescence. Pour moi, c'est la preuve que non seulement M6 se moque de mon sort mais, pis encore, qu'il m'envoie comme message : « Il n'y a ni répit ni quartier. En ce qui me concerne, tu peux crever ! »

Deux mois plus tard, je connais un moment de pure félicité à Stanford, en Californie. J'aime voler en hélicoptère et m'entraîne pour passer mon brevet de pilote. Un matin, je vais ainsi vers Halfmoon Bay, un endroit fantastique au sud de San Francisco. À travers des panaches de brume, les couleurs du soleil se reflétant dans les vagues, je vois des baleines et des morses percer la surface de la mer, s'élancer et s'ébattre dans l'écume… Je les survole, les suis un temps et j'ai soudain le sentiment que tout est parfait, que tout ce qui m'est arrivé trouve sa place dans ma vie. Le passé me paraît stérile, insignifiant. En voulant aider la monarchie au Maroc, j'ai perdu mon chemin. Je me suis abîmé dans un magma glauque de gens immatures et intéressés, un univers de médiocrité et d'archaïsme. J'ai perdu dix ans. Mais j'ai trouvé en moi un antidote à la petitesse, aux courtisans du *makhzen*, sans probité ni courage. J'ai produit des anticorps et suis désormais vacciné. Cette promenade en hélicoptère m'est apparue comme une balade au matin du monde, comme une remontée à la surface de la vie. Depuis, je suis reparti d'un nouvel élan. Si j'ai eu un sentiment de vide en arrivant à Princeton, c'est l'inverse depuis lors. Tout fait sens, tout prend forme, tout s'est remis en place. Je porte désormais en moi la phrase de Samuel Beckett : « *Ever tried, ever failed, never mind, try again, fail better.* » Les chutes sont inévitables ; l'essentiel est de se relever, de s'accrocher davantage. Je ne renonce pas à vouloir aider mon pays.

En août 2007, l'administration marocaine me donne le feu vert de principe pour mon projet d'une ville nouvelle écologique, baptisée Bab Zaër. Elle doit être implantée à une trentaine de kilomètres de Rabat, à Aïn el-Aouda. Ma famille y dispose de 3 000 hectares de terrain d'un seul tenant, ce qui est devenu extrêmement rare en zone périurbaine compte tenu de la pression démographique sur la façade atlantique du Maroc. Par ailleurs, il ne s'agit pas d'une création *ex nihilo* mais d'un projet adossé à une ville déjà existante. Le *makhzen* et sa presse m'ont souvent reproché mes investissements à l'étranger en me faisant quasiment passer pour un traître à la patrie. J'ai pris leurs critiques au pied de la lettre. Je me suis entouré de vingt techniciens – dix Marocains et dix Indiens venus droit de Bangalore – pour monter un projet d'urbanisation avant-gardiste. Mon « brief » exige que 70 % des futurs habitants de cette ville puissent travailler *intra muros*. En récupérant les biogaz du centre d'enfouissement technique, nous comptons disposer d'une énergie naturelle à bon prix pour cette « première ville écologique d'Afrique ». Une douzaine de petits barrages doivent retenir l'eau de pluie. Les écoles, les centres de santé, même les postes de police doivent être construits par la société d'aménagement du site, qui les louera ensuite à l'État. J'ai même réuni les fonds pour bâtir une université portant le nom de mon père.

305

Malheureusement, par la suite, le projet s'enlise dans le sable grinçant de l'obstruction. L'administration cherchera le diable dans les détails pour me barrer la route et me faire perdre des millions d'euros. Quatre ans plus tard, à bout de patience après le limogeage de trois hauts fonctionnaires, les seuls à n'avoir eu à l'esprit que l'intérêt général, j'adresserai une lettre à Mohammed VI. « Je crois que, s'il m'est difficile de réaliser un projet au Maroc, lui écrirai-je, c'est que vos instructions ont toujours été interprétées à la lumière de vos sentiments à mon égard, réels ou supposés. Soucieux de vous plaire en flattant votre rejet présumé de ma personne, les moindres signes de votre colère ou de votre agacement sont immédiatement traduits comme instructions nouvelles de durcir les exigences, de faire traîner les autorisations ou de ne rien faire en attendant de reconfirmer, encore et encore, les instructions initiales. »

Pour toute réponse, un groupe immobilier lié au Palais mettra les bouchées doubles pour son projet visant à construire 40 000 nouveaux logements à Oum Azza, une ville proche de 30 000 habitants... Enfin, le 9 novembre 2012, Mohammed VI viendra en personne planter le premier arbre d'une future « coulée verte » à Ben Guerir, censé devenir la « première ville verte d'Afrique » dotée d'une université élitiste – Mohammed VI Polytechnique – par la grâce du roi et de lourds investissements publics. Mais qu'importent les coûts exorbitants du moment que, à mi-chemin entre Casablanca et Marrakech, le Souverain peut réaffirmer son privilège exclusif de donner ou de prendre selon son bon plaisir pour « assujettir » même un membre de sa famille ? Malgré tout, en solde pour tout compte, je n'ai pas encore passé la monarchie par pertes et profits bien que je la sache inséparable de son frère siamois, le *makhzen*. L'été 2011, ma lettre au roi s'est achevée par cette phrase : « Même si je peux me réaliser pleinement à l'étranger, j'ai le devoir de vous servir, par fidélité à notre enfance commune, à notre famille et à l'institution que vous incarnez. »

En octobre 2007, je donne à la chaîne qatarie Al-Jazira ma première interview télévisée depuis deux ans, la première aussi depuis mon accident de santé. Je commente le faible taux de participation aux élections législatives du 7 septembre : 37 % de votants contre 63 % de boudeurs des urnes ! Je soutiens que les abstentions et les votes nuls adressent un message à un système qui se contente de signes extérieurs de démocratisation, sans en fournir la substance, et dont le fonctionnement demeure autoritaire. Quelques jours plus tard, le 13 octobre, je publie un article dans *Le Journal hebdomadaire*, au Maroc, titré « Éviter la violence ». J'y traite de l'évolution du système politique, de Hassan II à M6 : « Le Maroc est passé d'un autoritarisme appuyé sur les appareils de répression à un autoritarisme institutionnalisé et légitimé par les partis d'opposition issus du Mouvement national et les nouveaux partis d'opposition, principalement le PJD [le parti Justice et Développement, les islamistes prêts à collaborer avec le roi]. (…) Ce nouvel autoritarisme à visage humain semble avoir simplement inversé le fonctionnement de l'ancien (…) lequel prenait soin d'arriver à un certain consensus vis-à-vis des élites. De sorte que dans le cas de cet ordre ancien, une certaine ouverture se pratiquait avec les élites politiques en même temps qu'avait lieu un verrouillage étroit du champ politique par le contrôle des élections, la menace et la répression. Dans le nouveau règne, le pouvoir pratique une large ouverture du champ politique combinée avec une obstruction envers ses élites. Cette dernière se traduit par un repli sur les technocrates apolitiques, la mise sur pied de commissions royales exécutives et la prééminence, dans les prises de décision, d'un cercle rapproché d'acteurs. L'autoritarisme est légitimé de la sorte, ayant renoncé à la répression comme système de gouvernance. » J'aurais pu être plus succinct en disant que Hassan II brisait des os tandis que Mohammed VI brise des rêves.

Dans le même article, j'appelle une fois de plus à une réforme de la monarchie que j'estime « inévitable, aucune institution n'étant immunisée contre le changement et les pressions sociales ». C'était quatre ans avant le Printemps arabe. Mais on peut aussi renverser la perspective et remonter le temps. Car, de fait, toutes les mutations du début du règne de M6 avaient déjà été enclenchées sous Hassan II qui, à la fin de sa vie, avait accepté la nécessité de faire évoluer le pays et sa monarchie. M6 en a recueilli les lauriers quand ces évolutions ont commencé à porter leurs fruits. Mais il n'a pas poursuivi et approfondi le travail de réforme. Il s'est montré infiniment plus sympathique que son père mais, peut-être, aussi infiniment moins grand roi. Au risque de donner raison au titre prophétique du livre de Jean-Pierre Tuquoi publié en 2001, *Le Dernier Roi*.

« Sous Hassan II, on vivait à la pierre taillée, et maintenant nous sommes une démocratie high-tech », claironnent des proches du nouveau roi. Mais c'est un mythe. L'ouverture du régime a débuté sous Hassan II, dans le domaine économique aussi bien que dans le domaine politique. La nouvelle loi sur la comptabilité, celle sur les banques, la loi sur la fiscalité, celle sur les marchés publics, la loi sur les privatisations, toutes remontent à la fin de règne de Hassan II. Déjà sous l'ancien roi, le patronat local et, plus largement, le capitalisme au Maroc avaient acquis une autonomie sans précédent. En dehors d'André Azoulay, c'est grâce à Jacques Delors ou, encore, à Caio Koch-Weser, le numéro deux de la Banque mondiale sous James Wolfensohn, que le roi s'est peu à peu converti au libéralisme économique. Koch-Weser a joué un rôle clé dans le ralliement de Hassan II aux privatisations et à un déverrouillage du carcan étatique en général. Il était un bon pédagogue et un excellent communicateur. Il pouvait s'asseoir des heures avec le roi pour lui expliquer les choses en détail, pas à pas. Il l'a éduqué, dans le meilleur sens du terme. Par exemple, avant de le connaître, Hassan II était convaincu que l'abandon de certaines sphères de l'économie au privé constituait un abandon de souveraineté, un affaiblissement de l'État, voire une invite au désordre. Il était même hostile aux autoroutes à péage. Il estimait qu'en tant que roi, il lui revenait d'offrir la route gratuitement à ses « sujets ». La demande d'une « obole » à l'entrée lui semblait diminuer sa puissance. Finalement, il a changé d'avis.

Hassan II a aussi lancé une grande campagne d'assainissement dans les milieux d'affaires, en réalité parce que personne ne voulait mettre un kopeck dans le compte 111, celui de la Solidarité nationale. Bien sûr, ce fut aussi une tentative de reprise en main de la bourgeoisie marocaine. Le roi a mené cette campagne de façon très autoritaire, si bien que la société civile marocaine est née dans l'opposition à cette opération et son lot d'arbitraire. C'est une autre façon de dire que l'émergence de la société civile date également du règne de Hassan II, et non pas de celui de son fils. Dans certains domaines, il y a eu même de nettes régressions sous Mohammed VI. Alors que le patronat s'était déjà organisé sous l'ancien règne pour élire son secrétaire général, le patron des patrons en 2005, Hassan Chami, jugé insuffisamment malléable, a été déchu par des manœuvres en coulisse commanditées par le Palais, puis accablé par un redressement fiscal. À sa place a été élu un homme « sûr », imposé par le secrétaire particulier du roi, Mounir Majidi.

La politique sociale de M6 mérite également d'être mise en perspective. Car la première campagne de solidarité a eu lieu dès 1998, dans la foulée de la campagne d'assainissement. Autrement dit, *tous* les changements avaient été enclenchés avant le début du nouveau règne. Maintenant, il est tout aussi vrai que M6 a donné à ces changements amorcés sous Hassan II un visage plus humain. Il faut également reconnaître qu'il n'est jamais facile de gérer les lendemains de grands effets d'annonce. Mohammed VI a honoré des promesses dont il n'était pas l'auteur. Il est donc, pour le moins, le co-auteur des changements initiés par son père.

Hélas, le renouveau s'inscrit dans les faits avec une lenteur exaspérante. Pourquoi ? Il y a beaucoup de raisons auxquelles s'ajoute celle-ci : la lenteur a été érigée en méthode politique. Contrairement à son père, le nouveau roi n'est pas ressenti comme une agression, et il en joue, quitte à retarder encore plus le pays. Or, n'étant plus agressé, le corps social cesse de produire des anticorps. Il perd sa résistance à l'absolutisme. Au point que beaucoup de Marocains ne se rendent même pas compte qu'ils vivent toujours sous un régime absolutiste. Certes, l'absolutisme est désormais jeune et mou, plutôt que vieux et hargneux, mais c'est toujours de l'absolutisme. Le fait que beaucoup, dont ma propre mère, ne s'en aperçoivent pas s'explique sans doute par le très long règne de Hassan II. Au fil de ses trente-huit ans sur le trône, deux générations de Marocains ont fini par confondre les traits personnels de l'absolutisme avec ceux du roi inamovible. Quand son visage a disparu, ils ont conclu que l'absolutisme avait disparu avec lui. À présent, ils ne reconnaissent pas le vieux système sous ses nouveaux traits. Du reste, nombre d'entre eux ont intériorisé une bonne part de l'autoritarisme contre lequel ils se révoltaient... plus ou moins. Au risque de choquer, bien des Marocains n'étaient pas meilleurs démocrates que Hassan II – et ne sont pas plus réformateurs convaincus que M6. Ils étaient assez d'accord, hier, sur les limites à imposer à la presse, à la liberté d'expression voire aux libertés en général ; et ils se sentent en phase, aujourd'hui, avec la très lente décompression de l'autoritarisme, sinon avec la modernisation d'une autocratie, un *néo-makzen* au goût du jour. Avec un œil rivé sur l'Afrique du Sud post-apartheid, j'irais même plus loin. Ce n'est pas parce que l'on a combattu un régime infâme au nom de certaines valeurs et normes de liberté que l'on va nécessairement mettre en œuvre ces valeurs et normes une fois parvenu au pouvoir. Transposée au Maroc, la leçon est par moments déprimante : ce qui était bon pour contester l'« horrible » Hassan II n'est plus bon à être exigé du « gentil » M6. Nous sommes, trop souvent, des démocrates girouettes.

Sous cet angle, l'extrême gauche marocaine est pour moi un cas d'école. L'USFP a été historiquement une vraie formation collective, c'est-à-dire un mouvement de masse avec une identité politique en partage. En revanche, la frange au-delà de l'USFP, des communistes aux « gauchistes » de toutes obédiences, sont plutôt des *refuzniks*, les uns sous le patronage géopolitique de l'URSS du temps de la guerre froide, les autres en électrons libres dans un « ailleurs » politique davantage rêvé que réel. Le rapport très particulier au verbe qu'ont ces gens – en gros : « quand c'est dit c'est fait » – les a menés à croire que, dès lors qu'ils pouvaient dire ce qu'ils voulaient, c'en était fini de la dictature. Les uns après les autres, souvent à titre individuel (ce qui ne manque pas de sel s'agissant des tenants du « collectivisme »), ils ont été intégrés dans le système « relooké » de Mohammed VI. À l'arrivée, nombre de « gauchistes » marocains ont répondu à la personnalisation extrême du régime sous Hassan II par une personnalisation tout aussi extrême de leurs positions, doublée d'une bonne dose d'opportunisme. Des « révolutionnaires » sont venus se nicher dans le giron du régime, de préférence comme membres de l'une des nombreuses commissions – un réflexe de vieux « commissaires politiques », sans doute. Ce faisant, plus encore que les partis traditionnels, dont personne n'attendait rien d'autre, ils ont nui à la démocratisation. Car ils ont donné de la crédibilité à ce qui n'était qu'un simulacre. Ils ont pris l'ombre pour la proie.

Pendant près d'une décennie, entre 1999 et 2008, M6 a bénéficié d'une conjoncture économique favorable. Les taux de croissance ont été soutenus. À cela, plusieurs raisons. D'abord, des contraintes qui pesaient encore sur l'économie à la fin du règne de Hassan II ont été progressivement éliminées, créant ainsi un « effet d'ascenseur » ; puis, plusieurs années de suite, les conditions pluviométriques ont été propices aux récoltes ; enfin, du temps où les prix du pétrole étaient élevés, de nombreux pays arabes ont investi au Maroc. Tout cela, sans oublier les transferts des émigrés, qui dépassaient un milliard de dollars par an, a gonflé les taux de croissance mais c'était une croissance aux stéroïdes, un boom en trompe l'œil à la Bourse et dans l'immobilier. Il s'agissait d'une croissance pour les *happy few*, qui générait peu d'emplois pour le plus grand nombre. Sauf dans l'agriculture, tributaire d'aléas climatiques, la grande majorité des Marocains n'a pas récolté les fruits de cette croissance. Elle ne vit pas mieux. Seuls les privilégiés peuvent dépenser plus. Certains d'entre eux s'offrent des Rolls-Royce – c'est un détail mais, sous Hassan II, les douanes bloquaient l'entrée des Rolls, réservées au roi et à mon père qui étaient les seuls à y avoir droit. Je ne défends pas ce privilège, mais sa « démocratisation » est une obscénité dans un pays aussi pauvre que le nôtre. Dans le temps, la restriction avait une valeur symbolique tout en exaltant le pouvoir... d'achat du Palais. Mais n'est-ce pas avec des symboles que l'on fait de la politique ? Du reste, la frénésie consommatrice nouvelle devient tellement visible qu'elle crée un effet optique : puisque tant de gens « claquent » l'argent, tous se mettent à croire que, sur le plan économique, « ça va bien ».

Avec le recul, il est banal de constater que la croissance au Maroc n'a pas été durable. Les raisons en sont multiples et, à l'évidence, loin d'être toutes imputables aux autorités marocaines. En revanche, le fait que la croissance décennale n'ait pas été un moteur pour le développement relève d'une mauvaise gouvernance. La spéculation et les gains financiers n'ont pas été dûment taxés. Or, comment venir au secours du plus grand nombre maintenant que l'industrie du tourisme souffre, que l'investissement au Maroc plonge, que le volume des exportations baisse et que les transferts des immigrés se tarissent ? Nous avons mangé notre pain blanc ; bien pis, nous en avons fait des brioches pour les *happy few*.

À la fin du règne de Hassan II, en raison des incertitudes pesant sur l'avenir du pays, la bourgeoisie marocaine avait observé, dans les faits, une grève des investissements. Sous M6, à qui l'on doit reconnaître d'avoir fait ce qu'il fallait pour lui donner des gages, la bourgeoisie a repris confiance. Elle a réinvesti mais, avant tout, dans l'immobilier, qui est moins générateur d'effets d'entraînement que des investissements dans le commerce ou dans l'industrie. En son temps, Hassan II aurait pu s'en satisfaire. En effet, il faut se souvenir que, pour lui, le capital était une source de dissidence. Il n'était pas réellement en quête d'un décollage économique, tant il avait peur que la situation ne lui échappe. Il m'avait dit un jour combien il aimait cette maxime de Staline : « Il faut que les gens fassent la queue cinq heures pour avoir du pain, ça les empêche de penser à la Révolution. Mais ensuite il faut qu'ils trouvent le pain, sinon c'est la Révolution. »

Mohammed VI ne peut plus gouverner de la sorte. Il doit lever un certain nombre d'obstacles. Tout en haut de la liste figure la question des droits de propriété. La sécurité juridique présuppose une justice incorruptible, ce qui n'est pas le cas au Maroc et ne le sera pas tant que le système n'aura pas été démocratisé de fond en comble. Ensuite, le *makhzen* ne s'est toujours pas désengagé de la sphère économique ; et puisque la monarchie se confond avec le *makhzen*, elle reste embourbée dans le *statu quo ante*. Mais la nouvelle donne politique ne se prête plus à un règne « néo-patrimonial » à l'ancienne, c'est-à-dire à l'achat des loyautés et au trafic d'influence entre gens « bien nés ». Dans une économie du savoir, les meilleures places doivent revenir aux détenteurs de connaissances utiles. On est récompensé pour ce que l'on sait et non plus pour qui l'on connaît de bien placé, idéalement le roi en personne.

Enfin, tout le monde le sait, le plus grand défi à relever au Maroc est celui des inégalités sociales. Elles sont en train de s'accroître de manière exponentielle, en partant d'une injustice qui était déjà criante. Le tableau n'est pas désespérant pour autant, et nul n'a l'excuse du « il n'y a rien à faire ». Le Maroc a des cartes à jouer dans différents domaines, pas seulement celui de la délocalisation des services. Mais il faut auparavant une réforme de l'État pour desserrer le carcan autoritaire autour de l'économie.

Le Maroc investit 60 % de ses recettes dans le secteur agricole, lequel occupe toujours 44 % de la population active, alors que l'agriculture ne contribue que pour 15 à 20 % au PIB. Cette disparité s'explique. Le rêve des colons était le développement de l'agriculture irriguée. En 1938, un plan fut élaboré pour mettre cette agriculture à l'abri des aléas pluviométriques, le grand problème du Maroc où, selon Lyautey, « gouverner, c'est pleuvoir ». Or, les objectifs ambitieux du plan colonial n'ont jamais été atteints. Quand Hassan II est arrivé au pouvoir, il a repris le même schéma, faisant construire, de toute urgence, cinquante barrages de retenue tels qu'ils avaient été prévus sans être réalisés. Malheureusement, il se trouve que ces barrages, quand il ne pleut pas, sont insuffisants pour l'irrigation. Par ailleurs, le roi n'avait pas prévu que la construction de ces retenues perturberait elle-même les écosystèmes et ajouterait de nouveaux problèmes à ceux existants. Par exemple, comme le répétait à qui voulait l'entendre feu Abraham Serfaty, la nappe phréatique dans le Souss est menacée d'assèchement. L'héritage de la politique agraire de Hassan II est donc mitigé, d'autant plus que l'agriculture irriguée grâce aux barrages ne bénéficie qu'à une minorité de grandes propriétés. C'est un peu comme si l'on avait construit des routes uniquement pour les propriétaires de Mercedes.

Le régime foncier n'a que peu évolué depuis l'époque coloniale. À l'indépendance, le Maroc n'a pas remis en question la tenure de la terre. La première réforme agraire est intervenue tardivement, au début des années 1970, lorsque le roi a décidé la mise en cause de la propriété terrienne et que certaines terres coloniales ont été rachetées. Entre 1956 et 1973, sur 2,5 millions d'hectares appartenant aux ex-colons ou leurs successeurs, un million a été vendu dans des conditions commerciales, sans que le régime foncier ait été modifié. En 1973, la marocanisation des terres a obligé les ex-colons ou leurs ayants droit à céder la superficie restante contre dédommagements. Hélas, Hassan II a surtout utilisé ces terres récupérées sur le tard pour en gratifier des dignitaires de son régime. Il a remplacé la caste des grands propriétaires coloniaux par une nouvelle caste de latifondiaires du cru, des « grands serviteurs du trône » qui ne se sont pas forcément révélés de bons gestionnaires.

Il est plus que temps d'entreprendre une vraie réforme agraire au Maroc. Le *fellah*, lorsqu'il transmet sa parcelle, la divise entre ses héritiers. En revanche, le grand propriétaire garde souvent sa superficie intacte – ce qui a pour conséquence d'accroître les disparités. L'exode

317

rural a été massif. Mais ceux qui ne sont pas partis cherchent les moyens de rester à la campagne et de pouvoir s'y épanouir dans le progrès, pour eux-mêmes et pour le pays. C'est de plus en plus difficile. Malgré tout, en 2012, il n'y avait que 3 % de chômage en zone rurale – contre 25 % en ville, selon les chiffres de la Banque mondiale. L'État a donc tout intérêt à mener des réformes qui encourageraient les *fellahs* à demeurer dans les douars, les villages ou les villes moyennes.

Vivre en zone rurale ne devrait plus signifier la même chose que par le passé. Aujourd'hui, on n'est pas fatalement à mille lieues de la civilisation parce que l'on vit dans le Moyen Atlas. Il y a le téléphone portable, le satellite, des moyens de transport... Les ruraux ne sont plus – ou, du moins, ne devraient plus être – dans un autre monde. Il faut donc faire en sorte que l'agriculture marocaine soit viable pour éviter que la pression des migrants ne finisse par faire exploser les villes. Nombre de ces ruraux en quête d'avenir vont de leur village à la ville de province, puis tentent leur chance dans les grandes villes ou s'embarquent pour l'Europe. Il faudrait tout faire pour rompre ce cercle du désespoir. Cependant, le fondement de la monarchie marocaine est son pacte avec les *fellahs* et les notables ruraux. Toucher à la structure du monde agricole, c'est donc transformer le *makhzen*. Pourra-t-on réformer les institutions et définir un nouveau pacte social sans procéder à une réforme agraire ? Je ne le crois pas. L'État possède-t-il un domaine agricole suffisant pour procéder à une redistribution de la terre aux *fellahs*, sans avoir à prendre des terres au secteur privé ? Ce n'est pas évident, car le domaine public ne compte que 19 % de terres arables. Par conséquent, on sera obligé de revoir le foncier rural, de procéder à une renationalisation des terres. Cela ne se fera pas sans mal dans la mesure où, aujourd'hui, la taille des propriétés correspond à la place hiérarchique de leurs propriétaires dans l'establishment marocain. C'est une corrélation éminemment politique, la terre étant un élément essentiel du réseau d'allégeance propre au *makhzen*.

L'équation se complique davantage. Le taux de chômage étant sensiblement plus élevé en zone urbaine qu'à la campagne, moderniser l'agriculture marocaine passe, à court terme, par l'aggravation du chômage et, donc, par plus d'exode rural et plus de prolétariat dans les villes. Le paysannat étant le socle du *makhzen*, il n'est pas dans l'intérêt de la monarchie absolutiste de le laminer. Pour le *makhzen*, rationaliser le secteur agricole équivaut au suicide. Pour qu'une réforme agraire puisse être entreprise et politiquement assumée, il faudrait donc, au préalable, transformer l'allégeance traditionnelle en un contrat social moderne. Autrement dit : le *fellah* doit devenir citoyen à part entière. Bien sûr, cela ne résoudrait pas tous les problèmes d'un coup de baguette magique, mais c'est la condition *sine qua non*.

Les accords de libre-échange qui ont été conclus entre le Maroc et les États-Unis, d'une part, et l'Europe, d'autre part, sont également susceptibles de saper la base rurale du régime. Le libéralisme entrera inévitablement en contradiction avec l'État « makhzénien ». Deux conclusions s'imposent : on ne peut pas réformer l'agriculture marocaine sans toucher au rôle de l'État, c'est-à-dire sans modifier les équilibres du régime ; en même temps, le Maroc ne peut pas réussir son intégration dans l'économie-monde sans que sa sociologie rurale change. C'est un casse-tête chinois, du « perdant-perdant » pour le pouvoir en place.

De la même manière, la réforme du secteur industriel est à la fois impérative et risquée. Il y a quarante ans, la Chine avait un PNB par habitant cinq fois inférieur à celui du Maroc. Aujourd'hui, le PIB *per capita* de la Chine est supérieur de 25 % à celui du Maroc ! Car, dans l'intervalle, la productivité chinoise a explosé tandis que celle du Maroc stagne. Là encore, le *makhzen* porte une lourde responsabilité. Mais le problème ne se résume pas à dire que le régime ne fait pas ce qu'il faut faire. C'est bien pire : il *ne peut pas* faire ce qui serait nécessaire.

Une croissance économique durable et, partant, la prospérité sont-elles possibles sans démocratie ? Les esprits se divisent à ce sujet. Toujours est-il que M6 s'est délibérément focalisé sur les taux de croissance. Mais il ne parvient pas à rendre le Maroc prospère parce que les plus grands problèmes du pays ne sont pas économiques mais *politiques*. Si l'économie ne produit pas d'effets d'entraînement suffisants, c'est parce qu'elle est de part en part gangrenée par la corruption, qu'elle manque de transparence et que le *makhzen*, omniprésent dans tous ses secteurs, fausse les règles du jeu.

L'Asie du Sud-Est est la seule région du monde qui ait réussi à se développer sans démocratie. Partout ailleurs, des dictatures ont en vain tenté d'obtenir les mêmes résultats, à l'exception d'un seul pays, le Chili sous Pinochet, qui n'y est d'ailleurs parvenu que dans une moindre mesure. Alors, pourquoi l'Asie du Sud-Est est-elle l'exception ? D'abord parce qu'il y a eu des fondements institutionnels, héritage du colonialisme japonais ; puis des injections massives de capitaux américains pour entourer la Chine de vitrines de l'Occident ; ensuite, ces États ont dû composer avec de très fortes oppositions, qui ont empêché les pires dérives ; enfin et surtout : en Asie du Sud-Est, la corruption est importante mais maîtrisée alors que dans d'autres États non démocratiques, comme par exemple le Maroc, le développement de l'économie a accru le népotisme et les prébendes au point d'enrayer la machine. Les gains ont été confisqués par le régime et ses dignitaires au lieu de profiter à l'État et à la société. Ils sont allés aux obligés du roi, à sa clientèle proche ou lointaine. Ils ont servi à apaiser les tensions « segmentaires » – souvent tribales – générées par les coalitions traditionnelles qui sont la base de la monarchie. Le problème de fond est donc le comportement nécessairement prédateur de l'institution monarchique, qui doit « vivre sur la bête » pour survivre. La « société de cour » qu'est le Maroc se nourrit des liens incestueux entre le pouvoir politique et le pouvoir économique. Les intérêts croisés entre le Palais et les grandes entreprises sont consubstantiels au *makhzen* – qui n'est pas pour rien la racine étymologique du mot français « magasin ».

Le Maroc est accaparé par quelques centaines de familles aisées et proches de la cour, les deux étant liées. Il y a de rares exceptions. Quelques familles prestigieuses, par exemple issues du Mouvement national, demeurent influentes même si elles ont connu des revers de fortune. D'autres familles sont influentes en raison de leurs réseaux étendus de parenté. Mais pour réformer l'économie marocaine, il faudrait toucher aux coalitions traditionnelles qui profitent du système. Il n'y a tout simplement pas d'alternative. Si l'on veut le développement pour tous, il faut reconfigurer le régime actuel.

La Banque mondiale ne pointe pas autre chose quand elle écrit que la faible croissance au Maroc, en dépit des réformes entreprises, constitue « une énigme qui semble liée à la multitude des contraintes pesant sur le champ économique ». En clair, tant que les conditions actuelles prévalent, toute croissance forte et soutenue restera impossible. Or, l'industrialisation du Maroc est largement inachevée, le secteur secondaire de l'économie n'employant que 15 % de la population active. Aussi, dans un rapport de novembre 2007, la Banque mondiale en appelle-t-elle explicitement à un renforcement de la démocratisation au Maroc. Par rapport aux élections qui venaient alors de se tenir, avec un taux record d'abstention, elle a fait remarquer sans fioritures que ces consultations ont « signalé le besoin d'un engagement renforcé en faveur de la démocratisation ». Or, dans les conditions actuelles, le *makhzen* s'autodétruirait en démocratisant le royaume. D'où la question de fond qui est la basse continue de ce livre : est-il possible de détacher le *makhzen* de la monarchie ? Peut-on mettre celle-ci au service de la démocratie sans donner à celui-là une nouvelle vie ? Ou bien les deux sont-ils liés de manière indissociable ? En Union soviétique, on a tué le régime en tuant le parti communiste parce que, précisément, leur lien était systémique. Gorbatchev croyait que le communisme était un idéal soluble dans l'économie de marché – ce fut le point de départ de son réformisme. Qu'il se soit trompé ne tranche pas la question pour le Maroc. Il y a des contre-exemples historiques : tant la monarchie anglaise que néerlandaise a survécu en se transformant tandis que d'autres monarchies ont péri dans des transformations sociales. En ce qui concerne le *makhzen*, la réponse ne peut donc être qu'empirique.

Parmi les blocages mis en exergue par la Banque mondiale figurent la rigidité du marché du travail (le salaire minimum au Maroc étant 50 % plus élevé qu'en Turquie, ce qui rend le royaume moins compétitif) et l'immuabilité de la composition sectorielle qui n'a pas vraiment changé depuis l'indépendance – avec une grosse part pour l'agriculture, une petite part pour l'industrie et une part du secteur tertiaire qui croît lentement. Selon la Banque mondiale, le Maroc doit, pour mieux s'en sortir, aller vers une diversification productive – autrement dit : développer les créneaux dans lesquels il possède des avantages comparatifs. Mais le Maroc pâtit d'une forte dépendance postcoloniale : 50 % de ses exportations vont dans deux pays, la France et l'Espagne. Par comparaison, surtout en tenant compte des différences d'échelles, les relations commerciales avec les États-Unis sont faibles, même si le siège régional de Microsoft a été implanté au royaume. L'économie marocaine est donc très extravertie, sans être pour autant mondialisée, au sens où elle tirerait profit de *toutes* les opportunités offertes par la globalisation. Si bien que l'on pourra encore longtemps, comme le dit la plaisanterie dans les milieux ministériels à Rabat, « investir dans des rapports McKinsey plutôt que dans le développement ». Une façon de dire que le Maroc préfère consulter plutôt que prendre le risque du développement, pour la simple raison que ce risque consiste, passez-moi l'expression, à « casser la baraque » royale.

En 2015, la population active du Maroc sera de l'ordre de 15 millions de personnes, ce qui signifie que l'on aurait dû créer à cette échéance, depuis 2007, environ 3,5 millions de nouveaux emplois. J'use du conditionnel car, chaque année, l'économie n'a généré, en moyenne, que 200 000 nouveaux emplois alors que 400 000 personnes de plus arrivaient sur le marché du travail. Or, un tiers de la population marocaine, 32 %, a moins de 15 ans. Si l'on y ajoute la tranche d'âge des 15-25 ans, on parle des deux tiers de la population. Ce raz de marée de jeunes va déferler sur le pays pendant les trente ans à venir. Dans ce laps de temps, le nombre des écoliers du secondaire va tripler, et celui dans l'enseignement supérieur va doubler.

L'arrivée de tous ces jeunes sur le marché du travail est un mouvement tectonique aussi important que l'entrée en politique, de plain-pied, des femmes marocaines. Mais la monarchie actuelle ne vit pas sur la planète Terre. Elle n'est capable d'absorber ni ce choc démographique ni la percée des femmes. Car elle ne pénètre plus la société marocaine comme elle le faisait dans le temps. Le régime est à ce point obnubilé par sa propre survie qu'il néglige les deux bulles en pleine fermentation, les jeunes et les femmes. Mais, sous peu, il y aura trop de jeunes sur le carreau pour que le régime survive, à moins qu'il n'évolue. Loin de moi tout malthusianisme. Le pire n'est jamais sûr. En 1979, la CIA prédisait la chute du pouvoir marocain en raison de « trop fortes contradictions sociales ». Or, le *makhzen* est toujours en place. Cependant, à terme, il ne peut pas manquer tous les rendez-vous avec la modernisation et garder l'emprise sur son temps. Il risque de devenir, littéralement, anachronique.

Entre Rabat et Casablanca, un Technopark a été construit à grands frais. C'est un Disneyland digital en lieu et place d'une vraie modernisation ! L'État se légitime aujourd'hui, en bonne partie, par ses succès économiques. Intrinsèquement, cela conduit à une sécularisation de la monarchie, qui est jugée à l'aune de ses taux de croissance. Bien que l'on ait changé d'échelle, il en a toujours été ainsi. La foi en la *baraka* du roi, capable de faire tomber la pluie, s'érodait en l'absence de précipitations. L'on se souvient aussi des paroles de Mohammed V au moment de l'indépendance, quand il expliquait aux Marocains que le « petit *jihad* », à savoir la lutte anticolonialiste, avait été gagné mais qu'il leur resterait à emporter le « grand *jihad* », la bataille du développement. C'était bien vu – et cela est plus que jamais d'actualité.

L'absence de découverte majeure de pétrole au Maroc, du moins pour l'instant, est une bénédiction. Car si l'or noir jaillissait du sol, les problèmes actuels s'en trouveraient multipliés par cent. D'ores et déjà, les phosphates sont un bienfait mitigé pour le pays. En février 2006, Mohammed VI a dû faire venir de la Banque mondiale un professionnel diplômé à la fois du MIT américain et des Ponts-et-Chaussées à Paris, Mostafa Terrab, pour diriger l'Office chérifien des phosphates (OCP). Sa mission est de faire entrer l'OCP dans l'économie ou, plutôt, de le faire sortir du giron des intérêts particuliers qui le parasitent. En fait, Mostafa Terrab, dont l'intégrité personnelle n'est pas en cause, va moderniser la « makhzénisation » de l'OCP, qui finance désormais ses propres lobbies en sortant plus que jamais du champ économique. Ce n'est pas de la sorte que l'on pourra rationaliser la prédation du système actuel. Avec environ 1,5 milliard de dollars de recettes, les phosphates représentent 20 % du budget de l'État. C'est l'une des deux vaches à lait du *makhzen.*

L'autre est la Société nationale d'investissements (SNI), l'héritière de l'Omnium nord-africain (ONA) comme entreprise d'État censée être la fusée mettant l'économie marocaine en orbite, une tâche bien trop « souveraine » pour que Hassan II ait voulu la confier aux capitalistes privés. Bien sûr, depuis lors, la voie royale étatique a été démystifiée. D'autant que la mondialisation rend l'idée des « fonds souverains » du *makhzen* obsolète, car il y a bien assez de capital disponible. Les investisseurs étrangers, à commencer par des multinationales, ont cette capacité et la classe moyenne marocaine peut également « mettre au bout », maintenant qu'elle entre dans le capitalisme populaire. Enfin, les filles et fils du pays, hélas la plupart du temps toujours les rejetons des « bonnes » familles, font leurs études à l'étranger et, du moins pour une partie d'entre eux, rentrent au Maroc avec un capital de compétences qui faisait naguère défaut. Dans ces conditions, l'ONA doit cesser d'être « vampirisé » à tous les échelons par des passe-droits, de la corruption et des prébendes, tout un système d'alliances négatives avec l'administration qui va à l'encontre de la logique d'entreprise. Il faut transformer l'ONA en une holding soumise aux lois du marché, et aux lois tout court. Ce qui ramène à la nécessité pour la monarchie de se donner les moyens légaux de sa fonction de représentation, sans plus empiéter sur le champ économique. La démocratisation du régime passe, nécessairement, par l'assainissement du portefeuille royal.

Dans un Maroc démocratique, le monde des affaires serait radicalement autre. Il y a d'abord la lenteur administrative actuelle, qui s'explique par l'ADN du système. Tout doit être contrôlé, et pour ne pas avoir de problèmes, mieux vaut constamment en référer à son supérieur. Puis, il y a la corruption. Si un secteur est considéré comme juteux, il fera l'objet de fortes prébendes. En 2002, une Lettre royale a instauré les Centres régionaux d'investissement (CRI), c'est-à-dire un guichet unique pour les créateurs d'entreprise. La Banque mondiale estime que cela a été une bonne réforme, puisqu'elle a permis au Maroc de gagner des places sur l'échelle comparative de la performance des États, même si les règles d'application varient d'une région à l'autre à l'intérieur du royaume. Un litige commercial à Agadir sera ainsi réglé en moyenne en 303 jours, ce qui est mieux qu'à Paris ou à Istanbul ;

mais à Kénitra, il faudra 735 jours, ce qui est pire qu'au Népal ou au Bénin. À ces inégalités administratives s'ajoutent la lourdeur du système et le maintien de procédures inutiles. Plus des privilèges, à tous les étages du système.

Si j'insiste tant sur l'économie, c'est parce qu'elle se double d'une « économie morale » à travers laquelle s'explique l'autoritarisme marocain. Celui-ci ne vient pas de la nuit des temps comme un héritage inaltérable du passé. Ce n'est pas un déterminisme culturel. Au contraire, l'autoritarisme se reproduit constamment, dans des conditions spécifiques qu'il est important de comprendre. Tiraillée entre loyauté et rébellion, la société marocaine est en proie à des paniques sociales et à des espoirs de délivrance, qui prennent des formes variées au fil du temps. La figure du roi, à l'image d'un *pater familias* tout-puissant donnant à ses fils (et maintenant aussi à ses filles) les biens économiques nécessaires à leur existence et au renouvellement du patriarcat, s'est oblitérée. Il reste aujourd'hui, d'un côté, des jeunes gens qui sortent en masse de l'école et aspirent à un emploi et, de l'autre, un « père de la nation » effondré – comme l'est au Maroc la figure du père tout court. Cet effondrement *produit* un nouvel autoritarisme, qui est foncièrement moderne, et non pas un archaïsme qui pourrait être éliminé à force de modernisation. Au contraire : dans les conditions actuelles, plus on modernise, plus il y aura d'autoritarisme. Bien sûr, la soumission ancienne à l'autorité paternelle, le réflexe atavique d'obéir, nourrit cette reproduction.

Il ne faut pas oublier non plus que l'autoritarisme, quels que soient ses avatars, a une fonction utilitaire, platement rémunératrice, dans la mesure où il permet de maximiser des gains opportunistes. L'économiste américain Mancur Lloyd Olson a distingué à ce sujet le *stationary bandit* du *roving bandit*. Le « bandit installé » qu'est le pouvoir tyrannique a intérêt à favoriser un minimum de succès économique généralisé – puisqu'il en vit comme d'une rente. En revanche, le « bandit de passage » qu'est l'opérateur économique dans l'anarchie d'un système qui n'est pas structuré par le haut, grappille tout ce qu'il peut, à la va-vite. En ce sens, la « sédentarisation » du pouvoir marque un progrès. Hélas, au Maroc, les prédateurs du bien commun se sont organisés pour saboter la réussite collective. Par égoïsme myope, ils menacent de tarir la source de richesses qu'ils parasitent. Voilà, en dernière analyse, le « mystère » du blocage marocain dont parle la Banque mondiale.

À deux exceptions près, à savoir l'Inde et le Costa Rica, démocratie rime avec prospérité. Par ailleurs, les pays démocratiques ont tous achevé leur « transition démographique », c'est-à-dire qu'ils ont opéré le passage de familles nombreuses, dont les membres ont des vies courtes, aux familles plus restreintes dont les membres vivent vieux. Le Maroc est dans ce cas. Le taux de fécondité y est tombé de 7 enfants par femme en âge de procréer, en 1960, à 2,7 en 2000. C'est une révolution silencieuse ! Elle se poursuit sous nos yeux, la fécondité se rapprochant de plus en plus du taux de remplacement qui, pour des raisons statistiques, se situe à 2,1 enfants par femme en âge de procréer. Or, cette révolution ne s'est pas encore traduite dans la vie politique. L'entrée des femmes sur la scène politique commence seulement à être visible sans avoir, pour l'instant, bouleversé l'équation du pouvoir. Mais cette transformation va inévitablement se poursuivre – au détriment du *makhzen* s'il ne s'avisait pas d'aménager l'espace public à l'arrivée des femmes. Ce défi se double du passage à la vie active des fortes cohortes de jeunes nés avant le fléchissement de la fécondité. Si des emplois productifs sont créés pour ces cadets sociaux pétris d'ambitions, le royaume bénéficiera d'un « bonus démographique » dans son développement. En revanche, si les espoirs d'ascension de ces jeunes sont déçus, autrement dit s'ils sont condamnés à devenir des « adultes manqués », le Maroc explosera du fait de la rupture du lien intergénérationnel.

On voit donc à quel point l'équation économique pèse sur l'avenir de la monarchie marocaine. À cette situation complexe, il faut ajouter que l'état de grâce dont a bénéficié M6 est révolu. Pour trois raisons au moins, en plus de l'usure du temps qui serait en soi suffisante : d'abord, le décalage flatteur entre le père et le fils s'estompe ; ensuite, en lieu et place de la gauche issue du Mouvement national et incarnée par Abderrahman el Youssoufi, Mohammed VI a désormais comme « partenaires » des islamistes plus ou moins domestiqués ; enfin, le voisinage du monde arabe ne sert plus de repoussoir pour faire accepter la gouvernance au Maroc comme un « moindre mal » ; au contraire, par rapport à la lutte pour une nouvelle citoyenneté arabe partout ailleurs, malgré les problèmes inhérents à l'exercice de la liberté, le Maroc paraît à la traîne.

Rétrospectivement, les Marocains se rendent compte que la décennie d'immobilisme après la mort de Hassan II a eu pour eux un coût d'opportunité. Si, comme aiment à le répéter les Américains, *time is money*, le Maroc a accumulé une lourde dette publique, qui pèse sur son avenir. Les réformes et ouvertures, qui auraient pu être réalisées hier à moindres frais, devront désormais s'accomplir, dans l'urgence, à un prix beaucoup plus élevé.

Qui a intérêt à ce que le Maroc change ? Sûrement pas l'élite actuelle. Car notre élite n'existe que dans sa dépendance au monarque. Elle n'a ni force ni autonomie propre et, donc, aucun intérêt à changer la donne qui la fait vivre aux crochets du Palais. Pour preuve, même l'élite libérale, qui appelle de ses vœux le changement, ne veut pas que sa vie à elle change ! La raison en est simple. L'élite marocaine vit à cheval entre l'Occident et l'Orient : elle a sa djellaba et son costume trois pièces, son salon marocain et sa salle à manger française, sa « petite bonne » aux pieds nus et son discours sur les droits de l'homme ; elle jouit des avantages d'une « société de cour » orientale tout en voyageant en Europe et en vivant chez elle dans des bulles occidentalisées, à l'écart du pays réel. Elle cherche à gagner sur tous les tableaux. Elle est surprivilégiée à la fois par rapport à sa productivité et par rapport à la richesse nationale. Mais sa double nature parasitaire a de lourdes conséquences : elle se paie de l'absence de formes de vie partagées avec le peuple. Il n'y a guère de mélange, peu de lieux communs, pas de conversation nationale en partage. La haute société s'est isolée du peuple. Elle va chercher à Paris ce qu'elle devrait trouver au Maroc. Or, quand on ne partage rien, on n'a pas de cause commune, pas de partisans. On est seul, le jour de la bataille – et le combat est perdu d'avance.

Globalement, au-delà de l'étude des taux de croissance économique et de l'exégèse des rapports d'Amnesty International, le Maroc a-t-il progressé sous M6 entre 1999 et 2010, avant le Printemps arabe ? Poser la question revient à s'interroger sur la volonté réformiste du roi avant que la contestation de la rue ne devienne pour lui une contrainte difficile à ignorer. Je crois que nombre de mes compatriotes seraient aujourd'hui d'accord avec moi sur les critiques que j'ai formulées hier, c'est-à-dire en temps utile pour que le roi fasse nettement mieux. Trop d'opportunités n'ont pas été saisies, du temps précieux a été perdu. Sans doute serait-il injuste d'affirmer que rien n'a été accompli en une décennie. Mais aux progrès insuffisants par rapport au potentiel démocratique du pays s'ajoute le passif d'une gouvernance menaçant la politique d'asphyxie. Sortis de la dictature dure sous Hassan II, nous nous sommes laissé étouffer sous l'édredon mou du « roi des pauvres », d'un jeune souverain censément « cool ». C'était comme si, pour sortir d'une mauvaise nuit, le Maroc avait avalé un somnifère. Nous nous sentions mieux, quand même, mais nous ne faisions rien de bien précis. On attendait, on planait. Depuis, la crise s'est fait jour – je parle de crise aussi en tant que corollaire de la critique qui s'exprime dans la rue. Cette crise va-t-elle nous apporter la démocratie, ou un autre de ces spasmes violents dont notre histoire depuis l'indépendance est émaillée ? Là où il y a opportunité, il y a risque. En ce qui me concerne, comme par le passé, je vais continuer de prendre mes responsabilités en affichant mon but : au Maroc, l'éveil démocratique du monde arabe doit déboucher sur un contrat social en lieu et place d'allégeance. Les « sujets » doivent devenir des citoyens. Il y aura un royaume pour tous, ou il n'y aura plus de royaume du tout.

VII.

DEMAIN, LE MAROC

Je me savais prince banni, libre d'aller et venir au Maroc mais chassé du Palais, exclu de la monarchie. Le vendredi 25 septembre 2009, je comprends que je ne fais même plus partie de la famille régnante, que j'ai été définitivement gommé de la photo officielle. Ce jour-là, mon frère Moulay Ismaïl se marie avec une amie de jeunesse qu'il a côtoyée au lycée puis à l'université d'Ifrane, Anika Lehmkuhl, une Allemande. Ayant grandi au Maroc où son père a longtemps été en poste comme attaché militaire à l'ambassade de son pays, « Anissa » s'est convertie à l'islam. Mon frère a souhaité un mariage « en grand », contrairement au mien qui s'était déroulé dans l'intimité familiale, pas plus de trente personnes. Malika et moi avions organisé un thé dansant et, à sept heures du soir, tout était fini et nous étions partis en voyage de noces à Taroudant. Moulay Ismaïl voulait 1 500 invités et une *honeymoon* de rêve aux Maldives.

Le vendredi 25 septembre, l'acte de mariage est signé au Palais royal de Rabat. J'avais une certaine appréhension à revenir en ce lieu, le « lieu du crime » où je n'avais plus mis les pieds depuis dix ans. J'ai grandi ici, je connais chaque recoin, chaque armoire, chaque zellige... Dans ma tête, c'est une porte que j'avais condamnée. Cependant, il s'agit du mariage de mon frère. Je viens, donc, non pas avec la famille mais parmi les invités. J'ai revêtu un costume plutôt que la tenue traditionnelle marocaine, comme je l'avais déjà fait en 1999 pour la signature de la *beiya* et comme pour signifier que je ne suis que de passage. Les invités sont rassemblés dans une pièce. Le roi me fait appeler pour assister à la signature de l'acte. Nous échangeons quelques formules de courtoisie, dans le registre « heureuse occasion ». L'acte signé, une photo est prise, et je m'en vais. Comme je l'apprendrai par la suite, juste après mon départ, une seconde photographie est prise. C'est le début d'un pataquès.

L'agence marocaine de presse (MAP) publie les deux photos. Je suis sur la photo de la famille restreinte mais absent de celle de la famille royale au complet. Or, les deux clichés sont considérés comme des photos officielles du mariage. Il y a donc « officialité à deux vitesses », une façon pour Mohammed VI de dire : « J'ai eu la politesse de l'inviter mais il ne fait pas pour autant vraiment partie de la famille. » Ce même jour, une soirée privée est donnée en l'honneur de Moulay Ismaïl et de son épouse au palais de Dar-es-Salam, la résidence privée du roi. C'est une réception en smoking et robe longue, très chic. Tout le monde est invité, y compris mes filles. Je ne le suis pas. Le roi persiste et signe.

Le lendemain, le samedi 26, nous donnons à notre tour une soirée pour 1 500 personnes dans notre maison, la résidence de Moulay Abdallah. Chef de la famille, le roi figure évidemment en tête de la liste des invités. Je l'accueille, ainsi que son épouse, sur le pas de la porte. Il semble tout à fait à son aise. Il connaît très bien la maison pour y avoir habité pendant deux ans, après le coup d'État de 1972, quand Hassan II voulait être seul. Mon père avait alors accueilli les enfants du roi chez nous et leur avait laissé ses appartements. Nous avions ainsi eu, jusqu'en 1974, une vie de famille avec les cinq enfants de Hassan II, trois filles et deux garçons.

Pour la circonstance, nous avons dressé de grandes tentes dans le jardin. Aux quelque 250 membres des familles – aussi allemande et libanaise – s'ajoutent les nombreux invités du Golfe, d'Europe et, bien sûr, du Maroc. Les convives ont été placés par le protocole à des tables de huit. Le roi vient saluer mon frère et son épouse, qui sont mis en évidence sur une estrade. Mohammed VI et son épouse posent avec les mariés pour la photo. Ensuite, Malika et moi faisons de même. Pendant cette réception, Mohammed VI et moi nous côtoyons ; mais nous n'avons jamais été à ce point séparés. Tout le monde nous observe. Nous nous évitons avec le tact requis. Le roi reste avec nous presque toute la soirée, plus de trois heures. Quand il part finalement, je circule à mon tour entre les tables pour saluer les convives. Je suis étonné par la chaleur de l'accueil qui m'est réservé. Le roi étant venu, plus personne ne craint de m'approcher...

S'ensuit une passe d'armes dans la presse. Le lundi 28 septembre, *Le Journal hebdomadaire* publie un billet de son éditorialiste Khalid Jamaï, le père de Boubker et, pour la petite histoire, mon mentor éphémère en journalisme quand, de mon temps à l'École américaine, j'avais effectué un stage au quotidien *L'Opinion* – une expérience vite avortée par Hassan II, pour qui un prince ne pouvait prendre la plume (je pense tenir ma revanche). Bref, sous le titre *L'Absent présent*, Khalid Jamaï vitupère contre ce fait divers en « makhzénologie », à l'instar de la « kremlinologie » d'antan, pour faire passer un message d'exclusion. Il estime que cette « discrimination photographique porte préjudice à la monarchie du fait qu'elle ouvre la porte à toutes les rumeurs, à toutes les interprétations et en pousse plus d'un à penser qu'un réel manque de cohésion, de solidarité et d'unité existe au sein de la famille régnante. Ce qui est de nature à nuire à la stabilité du pouvoir, sinon du régime ». En un mot comme en cent, il fait la morale à Mohammed VI, lui rappelant qu'il faut savoir oublier ses griefs en certaines circonstances.

Le lendemain, le mardi 29 septembre, un communiqué de la maison royale, plus laborieux qu'élaboré, donne la réplique en relevant qu'aucun membre du parti Justice et Développement (PJD), les islamistes monarchistes, n'a été invité à notre soirée. Pour enfoncer le clou, il est rappelé que « le roi entoure tout le monde de sa sollicitude ». C'est assez fort de café ! Car, en vérité, cette soirée ayant été offerte à mon frère par Mohammed VI, le protocole royal avait revu et corrigé la liste des invités. Fadel Iraki, le propriétaire du *Journal hebdomadaire*, avait ainsi été biffé. C'était aussi le cas de Miloud Chaabi mais je l'avais maintenu. En revanche, le Palais nous avait imposé le général Laânigri ! Nous l'avions accepté en estimant que cette soirée constituait une trêve des hostilités pendant laquelle nous devions être courtois et conviviaux avec tous, y compris avec nos ennemis. Laânigri lui-même a d'ailleurs été très correct, bien élevé. Sachant qu'il n'était pas désiré, il n'est resté que dix minutes. Pour des raisons politiques, j'avais été surpris du maintien sur notre liste de Cécilia ex-Sarkozy et de son nouveau mari, Richard Attias, un ami de mon frère Moulay Ismaïl. Peut-être le roi avait-il laissé ces noms en raison de l'ancienneté des liens de famille. Le père de Richard Attias était en effet le couturier de Mohammed V. Dans leur jeune âge, il habillait aussi les princes Moulay Hassan et Moulay Abdallah, mon père.

J'ai retenu de cette lamentable affaire de noces et de presse que ma présence au Maroc ne peut être que problématique : dès que je m'approche du système, il entre en ébullition. Pour que je sois réintégré, il faudrait que je donne des gages, ce que je ne suis pas disposé à faire. Or, si je ne rentre pas, on me reproche mon refus de céder, mon obstination. Le *makhzen* ne peut accepter des gens et, encore moins, un prince qui se plaisent en dehors du système – ou, pour être honnête, qui préfèrent tout plutôt que le retour en son sein. Je me suis donc fait à l'idée que mes relations avec Mohammed VI resteront cristallisées.

Imaginons un « bilan » de la Révolution française trois ans après ses débuts dans la salle des Menus-Plaisirs à Versailles où le tiers état s'était constitué, le 5 mai 1789, en États généraux de la nation. À l'euphorie de la prise de la Bastille, à l'adoption de la cocarde par Louis XVI, à l'abolition des privilèges et à la Déclaration universelle des droits de l'homme auraient alors succédé la fuite à Varennes, la guerre contre l'Autriche, des massacres et le soulèvement des « sans-culottes » en attendant l'exécution du roi puis la Terreur, le Directoire et l'Empire. Autant dire qu'il serait prématuré de conclure dès à présent, dans l'angle mort de l'histoire, à l'automne sinon à l'hiver du Printemps arabe et de ses promesses de nouveaux horizons. Rien n'est encore joué, ni dans un sens ni dans l'autre. Tout ce que l'on peut dire, pour l'instant, c'est que la gouvernance dans le monde arabe ne sera plus jamais la même, qu'une césure a été marquée dans les faits et, ce qui n'est pas moins important, dans les consciences collectives. Certes, par exemple, les militaires sont revenus en force en Égypte. Mais, désormais, leur dictature est subie, tolérée ou même soutenue sans le voile de l'illusion qui, auparavant, avait permis d'ignorer qu'il s'agissait d'une dictature. De même, ailleurs dans le monde arabe, des présidents à vie reviendront-ils peut-être, à l'instar de la monarchie qui a été restaurée plusieurs fois en France. Cependant, ils ne seront plus jamais ces « demi-dieux » que Jean Lacouture portraiturait dans son livre sur le leadership charismatique dans le tiers-monde à la fin des années 1960, *Quatre hommes et leurs peuples. Surpouvoir et sous-développement.*

Pour toutes ces raisons, je préfère parler de l'« éveil arabe », de la sortie du profond sommeil – *subât* – qui avait caractérisé, politiquement, le monde arabe. Mais quel que soit le terme employé, l'essentiel est de se débarrasser de préjugés culturalistes à l'égard « des » Arabes et de leur religion, l'islam, dont on a eu trop

340

souvent l'occasion de rappeler qu'il a le sens de « soumission ». Depuis que Leibniz puis Ernest Renan conjurèrent le *fatum mahometanum*, on n'était pas loin de penser que le monde arabe avait dans ses gènes et sa foi une forme de despotisme immuable. Bon débarras ! L'Arabe opprimé est d'abord un opprimé qui, comme tous les opprimés, cherche à s'émanciper. Bien sûr, il reste à expliquer, d'abord, le déficit démocratique antérieur du monde arabe, puis la vague de démocratisation elle-même : si ce n'est pas l'arabité mêlée à l'islam, qu'est-ce alors ? Je n'ai pas de réponse toute faite. Mais j'y vois un faisceau de facteurs qui englobe une forme spécifique d'archaïsme politique issu d'une colonisation puis d'une décolonisation marquée par la « catastrophe » – *nakba* – qu'a été l'implantation d'Israël en Palestine ; ensuite, souvent, une économie de rente pétrolière aiguisant les convoitises géopolitiques et favorisant les trahisons d'élites ; enfin, une épaisse couche « orientaliste », c'est-à-dire une construction symbolique de l'Autre, en l'occurrence du « Mahométan ». Le tout formait un mélange explosif qui fut longtemps contenu par la répression et ce « Contr'un » qu'Étienne de la Boétie a identifié, dès le milieu du XVIe siècle, comme le « discours de la servitude volontaire ».

La politique a besoin de sa part de rêve. En 2011, pour instaurer un ordre nouveau, on ne pouvait pas employer des mots usés. Le vocabulaire libéral et même socialiste n'était plus apte à traduire l'imaginaire qui envahissait les rues dans le monde arabe, pas plus d'ailleurs que le langage religieux – ce n'est pas la moindre surprise dans les événements qui se sont succédé, depuis, en Afrique du Nord, dans le Proche-Orient et la péninsule arabe. Le registre de la révolte a été l'indignation ou, plutôt, la dignité – *karama* – à restaurer après la longue série de dégradations qu'avaient été les règnes sans fin, les régimes policiers et préda-teurs, les droits piétinés et les royaumes du faux, sans parler du double langage à l'égard des Palestiniens, nos meilleures victimes, qui avaient servi de prétexte à nos dictateurs pour nous victimiser à notre tour. La dignité a été élevée en nouvelle valeur de référence, au risque de devenir, à la longue, un lieu commun sans contenu politique précis. La « rue arabe », *al shariai al arabi*, a finalement balayé le *raïs* – mais pas le roi, je vais y revenir. Elle ne s'est pas encore transformée en place publique, c'est-à-dire en une opinion qui ne déferle plus en emportant tout sur son passage mais qui s'exprime de façon organisée pour obliger les gouvernants à tenir compte des gouvernés. Bref, le torrent de l'indignation doit apprendre à irriguer la démocratie.

En attendant, nous avons déjà corrigé certaines illusions d'optique comme, par exemple, l'idée d'une « cyber-démocratie » ou « révolution 2.0 » qui nous serait donnée en partage par nos masses de jeunes. On voit bien l'origine de cette idée : la cyber-révolution favoriserait la démocratie parce que les réseaux sociaux, si populaires parmi nos jeunes, permettent à chacun de « se connecter » en contournant les habituels *gatekeepers*, tels que les médias ou organes de contrôle étatique. Hélas, ce n'est pas aussi simple. D'abord, comme je le rappelais dès l'automne 2011 dans la revue française *Le Débat*, l'accès à Internet et, à plus forte raison, aux réseaux sociaux comme, par exemple, Facebook, est encore loin d'être universel dans le monde arabe. En 2010, si 40 % des Marocains et un tiers des Tunisiens accédaient à Internet, ils n'étaient que 21 % en Syrie et 10 % au Yémen. Un quart des Tunisiens utilisaient Facebook, mais seulement 9 % des Égyptiens et si peu de Syriens et de Yéménites que leur nombre était statistiquement insignifiant. Ensuite et surtout, à supposer même que le fonctionnement des médias numériques soit *per se* « démocratique », leur contenu et, donc, le *networking* à la vitesse électronique, qui nous éblouit tous, ne le sont pas forcément. Enfin, le virtuel propre au « cyber-activisme » est plus corrosif que constructif. S'il permet de tuer par le ridicule, il ne bâtit souvent que des châteaux en Espagne.

L'université Harvard avait mené, dès 2009, une enquête approfondie sur la blogosphère arabe – sous le titre *Mapping the Arabic Blogosphere : Politics, Culture, and Dissent* – en répertoriant 35 000 sites et en examinant de près 4 000 d'entre eux. Dans leurs conclusions, les auteurs mettaient en garde contre la chimère d'une « techno-démocratie ». Car si la technologie change les règles du jeu, elle ne prédestine pas le vainqueur de la partie. Ce que nous enseigne aussi l'histoire : personne ne prétendrait que le télégraphe ait mis le feu aux poudres, en 1919, à la fois à la Tunisie, la Libye et l'Égypte, ou que la Voix des Arabes – la fameuse station de radio à ondes courtes, au Caire – explique le panarabisme des années 1960. La technique n'a fait que relayer plus efficacement, dans le premier cas, les quatorze points de Woodrow Wilson pour « rendre le monde sûr pour la démocratie » et, dans le second, le charisme de Nasser. Rien ne se serait passé si des acteurs locaux ne s'étaient pas emparés des idées de l'un et de l'autre.

De la même façon, le profil démographique d'une population est important sans constituer un « déterminant démocratique ». Pour commencer, contrairement à ce qui a été souvent affirmé, la population du monde arabe – sauf pour la bande de Gaza et le Yémen – n'est pas exceptionnellement jeune, du moins pas par rapport aux populations de l'Afrique subsaharienne. Donc, si le nombre des jeunes – *shabab* – était en soi une condition favorable à l'avènement de la démocratie, l'Afrique au sud du Sahara devrait être un paradis de la volonté populaire... Certes, la catégorie des jeunes entre quinze et trente ans est nombreuse dans le monde arabe puisque c'est le report d'une très forte natalité jusqu'à la fin du XXe siècle qui arrive maintenant sur le marché du travail – où elle ne trouve d'ailleurs pas d'emplois, du moins pas en quantité ou en qualité suffisantes. Mais la même catégorie d'âge est bien plus nombreuse encore en Afrique subsaharienne où, soit dit en passant, la Banque mondiale salue cette abondance comme un futur « bonus démographique » après avoir promis, il y a vingt ans, un « don démographique » au monde arabe. Or, pour précieux qu'il soit dans l'absolu, ce capital humain ne devient « don » ou « bonus » qu'à condition de pouvoir s'investir productivement dans la société.

Ce qui nous renvoie à la gouvernance. Si celle-ci n'est pas bonne, des jeunes mal formés restent sur le carreau ou, pire, tombent dans la violence. En plus, s'il est vrai que les jeunes ont besoin de la démocratie pour s'épanouir, il n'est pas sûr que la démocratie prospère le mieux dans un pays spécialement jeune. En fait, les études attestent plutôt le contraire : il faut une certaine maturité démographique pour que la démocratie non seulement advienne mais, ensuite, s'enracine durablement. C'est un coup de pouce structurel qui joue en faveur, par exemple, d'un pays comme la Tunisie dont l'âge médian est de vingt-neuf ans. Toutes choses égales par ailleurs, la Tunisie a plus de chances de se transformer en démocratie durable que, disons, le Yémen, dont l'âge médian n'est que de dix-huit ans. Pour la simple raison qu'il n'est pas facile de faire fonctionner des institutions quand huit habitants sur dix ont moins de trente ans et attendent de leurs aînés, peu nombreux, qu'ils leur offrent les opportunités pour réussir. D'ailleurs, dès les années 1990, les rapports du PNUD sur le développement humain dans le monde arabe avaient mis en exergue trois blocages structurels : non seulement la mauvaise gouvernance mais aussi l'éducation inadaptée de nos jeunes et l'émancipation tardive de nos femmes. Bref, parfois, l'euphorie du Printemps arabe a fait oublier ce que nous avions déjà compris quand l'horizon était encore bouché.

Je ne serais pas surpris si les historiens concluaient, avec le bénéfice du recul, que le « panarabisme démocratique » de 2011 a sonné le glas du panarabisme tout court. Car, depuis le Printemps arabe, les trajectoires des vingt-deux pays du monde arabe n'ont cessé de se singulariser – justement parce qu'ils sont différents. Il y a divergence plutôt que convergence même si chacun continue de suivre de près l'expérience du voisin. Quant au panarabisme historique, il apparaît aujourd'hui pour ce qu'il fut, à savoir un projet d'unanimisme et, donc, un faux projet de modernité. Pour autant, il ne faut pas oublier les contextes d'émergence des idéologies du passé. Le panarabisme répondait au projet colonial de « diviser pour mieux régner » et, plus tard, l'arme économique du pétrole était une forme de résistance aux diktats de la guerre froide. Enfin, le sans-frontiérisme du *jihad* dans sa version Al-Qaïda et l'« occidentalisme », c'est-à-dire la réponse du monde arabe à l'orientalisme, étaient aussi marqués au fer d'une dialectique d'enfermement. L'orientalisme nous caricaturait ; alors, nous caricaturions en retour. Quant au *jihad* d'Oussama Ben Laden, aurait-il pris la même proportion si le *Global War on Terrorism* – le GWOT de George W. Bush en réponse au *jihad* – ne l'avait pas rendu plus grand que nature ? Quoi qu'il en soit, nous ne sommes désormais plus pris entre l'enclume autoritaire et le marteau islamiste ou américain. Le monde arabe entrevoit une triple libération : il n'est plus aliéné par le terrorisme d'Al-Qaïda ou l'agenda politique des néo-conservateurs qui ont perdu le pouvoir à Washington ; par ailleurs, en se débarrassant des anciens autocrates, voire en se livrant à de nouveaux, il peut enfin s'avouer que la domination étrangère n'était peut-être pas tant la cause que la conséquence de ses faiblesses du passé.

Bien sûr, j'ai suivi le Printemps arabe avec une passion toute particulière – et je continue de le faire. Pour moi, cette secousse tellurique a changé la face du monde.

Pour commencer, elle a consacré la défaite des néo-conservateurs américains que j'avais combattus de toutes mes forces. Dorénavant, nul besoin d'un libérateur extérieur, « les » Arabes se sont libérés eux-mêmes. De ce fait, paradoxalement, je me suis retrouvé en porte à faux avec mes « cousins » en Arabie Saoudite. Pourtant, j'avais été à leurs côtés dans les heures les plus sombres lorsque, au-delà du galop d'essai que devait être l'invasion de l'Irak, la « croisade démocratique » de George W. Bush visait, à terme, le royaume wahhabite. Contrairement à Mohammed VI, je n'avais alors pas sacrifié l'Arabie Saoudite sur l'autel d'un opportunisme politique permettant aux néo-conservateurs américains de diviser le monde arabe en « jeunes rois modernes » – au Maroc et en Jordanie – et, ailleurs, de vieux dictateurs plus ou moins obscurantistes dont ils pouvaient se débarrasser sous prétexte de démocratisation. Or, quand j'ai rallié le Printemps arabe, mes cousins saoudiens m'ont accusé d'une « trahison » tout aussi grave, sinon pire. À leurs yeux, en faisant cause commune avec le peuple contre « les miens », je manquais à l'esprit de corps – *assabiyya* – préconisé par Ibn Khaldoun. Je leur répondais que je cherchais à libérer les miens autant que « les autres » en les considérant, tous, comme mes concitoyens. Avec la même franchise qu'autorise l'amitié loyale, je leur déconseillais d'user de leur prodigieuse puissance financière pour contrecarrer la démocratisation du monde. Plutôt que d'exporter leurs blocages et leurs contradictions, à commencer par l'oblitération de la société civile par les rapports de force géopolitiques, n'était-il pas plus judicieux de rendre l'avenir de leur pays enviable aux yeux des autres ?

Le Printemps arabe a été pour moi une aubaine. Enfin, je n'étais plus seul ! Enfin, des millions de gens ordinaires clamaient dans la rue ce que j'avais dit et répété depuis des années seulement pour me trouver mis à l'écart comme « prince rouge », c'est-à-dire comme un révolutionnaire privilégié de naissance – une contradiction dans les termes. Bien sûr, dans mon propre pays, le reproche d'accélérer la crise du régime était plus vif encore qu'en Arabie Saoudite. Mes parents les plus proches me disaient au mieux : « Tu as peut-être raison mais tu précipites la chute du trône. » Je leur répondais que la monarchie n'avait rien à craindre si l'« alliance entre le roi et le peuple » que nous célébrons chaque année n'était pas un vain mot. Dans le cas contraire, devais-je ménager une monarchie de droit divin, qui n'entendait rendre de comptes à personne ?

Comme pour le Printemps arabe dans son ensemble, il n'y aura pas de retour au passé au Maroc. Le Mouvement du 20 février s'est effiloché ? Sans doute. D'ailleurs est-ce surprenant quand l'organisation d'une vague de protestations ne parvient à se définir que par sa date de naissance en 2011 ? Il n'empêche que les prophètes populaires qui sont descendus dans la rue, semaine après semaine, ne perdent ni mon profond respect ni ma sympathie politique – et je ne suis sûrement pas seul. Dans l'oreille de beaucoup de Marocains, désormais affranchis de l'effroi du pouvoir, leurs paroles libres continuent de résonner. « Où est l'argent du peuple ? C'est le *makhzen* qui l'a volé ! » ; « *Makhzen*, dégage ! Nous n'avons plus peur de tes matraques » ; « Vos enfants, vous les avez nourris ; les enfants du peuple, vous les avez affamés. Vos enfants, vous les avez éduqués à l'étranger ; les enfants du peuple, vous les avez voués à l'échec. Vos enfants, vous les avez employés ; les enfants du peuple, vous les avez poussés à l'émigration. Mais les enfants du peuple se sont réveillés. Ils vous crient : "Ceci est le Maroc, et c'est notre pays." Majidi, El Himma, dégagez ! Comprenez par vous-mêmes ce qui vous reste à faire. Ceci est le Maroc, et c'est notre pays. »

Quand les plus proches collaborateurs du roi sont ainsi conspués sur la place publique, la fable du bon prince et des mauvais courtisans est usée jusqu'à la corde. Alors, on en voit la trame. Sentant le péril, Mohammed VI a réagi vite pour donner des gages. Dès le 9 mars 2011, il s'est adressé à son peuple pour lui dire qu'il l'avait compris. Il a annoncé une révision constitutionnelle dont l'adoption par référendum, le 30 juin, a été tournée en *beiya* populaire, en une allégeance de masse à la monarchie. La machine à faire des scores que l'on espérait remisée pour de bon s'est de nouveau emballée : les gens ont été ramassés par des cars, ils ont été conduits vers les urnes comme du bétail électoral et, pour qu'ils comprennent bien ce qui était attendu d'eux, on leur avait bourré le crâne dans les mosquées, le vendredi 25 juin, avec un prêche dicté par le ministère des Affaires islamiques – du jamais vu, même du temps de Hassan II et de son ministre de l'Intérieur maître ès plébiscites, feu Driss Basri ! La plus grande confrérie soufie du pays, la *zaouia* Boutchichia, a été embrigadée tout comme des bandes de jeunes voyous qui ont été incités à monter des « contre-manifestations » parfois violentes. Bref, si une démocratisation progressive était le but, et si – comme je le crois – une majorité de Marocains étaient prêts à avaliser ce projet, pourquoi avoir tourné un référendum de citoyens en onction populiste ? Le *modus operandi* a démenti le but affiché. Frileusement accroché à ses privilèges, le *makhzen* a abusé du vote populaire pour la mise en place d'un « parti de l'ordre », d'un rempart pour mieux se mettre à l'abri. Les peurs du plus grand nombre – la peur de perdre son gagne-pain, la peur d'être aliéné dans un pays en voie de mondialisation, aux mœurs nouvelles et inquiétantes, surtout parmi les jeunes... – ont été attisées alors qu'il s'agissait de créer l'espoir, la confiance en un avenir meilleur.

Après plus de dix ans sur le trône, il était difficile pour M6 de prétendre qu'il avait une stratégie mais que ses « sujets » ne s'en étaient pas aperçus. S'il n'avait pas démocratisé le royaume depuis la mort de son père, alors qu'avait-il fait ? Tant vantés par ses thuriféraires, le « nouveau concept d'autorité » et sa « monarchie exécutive » ne s'étaient pas inscrits dans les faits comme des avancées. Le peuple n'en avait vu que la couleur publicitaire. D'où la contestation. Le roi était à la manœuvre sous la pression des événements. Dans la nouvelle Constitution, il aménageait des marges d'ouverture : le Premier ministre – dorénavant « chef » en titre du gouvernement – allait être issu de la majorité élue par le peuple ; de nombreux « conseils » allaient voir le jour pour achever ce que j'appelle « l'ONGisation » de l'État marocain, le discrédit jeté sur la « politique politicienne » et la démultiplication des postes de cooptation, notamment pour des membres de la société civile ; enfin, une kyrielle de nouveaux « droits » étaient inscrits dans le texte fondamental qui, même à supposer qu'ils fussent un jour traduits dans des décrets d'application, paraissaient – sans jeu de mots – inapplicables en l'état. Un exemple : parce que l'article 36 « interdit » le conflit d'intérêts et l'abus de position dominante, s'imagine-t-on que les proches de Mohammed VI, tels que Fouad Ali el Himma ou Mounir Majidi, perdront leurs rentes de situation alors que la holding royale réalise à elle seule 8 % du PIB marocain ? Autant inscrire dans la Constitution que le *makhzen* ne plonge plus sa racine étymologique dans le verbe *khazana*, qui veut dire « amasser » ou « emmagasiner ». C'est absurde ! Pourtant, il eût été si simple de mettre fin à « l'État-entrepôt » que coiffe Mohammed VI. Il aurait suffi de suivre l'exemple de George III qui, en 1760 au Royaume-Uni, abandonna les biens de la Couronne à l'État en échange d'une liste civile, c'est-à-dire d'un budget annuel de fonctionnement voté par le Parlement.

Une fois de plus au Maroc, le changement réel, qui passerait par l'émancipation politique *et* économique du plus grand nombre, a été sacrifié aux apparences du pouvoir. Le 29 novembre 2011, le roi a nommé Premier ministre Abdelilah Benkirane, le chef du parti Justice et Développement (PJD), la formation de « référence islamiste » mais monarchiste qui avait emporté des élections anticipées. Depuis sa première participation à un scrutin législatif, en 1997, le PJD avait grandi à l'ombre du Palais en passant de 8 à 107 sièges, sur 395 au total. Face à la contestation, il était censé incarner l'« autre alternance », après celle des socialistes autour d'Abderrahman el Youssoufi en 1998. Mais une fois encore, le *makhzen* allait « vampiriser » ce qui avait été, un temps, une vraie opposition, avant que celle-ci ne négocie son entrée au gouvernement pour éviscérer le Mouvement du 20 février. À l'arrivée, le PJD étant aussi exsangue que l'USFP après sa propre expérience de cohabitation, je ne puis qu'être d'accord avec, d'une part, les « vrais » islamistes au Maroc, ceux d'Al Adl Wal-Ihsane (Justice et Bienfaisance) et, d'autre part, l'agence de notation Standard & Poor's – c'est dire notre échec ! Les premiers, par la voix de leur dirigeant Abdellah Chibani, avaient donné ce viatique à leur « frère » Benkirane nommé à la tête du gouvernement : « Ne capitule pas devant le *makhzen*. Sois sûr qu'ils ne te laisseront jamais dépasser les lignes rouges qui protègent leur domination et leur pillage des biens du peuple. » La seconde a ainsi justifié, le 11 octobre 2012, sa modification en « négatif » de la perspective concernant la dette à long terme du Maroc : « Si le chômage reste obstinément élevé, si le coût de la vie monte en flèche, ou si les réformes politiques déçoivent les attentes de la population, il y a un risque de troubles durables et à grande échelle. » Avec tant de « si » à peine hypothétiques, on mettra le royaume en échec.

Après la griserie, la grisaille. La nouvelle Constitution fait peut-être gagner du temps à Mohammed VI, mais elle en fera perdre au pays. Nous sommes toujours dans une monarchie de droit divin *avec* une Constitution – pas même dans une monarchie constitutionnelle et encore moins dans une monarchie parlementaire respectueuse de la souveraineté populaire. Certes, la sacralité de la personne du roi a été abandonnée mais le statut du Commandeur des croyants, les actes posés par ce chef religieux et la *beiya* – l'allégeance – prêtée au monarque demeurent sacrés. Que l'on m'explique la différence ! Ailleurs, la monarchie constitutionnelle a été un point de passage vers une monarchie responsable devant le peuple. Chez nous, depuis 1962, lorsque le Maroc s'est doté pour la première fois d'une charte fondamentale, la Constitution est notre salle des pas perdus. Nous y attendons un train qui n'entrera jamais en gare. De Hassan II à Mohammed VI, le roi n'a eu de cesse d'amender la Constitution pour mieux dissimuler ce surplace collectif, le fait que nous sommes « perdus en transit ». Nous nous démenons d'autant plus que nous n'allons nulle part ; nous réformons à tour de bras pour cimenter le statu quo. La preuve : tout prince que je sois, je signerais aujourd'hui des deux mains l'« option révolutionnaire », en fait si peu sulfureuse, prônée dès 1962 par Mehdi Ben Barka, partisan d'une « monarchie constitutionnelle dans laquelle le roi est le symbole de la continuité institutionnelle et dans laquelle le gouvernement dépend du peuple, qui exerce le pouvoir ».

L'une des grandes limites du système monarchique marocain est son interdiction du plein usage de la Raison. Or, un « sujet » ne pourra jamais devenir citoyen dans un système où quelqu'un est dépositaire d'une vérité absolue, irréfragable. Ce blocage systémique fait que le Maroc ne peut pas transcender sa condition actuelle, puisque ses citoyens ne peuvent énoncer des vérités face au Commandeur des croyants, qui est supposé les détenir de façon incontestable. Cela fausse le débat démocratique au sein de la société. Quand bien même le débat sur la place publique aboutirait à un consensus, ce consensus est nul et non advenu s'il n'est pas accepté par le monarque. Hassan II détestait le livre subversivement brocardeur de Philippe Brachet *Descartes n'est pas marocain*, qui a paru en 1982. Mohammed VI, pour ne citer que cet exemple, a « reformaté », en 2004, le débat sur la *Moudawana*, la loi sur la famille et le statut personnel. Hier comme aujourd'hui, il y a empêchement dirimant de la raison collective, et le Maroc ne peut pas aller au bout de sa modernisation. La monarchie a besoin d'évoluer, pour le bien du pays comme, d'ailleurs, pour sa propre survie. Elle ne peut plus reposer sur la foi aveugle en un souverain divin.

Quatorze ans après la montée sur le trône de Mohammed VI, je ne crois plus que l'actuel roi saura changer la nature de la monarchie chérifienne. Pour deux raisons : d'une part, parce qu'il s'est montré peu enclin à « faire du neuf », à sortir de sa zone de confort et à inventer un royaume pour tous ; mais aussi, d'autre part, parce qu'il ne veut plus « faire du vieux ». L'ancien savoir-gouverner au Maroc, issu d'une tradition séculaire, est en train de mourir. On pourrait s'en féliciter puisqu'il s'agit d'une forme particulière, et pas particulièrement sympathique, de ce que mon ami politologue et collègue à Stanford, Larry Diamond, appelle *authoritarian statescraft* et que je traduirais, en pensant à Michel Foucault, par « gouvernementalité autoritaire ». Dans le lexique politique arabe, le terme correspondant serait *el harfa el hokm*. Concrètement, au Maroc, c'est le savoir-gouverner lié à la longévité et à la mémoire institutionnelle du *makhzen*. Autant dire que je n'en suis aucunement nostalgique. Mais je sais aussi que vouloir faire table rase de ce passé revient à pousser la porte de l'aventure et de violences collectives censément accoucheuses de lendemains meilleurs parce que « totalement différents ». Je me méfie des apologies de la table rase. Je fais plus facilement confiance à qui est capable de m'indiquer le prochain pas vers l'amélioration, et le pas d'après, plutôt qu'au grand visionnaire du paradis sur terre. Enfin, pour le Maroc que j'appelle de mes vœux, je me fie à notre sagesse populaire qui raille l'ânerie de *Jha*. Nous autres, à la recherche du « nouveau Maroc », ne ressemblons-nous pas au *Jha*, qui cherche l'âne sur le dos duquel il est juché ? Nous désespérons de l'avènement d'un autre Maroc alors qu'il ne peut voir le jour qu'à travers nous, et qu'il perce déjà en nous et tout autour. Alors, faut-il casser le pays pour qu'il soit différent ?

Je peux comprendre que l'on arrive à cette conclusion, à force de frustrations. Mais ce n'est pas la voie que je choisis. Pour ma part, je crois qu'il faut bâtir le nouveau Maroc avec les Marocains tels qu'ils sont, et non pas en attendant de les rééduquer en « hommes nouveaux ». Je ne suis pas « hassanien », bien au contraire, et je l'ai prouvé du vivant de l'ancien roi. Mais tout au long de cet ouvrage, malgré tout ce qui m'a opposé à Hassan II, j'ai tenté de dire sa part de gloire autant que sa part de nuit. Je l'ai fait parce qu'il « faut faire avec ce que l'on a » et parce que, après un règne de trente-huit ans, nous sommes tous, qu'on le veuille ou non, des « fils de Hassan II ». Pour moi, cela veut dire que, pour faire du neuf sans « casse », il faut savoir transformer le vieux. D'ailleurs, Hassan II l'a fait à la fin de son règne. Il a été capable de changer « son » royaume sans heurts puisqu'il connaissait parfaitement les registres du savoir-gouverner absolutiste. De ce fait, il a pu aménager des paliers de décompression autoritaire, sans dégringoler dans la cage d'escalier. En revanche, pour avoir créé le vide autour de lui, ou le trop-plein de « copains » incapables, ce qui revient au même, Mohammed VI risque d'entraîner le pays dans sa chute.

De la même manière que les rois ont mieux résisté à la contestation que les *raïs*, le savoir-gouverner ancestral au Maroc constitue un atout pour la transition démocratique. Car la monarchie incarne l'unité d'un pays à travers le temps, qui est long et continu parce que dynastique ; elle sert ainsi de réceptacle d'un art de gouverner, qui ne se réinvente pas du jour au lendemain. On peut ne pas aimer le Palais – je le comprends parfaitement – mais faut-il ignorer que le Palais n'est qu'une architecture parmi d'autres du *dar el mulk*, de la « maison du pouvoir » ? Il ne dépend que de nous de la réaménager, au besoin de fond en comble. Faut-il pour autant la vider, la laisser tomber en ruine ou la saccager ? Je ne me soucie pas des occupants mais des aménagements, des installations, de tout ce qui fait fonctionner une maison quel que soit le maître de céans. Dans le *dar el mulk* au Maroc, qui est royal depuis le VIIIᵉ siècle et les Idrissides, tout un savoir-gouverner a été accumulé sous forme de gestes ancestraux, de formules patinées par le temps, de connaissances payées cher par l'expérience. Différentes catégories de gestionnaires de l'État y ont appris la culture de l'attente comme de l'action urgente, la mosaïque de nos tribus, l'écoute de nos *zaouias*, la levée de fonds, l'administration du territoire, l'art de la guerre ou de la négociation, etc. Gaspiller ce trésor me paraît irresponsable. Or, ce savoir-gouverner ne cesse de s'effilocher parce que, pour le régénérer, l'impulsion doit venir du haut.

Mohammed VI ne vit plus au Palais. Il lui est évidemment loisible de choisir son lieu de résidence et, au début de son règne, cette distance prise pouvait passer pour un gage d'ouverture. Cependant, au fil des années, on s'est rendu compte qu'il s'agissait moins d'un renouveau que d'un abandon. Le roi s'est éloigné de la « maison du pouvoir » – le *dar el mulk*, à ne pas confondre avec le *makhzen* prédateur – parce qu'il savait qu'il n'était pas fait pour l'habiter. Hassan II veillait à ce que la monarchie ait « de la gueule », pour reprendre ses termes. Mohammed VI abhorre une culture politique qui s'exprime à travers le proverbe marocain : « Sois un lion, et mange-moi ! » Aujourd'hui, la maison des Alaouites a perdu de sa superbe. Cela n'aurait guère d'importance si la monarchie servait seulement la famille royale, les princes et princesses. Mais c'est impardonnable au moment où la monarchie est appelée à accueillir tous les Marocains, sans distinction. Du moins, telle est ma conviction : il faut transformer la maison des Alaouites, dont je suis issu et que je ne renie pas, en un temple populaire et démocratique. Non pas pour que la monarchie survive, mais pour que le Maroc perdure. Nous n'en prenons pas le chemin quand le roi confie la maison du pouvoir à ses anciens condisciples du Collège royal, aux Fouad Ali el Himma, Mounir Majidi et autres. Mohammed VI n'étant plus maître chez lui, on ne sait plus, du roi et de sa cour, qui sert ou se sert de qui. Dotés de mandats irrévocables et exorbitants, de faux vizirs enferment aujourd'hui le roi dans sa zone de confort, de plus en plus étriquée ; ils tiennent la maison royale et, donc, le Maroc. La rue ne s'est pas trompée : démocratiser le pays revient à les chasser du Palais.

Dans son *Two Memoirs* publié en 1949, John Maynard Keynes relevait qu'« il ne suffit pas que l'état des choses que nous cherchons à promouvoir soit meilleur que l'état des choses existant parce qu'il doit être à ce point meilleur qu'il compense les maux de la transition ». J'y ai beaucoup pensé ces dernières années. Et j'ai longtemps hésité avant de conclure qu'il est grand temps de démolir le *makhzen* au Maroc et d'en finir avec un « magasin » devenu un self-service. Mais, finalement, je me suis rendu à l'évidence qu'il faut réaménager la maison du pouvoir afin que tous les Marocains s'y sentent à l'aise pour apporter leur pierre à l'édifice. Je n'ai jamais ressenti ni rancœur ni envie à l'égard de qui que ce soit, seulement une vraie passion pour mon pays. À la place qui est la mienne, cela veut dire – aujourd'hui comme hier – « fournir une lecture » en disant et répétant à qui veut l'entendre, et surtout à celui qui ne veut pas l'entendre, ce que le Maroc mérite. Voilà, c'est fait.

Remerciements

Cet ouvrage n'aurait pas vu le jour sans le concours essentiel des équipes de Grasset. Son PDG, Olivier Nora, au-delà de ses conseils avisés, a su me convaincre au bon moment de me dessaisir de mon manuscrit – tous les auteurs, familiers du problème, apprécieront cette délivrance. Mon éditeur, Christophe Bataille, m'a porté par son enthousiasme tout en me rappelant utilement, à des moments clés, que ce livre ne s'adressait pas aux seuls Marocains. Merci également à Agnès Nivière pour sa soigneuse préparation du texte.

Au cours de la rédaction, mon ami Abdellah Hammoudi et mon collègue à Princeton et à Stanford, Nabil Mouline, ont été à tout moment disponibles pour réagir, aussi chaleureusement que franchement, à mes réflexions et interrogations. À Stanford et au sein de ma Fondation, Sean Yom a été crucial dans la phase de recherches. Enfin, les archives accumulées pendant une trentaine d'années n'auraient pas existé, ni servi cette cause, sans le travail fiable et précis d'Abdellah Radouani.

Ma dette intellectuelle est considérable à l'égard du *Center on Democracy, Development, and the Rule of Law* (CDDRL) à Stanford, qui fait partie du *Freeman Spogli*

Institute (FSI). À la tête du CDDRL, Larry Diamond, Michael McFaul et Kathryn Stoner m'ont constamment encouragé à persévérer. Pour avoir déjà été mon mentor pendant mes études de 3ᵉ cycle, Larry mérite une mention spéciale. Pendant la longue gestation de ce livre, mes échanges sur le Proche-Orient et le Maghreb avec Steve Krasner, Abbas Milani et Marie-Pierre Ulloa ont été une source d'inspiration. Je souhaite aussi exprimer ma reconnaissance au personnel administratif du CDDRL, en particulier à Audrey McGowan, Breana Dinh, Young Lee et Alice Kada, ainsi qu'à Belinda Byrne au FSI et à Catherine Corneille au sein de ma fondation. *Last but not least*, Michael Kianka, en infatigable *multitasker*, a joué un rôle central pendant toutes ces années.

Je pense aussi avec gratitude à Eva Gossman, ma doyenne à Princeton, ainsi qu'à Richard Falk, Philippe Schmitter et Lucius Barker à qui je dois ma formation en Science politique. George Ross, Harold Kuhn et William Bonini ont élargi mon horizon à d'autres disciplines académiques qui marquent, quoique moins directement, ces pages de leur empreinte. Ce qui est vrai également pour l'échange d'idées continu, pendant toutes nos années d'études, avec Abdeslam Maghraoui.

À la recherche d'un monde arabe plus démocratique, un compagnonnage de vingt ans me lie étroitement au *Monde diplomatique*. Je voudrais ici rendre hommage au professionnalisme et aux convictions de ses journalistes, en premier lieu à Ignacio Ramonet, Alain Gresh, Dominique Vidal et Serge Halimi.

Deux pôles de réflexions – la Fondation Moulay Hicham et, à Princeton, l'Institut pour les études contemporaines et transrégionales du Proche-Orient, de l'Afrique du Nord et de l'Asie – ont irrigué cet ouvrage. C'est dire que ma dette est grande envers Rémy Leveau, le « père spirituel » de ma fondation, ainsi qu'envers Olivier Roy et Farhad Khosrokhavar. Membres du comité scientifique de ma fondation, Henry Laurens, Khadija Mohsen-Finan et Bernard Haykel, ce dernier aussi à la tête de mon Institut transrégional à Princeton, ont nourri mes réflexions, de même que de nombreux chercheurs marocains parmi lesquels je voudrais citer, en particulier, Mehdi Lahlou, Bashir El Haskouri, Larbi Benothmane, Maati Monjib, Abdelhak Serhane, Yahya Yahyaoui, et Abdellatif Housni. Enfin, l'équipe autour de Ben et Lynne Moses, qui a réalisé le premier documentaire de ma fondation, *A Whisper to a Roar*, a stimulé mes analyses sur la démocratisation dans le monde, notamment Amy Martinez.

Sur le plan entrepreneurial, dans le domaine des énergies renouvelables, l'ancien président du *Offsets Group* des Émirats arabes unis, Amin Badr-El-Din, et mes collaborateurs à *Al-Tayyar Energy*, Pete Smith et Naida Khalid Abu Jbara, ont façonné mon expérience professionnelle, aussi essentielle à ce livre qu'à mon indépendance. C'est également vrai, à des titres qui mériteraient d'être détaillés mais dont chacun d'entre eux gardera un souvenir aussi précis que moi-même, pour Kamal Shair, Hasib Sabbagh, Said Khoury, Fouad Khoury, Abdelkader Bensalah et Othman Benjelloun, dont la fille Dounia est comme une sœur pour moi.

Il n'y aurait pas de « prince » sans secrétaires particuliers et conseillers. À cet égard, pour leurs compétences aussi riches que diverses, je souhaite exprimer ma reconnaissance à Naima Drouich, Mohamed Mossadeq, Ouafa Lazrak, Atika Saloumi, Hind Benthala, Said El Bourari, Mohamed Bastos, Mohamed Amine Filali et, tout particulièrement, à Samir Agoumi, dont je m'honore d'être l'ami. J'inclus mes avocats Clarence Peter, James Shaw, Paul Lombard, Alain Fénéon, Ali Scali et Abderrahim Berrada, ce dernier ayant été à mes côtés lors de ma première apparition dans un tribunal au Maroc.

Enfin, puisque ce témoignage est né sur un lit d'hôpital, et qu'il n'aurait évidemment pas vu le jour sans leur art, je tiens à remercier mes médecins Andrew Costin, Howard Herrmann, Joe Bavaria, Roman De Sanctis et Gino Nazzaro aux États-Unis et, au Maroc, Hamid Alaoui et Taoufik Mesfioui.

Mes dettes en amitié – la matière première de ce livre – sont particulièrement lourdes. Or, les sentiments qui m'ont été offerts sans compter ne sauraient être détaillés ici, au risque de paraître de circonstance. Que mes amis me permettent donc de les remercier simplement en les nommant. Sans parler de ce livre, je n'existerais pas tel que je suis aujourd'hui sans feu Ahmed Mzali, Abderrahmane El Kouhen, Omar Kadiri et son épouse Mama, Mohammed Jennane, Rachid Benabdellah, Hadi Barazi et Moulay Slimane Alaoui. Quant à Pierre Azoulay, Fadel Iraki et Khalid Jamaï, ils m'ont donné ce que les relations humaines ont de plus précieux : des preuves d'amitié, contre vents et marées. Depuis 2002, Matt Brooks, les familles Delassandro, Praub, Callerry, Ketting, Bentsen et Merle nous ont entourés de chaleur amicale, ma famille et moi, à Princeton.

Ma famille a été au cœur de ce projet d'écriture comme elle est au cœur de ma vie. Mon épouse, Malika, et nos filles, Faizah et Haajar, cosignent ce livre à travers moi. Ma sœur, Lalla Zeineb, est la lumière de ma vie, et ma cousine Faiza el-Solh la fille de sa mère, Alia – je ne saurais mieux l'honorer. Je voudrais également témoigner bien plus que ma gratitude à ma belle-sœur Khadija Benhima et à son époux, Omar Slaoui, ainsi qu'à mon beau-frère et ami d'enfance, Hassan Benabdelali, et, par-delà nos désaccords politiques, à mon cousin Khalid Bin Talal.

Ces remerciements n'étant pas exhaustifs, je m'excuse d'avance auprès de ceux que je n'aurai pas eu l'occasion de nommer. Cependant, je ne saurais conclure sans une pensée de profonde gratitude envers tous les Marocains, souvent anonymes, qui m'ont témoigné leur affection tout au long de ma vie, en dépit de circonstances adverses et, parfois, de dangers. Je pense en particulier à Yasmina Elaasri, aux Nations unies, et à mon ami poissonnier à Mohammedia, Mohamed El Ammar, dont l'un des fils porte mon nom. Je ne saurais le dire autrement : les Marocains, sans distinction, sont les vrais protagonistes de mon livre.

TABLE

Cet ouvrage a été imprimé en France par
par CPI Bussière
à Saint-Amand-Montrond (Cher)
en avril 2014

Composé par Nord Compo Multimédia
7, rue de Fives, 59650 Villeneuve-d'Ascq

Grasset s'engage pour
l'environnement en réduisant
l'empreinte carbone de ses livres.
Celle de cet exemplaire est de :
800 g éq. CO₂
Rendez-vous sur
www.grasset-durable.fr

PAPIER À BASE DE
FIBRES CERTIFIÉES

N° d'édition : 18299 – N° d'impression : 2008535
Dépôt légal : avril 2014